数学图鉴

[日] 永野裕之 / 著

黄雨婷　江志强 / 译

人 民 邮 电 出 版 社

北 京

图书在版编目（CIP）数据

数学图鉴 /（日）永野裕之著 ；黄雨婷，江志强译
. -- 北京 ：人民邮电出版社，2023.9（2024.3重印）
ISBN 978-7-115-62371-3

Ⅰ．①数… Ⅱ．①永… ②黄… ③江… Ⅲ．①数学－通俗读物 Ⅳ．①O-49

中国国家版本馆CIP数据核字(2023)第141763号

内容提要

本书通过大量公式和插图，通俗易懂地介绍了数学的基础知识，内容涉及集合、必要条件、充分条件、逆否命题、反证法、概率、二次函数、三角函数、微分法、数列、向量和矩阵等。全书图文清晰直观，基础概念、证明过程一目了然，旨在帮助读者重温数学基础，体会数学的有趣之处。同时，本书还设有“对数的诞生”“如何解决数学考试中的难题”等专栏，趣味性十足。

本书适合想学习数学的社会人士、跟不上课堂内容但又看不懂其他数学参考书的高中生和大学生、想把学生时代学习的数学知识重新捡起来的人，以及需要学习数学以应对日常工作的文科毕业生阅读。

◆ 著　　　　[日] 永野裕之
　译　　　　黄雨婷　江志强
　责任编辑　高宇涵
　责任印制　胡　南
◆ 人民邮电出版社出版发行　　北京市丰台区成寿寺路11号
　邮编　100164　　电子邮件　315@ptpress.com.cn
　网址　https://www.ptpress.com.cn
　涿州市京南印刷厂印刷
◆ 开本：880×1230　1/32
　印张：8　　　　　　2023年9月第1版
　字数：275千字　　　2024年3月河北第2次印刷
　著作权合同登记号　图字：01-2020-5998号

定价：69.80元

前　言

大家知道数学家冈洁吗？冈老师是日本昭和时期（1926 年 12 月—1989 年 1 月）具有代表性的数学家之一，是当时世界上研究多变量解析函数的领军人物。他的成果之优秀，甚至令欧美学者如此评价："无法想象这些成果能够仅凭一人之力取得，Kiyoshi Oka[1] 大概是一个数学家团体的笔名吧？"

冈老师在他获得日本"每日出版文化奖"的随笔集《春夜十话》中写下了这样一段话。

> 或许当下仍有人不解数学这门学科存在的必要性，但数学正是照亮黑暗的光。青天白日自不需要点灯相助，可如今世界已堕入茫茫黑夜，星辰之光已是救命稻草。[2]

学数学不仅可以获得**解决问题的能力**，还能锻炼表达能力，从而准确无误地把自己的想法传达给他人。我们之所以称数学是"照亮黑暗的光"，是因为数学可以培养人的思维能力。当前方是一片无人涉足的荒地，而你必须靠自己的双脚行走并决定前行的方向时，通过数学培养出来的逻辑思维必定能够派上用场。

本书以"数学图鉴"为名，旨在**通过图表或插画使数学理论变得尽可能直观和容易理解**。但是，仅看图表或插画恐怕不足以锻炼人的逻辑思维，因此本书将绝大多数的定理和公式放入了"拓展"部分，并通过计算加以证明。只想快速学完基础知识的人，可以直接跳过"拓展"部分，但如果有时间的话，还请大家务必认真读一读这个部分。在本书的后半部分，笔者还根据各章的内容挑选了日本一些大学的入学考试试题，并在篇幅允许的范围内尽可能详细地附上了答案和解说。这其中还包括东京大学和京都大学的入学试题。如果大家能运用在本书前半部分学到的定理和公式去**解决问题**，并在此过程中慢慢体会到乐趣，笔者将倍感荣幸。

---

[1] Kiyoshi Oka 是冈洁的罗马音。——译者注

[2] 引自《春夜十话》，冈洁著，林明月译，人民邮电出版社于 2019 年 2 月出版。——译者注

本书的内容虽然没有网罗高中数学的所有知识点，但笔者精心挑选了一些大家容易出错的知识点。**“原来那时候老师说的是这个意思……”**——如果各位在阅读本书时能有这般拨云见日的体验，那么对笔者而言便是至高无上的喜悦。

最后，借此感谢日本欧姆社给予的宝贵出版机会，以及为本书排版的 g.Grape 股份有限公司的工作人员。

永野裕之

2017 年 12 月

或许当下仍有人不解数学这门学科存在的必要性，

但数学正是照亮黑暗的光。

青天白日自不需要点灯相助，

可如今世界已堕入茫茫黑夜，

星辰之光已是救命稻草。

——冈洁（1901—1978）

目 录

第 4 章 微积分

第 5 章 数列

第 6 章 向量和矩阵

第7章 复平面（补充内容）

第8章 挑战日本高考真题！

Cup or cap?

第1章 集合与逻辑

集合基础

还记得在高中学过[1]的集合吗？圆里面又有一个圆，或者两个圆相互重叠的那种图。这里，我们来重新认识一下什么是集合。实际上，所谓的集合就是一堆有明确范围的东西。学习集合需要用到许多独特的符号，我们先来熟悉这些符号吧！

集合与元素

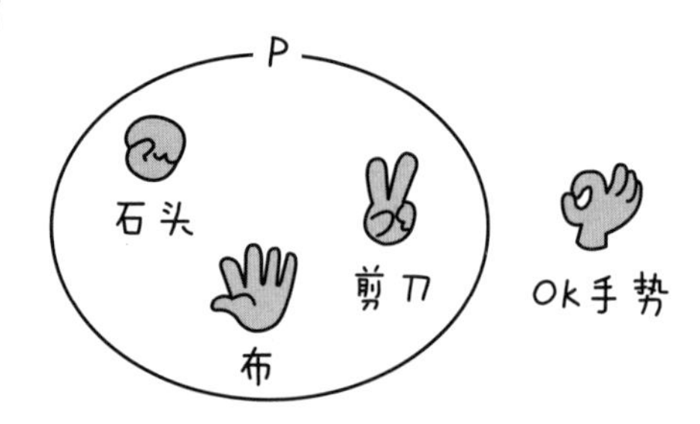

我们把像猜拳手势这样的“具有明确范围的东西的合集”统称为集合（set），简称为集。同时，把集合中包含的每一样东西称为集合中的元素（element）。例如，将猜拳手势设为一个集合 P，那么“石头、剪刀、布”就是 P 中的元素。

一般，我们用 $a \in A$ 来表示 a 是集合 A 的元素，用 $b \notin A$ 来表示 b 不是集合 A 的元素。在上述例子中，**石头 $\in P$，OK 手势 $\notin P$**。

集合的表示方法

① $P=\{$ 石头，剪刀，布 $\}$　　② $P=\{x|x$ 是猜拳手势 $\}$

集合的表示方法有两种。一种是在 $\{\quad\}$ 中罗列出所有元素，另一种是用 x 这样的字母（可以用自己喜欢的任何字母）来代表集合里的元素，然后在纵线（|）的右边写上元素需要满足的条件[2]。

① 本书所涉学习进度的表述均指日本的情况，可能与国内不同，为免赘述，后文不再一一标注。——编者注

② 条件可以用公式来表示。例如，设集合 D 由大于等于 1 且小于等于 10 的全部实数构成，则 D 可以表示为 $D=\{x|1 \leqslant x \leqslant 10\}$。

子集与包含关系

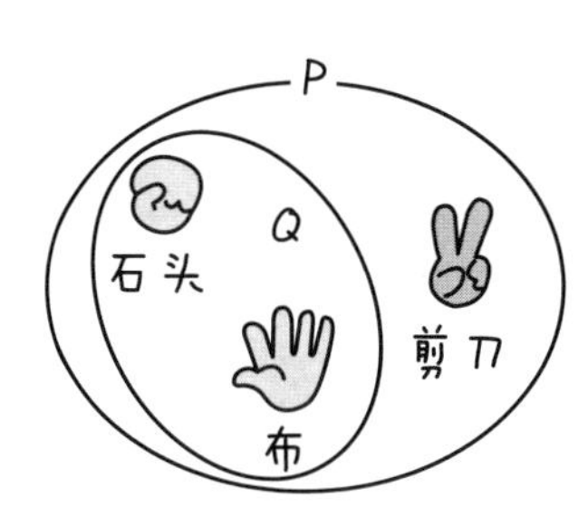

例如，有 $P=\{$ 石头，剪刀，布 $\}$ 和 $Q=\{$ 石头，布 $\}$ 两个集合，集合 Q 包含于集合 P。在这种情况下，我们称集合 Q 是集合 P 的子集（subset），写作 $Q \subset P$。

通常，如果有两个集合，一个是另一个的子集，那么我们称这两个集合间具有包含关系（inclusion relation）。

交集与并集

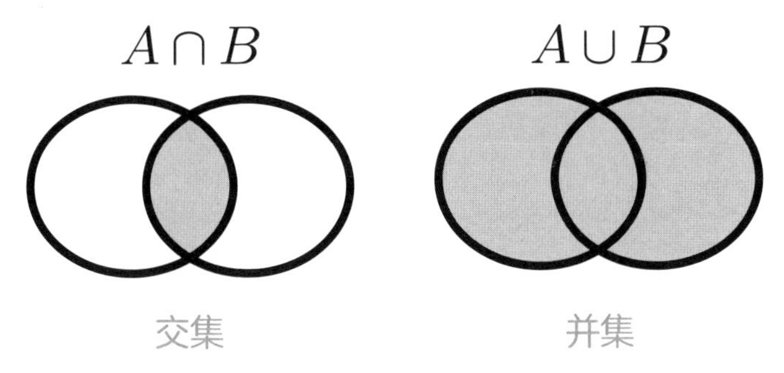

对于 A、B 两个集合，我们将属于 A 且属于 B 的全部元素所构成的集合称为交集（intersection），将至少属于 A 或 B 其中一方的全部元素所构成的集合称为并集（union）。它们分别用如下方式表示。

A 与 B 的交集：$A \cap B$
A 与 B 的并集：$A \cup B$

全集和补集

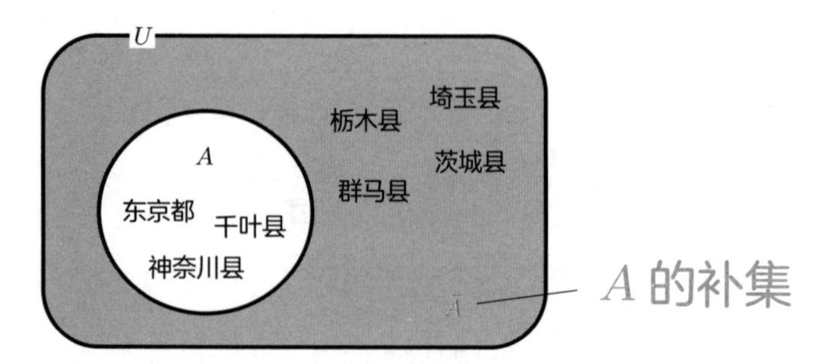

对于给定的集合 U，假如我们所要研究的对象都是 U 的子集，则称集合 U 为全集（universal set）。对于全集 U 的子集 A，我们将属于 U 且不属于 A 的全部元素所构成的集合称为 A 的补集（complement），写作$\bar{A}$。

例 设全集 U 包含关东地区的所有都道府县，即 U={ 东京都，埼玉县，千叶县，神奈川县，茨城县，栃木县，群马县 }，则关于 U 的子集 A={ 东京都，千叶县，神奈川县 }，我们可以得出以下式子。

$$\overline{A}=\{\text{埼玉县，茨城县，栃木县，群马县}\}$$

德 · 摩根定律

关于 $A\cap B$ 和 $A\cup B$ 的补集，已知如下定律成立[①]。

$$\overline{A\cap B}=\overline{A}\cup\overline{B}$$

$$\overline{A\cup B}=\overline{A}\cap\overline{B}$$

我们把该定律称为德 · 摩根定律（de Morgan's law）。

条件的否定

对于一个条件 p，我们把条件“非 p”称为条件 p 的否定，用符号 $\overline{p}$[②] 来表示。

例 假设条件 p 为“资金大于等于 1 亿日元”，则 $\overline{p}$ 为“**资金不足 1 亿日元**”。

① 后文有具体的证明过程。

② 也写作 $\neg p$。——编者注

"且"和"或"的否定

设全集为 U，满足条件 p、q 的元素的集合分别为 P、Q，则满足 $\overline{p}$、"p 且 q""p 或 q"的集合分别如下所示。

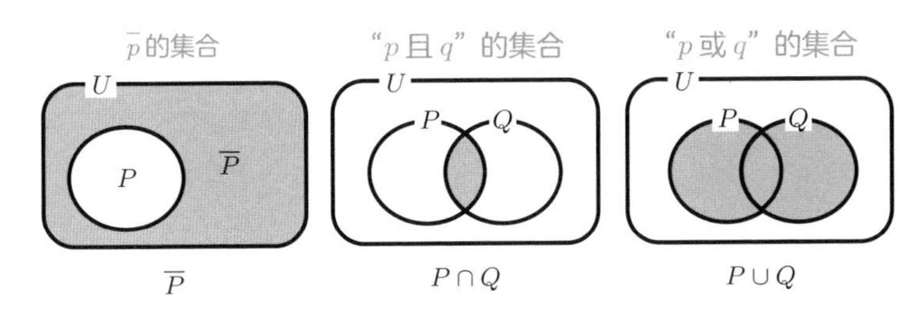

根据德 · 摩根定律，关于条件 p、q，如下式子成立。

$$\overline{p\text{ 且 }q} = \overline{p}\text{ 或 }\overline{q} \qquad \overline{p\text{ 或 }q} = \overline{p}\text{ 且 }\overline{q}$$

"资金大于等于 1 亿日元"**且**"从业人员大于等于 100 人"的**否定**是
"资金不足 1 亿日元"**或**"从业人员不到 100 人"；
"喜欢吃咖喱"**或**"喜欢吃寿司"的**否定**是
"讨厌吃咖喱"**且**"讨厌吃寿司"。

拓展【证明】德 · 摩根定律[1]

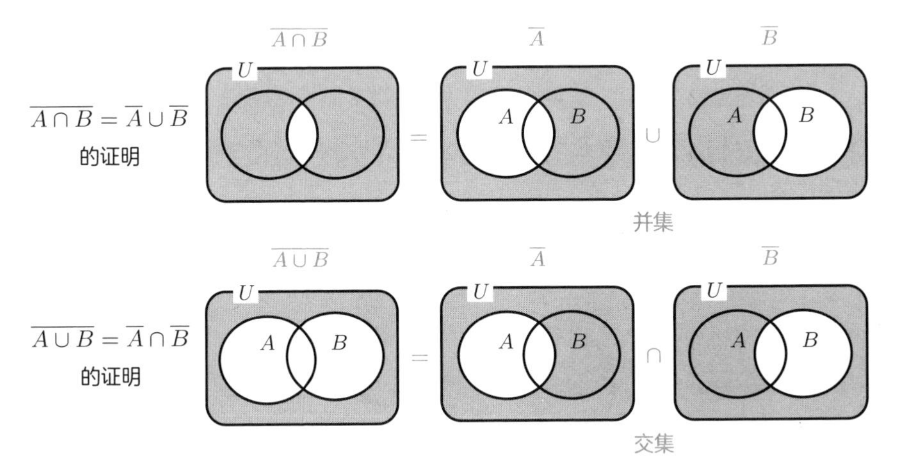

[1] 此处并非严密的证明。

充分条件和必要条件

很多人不知道怎么分辨“充分条件”和“必要条件”。这里有一个小窍门：范围较大的一方是“必要条件”，范围较小的一方是“充分条件”。

命题

我们把可以明确判断其正确与否的句子或公式称为命题（proposition）。

①长方形是平行四边形。

②富士山是日本最高的山。

③素数是奇数。

此外，如果一个命题是正确的，我们就称该命题为真；反之，如果一个命题不正确，则称该命题为假。在上述例子中，①、②为真，③为假（2 是素数，但不是奇数）。

包含关系与真假命题

很多命题包含两个条件 p、q，它们通常呈现为“若 p 则 q”的形式，或是可以变换成这种形式。命题“若 p 则 q”可用符号表示为以下形式。

$$p \Rightarrow q$$

其中 p 称为该命题的假设（assumption），q 称为该命题的结论（conclusion）。

通常，设满足条件 p 的元素的集合为 P，满足条件 q 的元素的集合为 Q，则对于 P 和 Q，当它们存在包含关系 $P \subset Q$ 时，$p \Rightarrow q$ 为真。

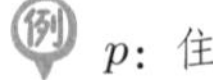

p：住在东京　q：住在日本　则 $p \Rightarrow q$ 为真。

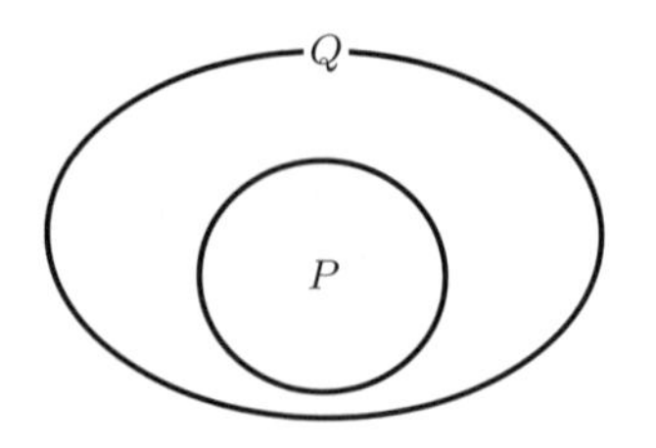

此时，$p \Rightarrow q$ 为真

充分条件和必要条件

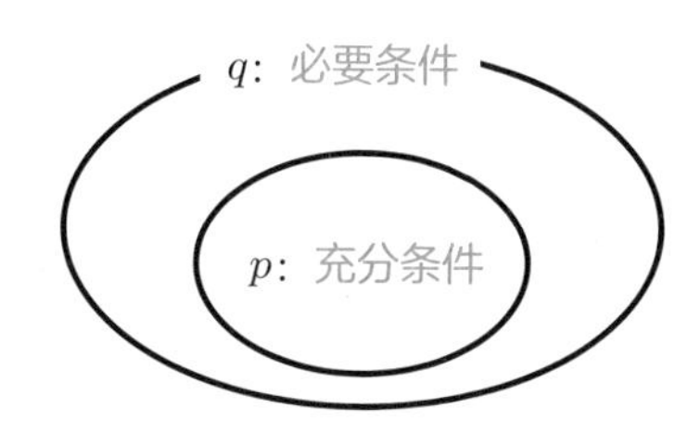

当 $p \Rightarrow q$ 为真时

充分条件（范围较小的条件） 必要条件（范围较大的条件）

当 $p \Rightarrow q$ 为真时，我们称 p 是 q 的充分条件（sufficient condition），q 是 p 的必要条件（necessary condition）。

当满足条件 p 的元素的集合，与满足条件 q 的元素的集合之间具有包含关系时，我们可以理解为**范围较小的条件是充分条件，范围较大的条件是必要条件**。

例 "住在东京 ⇒ 住在日本"为真。住在东京是（住在日本的）充分条件，住在日本是（住在东京的）必要条件。

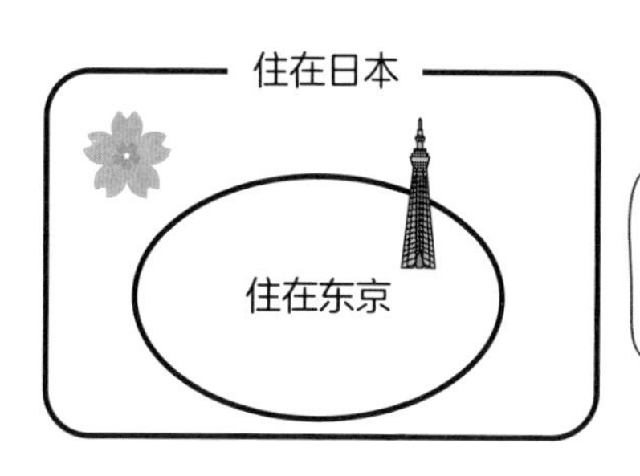

住在东京：充分条件
住在日本：必要条件
没错！

特别是当 $p \Rightarrow q$ 和 $q \Rightarrow p$ 同时为真时，我们称 q 是 p 的充分必要条件（necessary and sufficient condition），简称"充要条件"。相应地，p 也是 q 的充要条件。此外，在这种情况下，我们还说 p 与 q 相互等价（equivalent），并用以下符号来表示。

$$p \Leftrightarrow q$$

例 "在日本是成年人 ⇒ 年满 20 周岁"与"年满 20 周岁 ⇒ 在日本是成年人"同为真，所以"年满 20 周岁"是"在日本是成年人"的充要条件（"在日本是成年人"也是"年满 20 周岁"的充要条件），它们等价。

逆否命题

“不会说英语就不是社会人士”——像这种含有多重否定的表达，我们通常难以判断它究竟正确还是不正确。此时，我们可以使用逆否命题。

命题的互逆、互否、互为逆否

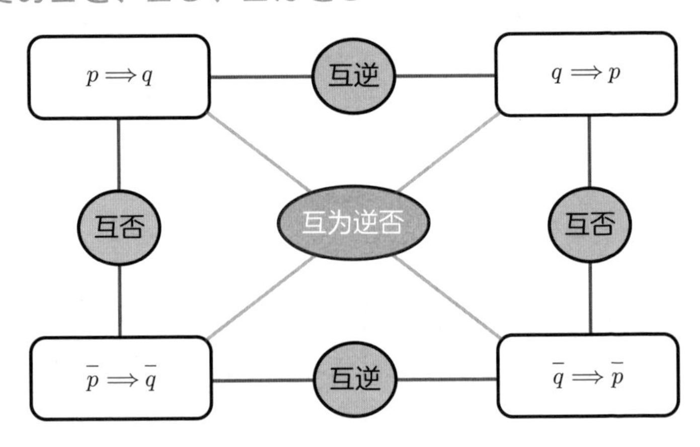

如果一个命题将原命题的**假设和结论互换**，则我们称该命题为原命题的逆命题（converse）。如果一个命题将原命题的**假设和结论分别取否**，则我们称该命题为原命题的否命题（obverse）。如果一个命题将原命题的**假设和结论互换，然后再分别取否**，则我们称该命题为原命题的逆否命题（contraposition）。

于是，对于命题 $p \Rightarrow q$，我们可以得出如下结论。

$q \Rightarrow p$ 是 $p \Rightarrow q$ 的**逆命题**
$\overline{p} \Rightarrow \overline{q}$ 是 $p \Rightarrow q$ 的**否命题**
$\overline{q} \Rightarrow \overline{p}$ 是 $p \Rightarrow q$ 的**逆否命题**

逆否命题尤其重要！

对于命题“只要住在东京，就住在日本”，我们可以得出如下结论。

- 逆命题：只要住在日本，就住在东京。
- 否命题：只要不住在东京，就不住在日本。
- 逆否命题：只要不住在日本，就不住在东京。

对于难断命题则取其逆否

一个命题正确与否，与它的逆否命题正确与否相一致。

也就是说，若 $p \Rightarrow q$ 为真，则 $\bar{q} \Rightarrow \bar{p}$ 也为真。若 $p \Rightarrow q$ 为假，则 $\bar{q} \Rightarrow \bar{p}$ 也为假。

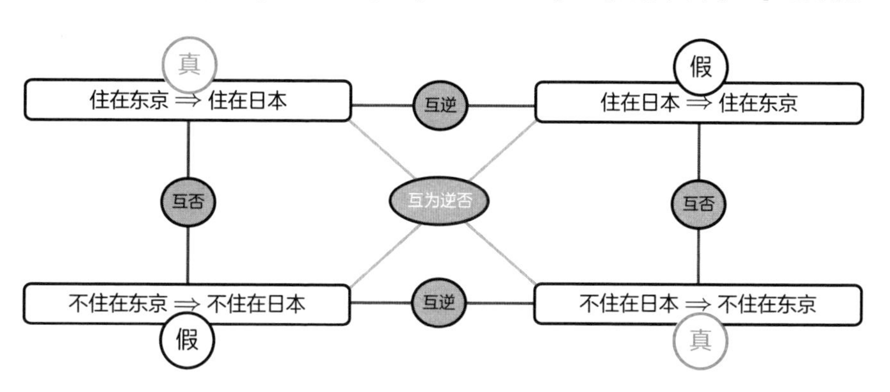

当我们难以判断某个命题是真是假的时候，转去**判断其逆否命题的真假**一般会更容易。

例 原命题“不会说英语就不是社会人士” ……很难判断

逆否命题“只要是社会人士就会说英语” ……很好判断（假！）

拓展 原命题和逆否命题同真同假的原因

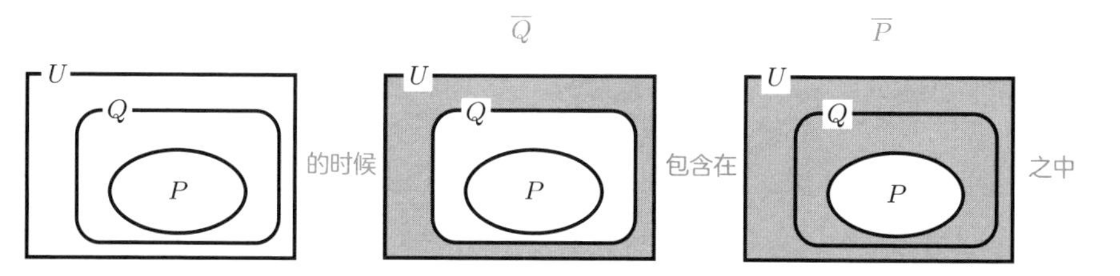

设全集为 U，满足条件 p 的所有元素的集合为 P，满足条件 q 的所有元素的集合为 Q。若 $p \Rightarrow q$ 为真，即 $P \subset Q$，则 $\overline{Q} \Rightarrow \overline{P}$显然成立。由此可得，$\bar{q} \Rightarrow \bar{p}$ 亦为真。

例 设 P 为住在东京，Q 为住在日本，U 为住在地球上，则 $\overline{P}$ 为住在东京以外的地方，$\overline{Q}$ 为住在日本以外的地方。此时，$\overline{Q}$（住在日本以外的地方）包含于 $\overline{P}$（住在东京以外的地方），所以 $\overline{Q} \subset \overline{P}$ 成立。

反证法

能够证明 $p \Rightarrow q$ 为真的方法有两种：一种是直接证明，即证明 q 是成立的；另一种是间接证明，即证明“不可能存在 q 不成立的情况”。我们在读初中时，通过学习几何，学会了如何进行直接证明；到了高中，又学习了间接证明的代表方法——反证法。

反证法的步骤

用反证法（reduction to absurdity）证明 $p \Rightarrow q$ 为真的步骤如下：

(1) 将欲证明的结论取否 $\overline{q}$；

(2) 找出矛盾。

只看步骤，或许有人还没反应过来要怎么证明，加之需要用到反证法的大多是比较难解的命题（简单的命题通常可以直接证明，不需要用到反证法），因此在许多人的印象中，反证法也很难懂。但是，我们不妨这样思考：如果 XX 是真的那就太奇怪了，所以 XX 肯定不是真的。反证法的逻辑实际上就这么简单。

比如在刑事案件中，犯罪嫌疑人可以通过出示不在场证明来为自己洗脱罪名，否定警方的欲证结论。也就是说，可以先假设“嫌疑人有罪”，因该假设与嫌疑人拥有的不在场证明（案发时嫌疑人不在现场）相矛盾，所以嫌疑人无罪。此例就运用了反证法的原理。

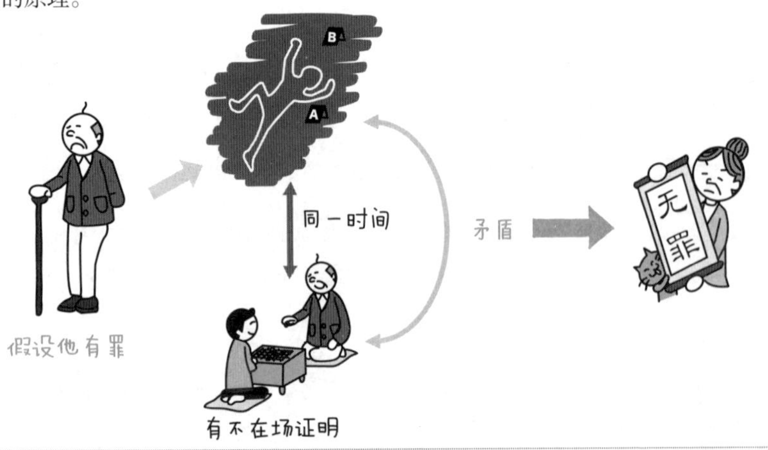

用反证法证明①

举个例子，我们试着用反证法来证明时光机在未来也一直没有被发明出来。

首先**假设“人类有一天发明了时光机”**，但是有史以来，并没有任何一本书中记载过有人从未来穿越回来的事情。这两个事实相互**矛盾**，所以时光机一直没有被发明出来[①]。

用反证法证明②

古希腊的欧几里得曾经在《几何原本》中提出，素数（只有 1 和它本身两个因数的大于等于 2 的整数）有无数个。这个证明使用了反证法。

证明

假设共有 n 个素数（n 为有限的整数），由小到大依次为 $p_1, p_2, p_3, \cdots, p_n$。其中 p_n 是最大的素数。设 P 满足如下公式。

$$P = p_1 \times p_2 \times p_3 \times \cdots \times p_n$$

则有

$$P + 1 = p_1 \times p_2 \times p_3 \times \cdots \times p_n + 1$$

由上可知，$P+1$ 无法被 $p_1, p_2, p_3, \cdots, p_n$ 中的任意一个数整除（总是余 1），这意味着 $P+1$ 是除 $p_1, p_2, p_3, \cdots, p_n$ 以外的素数，并且明显比 p_n 要大，或者 $P+1$ 能被某个比 p_n 大的素数整除。换言之，p_n 本应是最大的素数，现在我们却发现了更大的素数，它们相互**矛盾**。由此可得，素数有无数个。（证毕）

① 也有平行世界之类的说法，（笔者虽然不讨厌）但这里不作讨论。

Probably win

第2章　排列组合与概率

排列组合

当我们需要数某个东西的数量时，若总数量较小，可以直接掰着手指数，但若总数量达到一定程度，要想更有效率地数清楚，就需要发挥智慧，分析它的具体类型和周边情况了。正因为如此，排列组合问题常常会作为试题出现在各种入职考试中。

4 种计算方式

我们将符合特定要求的所有可能情况的总数量称为情况数（number of cases）。考虑情况数时，要先确认两个基本前提，即**是否考虑顺序和是否允许重复**。例如，现要求**从 A、B、C 这 3 个字母中任取 2 个**，可能的情况如下所示。

	考虑顺序	不考虑顺序
不允许重复	排列 ~~AA~~ AB AC BA ~~BB~~ BC CA CB ~~CC~~ $P_3^2 = 3 \times 2 = 6$ [种]	组合 ~~AA~~ AB AC ~~BA~~ ~~BB~~ BC ~~CA~~ ~~CB~~ ~~CC~~ $C_3^2 = \frac{3 \times 2}{2 \times 1} = 3$ [种]
允许重复	允许重复的排列 AA AB AC BA BB BC CA CB CC $\prod_3^2 = 3^2 = 9$ [种]	允许重复的组合 AA AB AC ~~BA~~ BB BC ~~CA~~ ~~CB~~ CC $H_3^2 = \frac{4 \times 3}{2 \times 1} = 6$ [种]

可以看出，共有 4 种方式可以用来计算情况数。接下来，我们将逐一学习这几种方式，并讲解各符号的含义。

阶乘

在介绍排列组合之前，我们先复习一下会在排列组合公式里出场的阶乘（factorial）。

对于正整数 n，我们把乘积 $\boldsymbol{n \times (n-1) \times (n-2) \cdots \times 2 \times 1}$ 称为 $\boldsymbol{n}$ 的阶乘，写作 $n!$。例如 $4! = 4 \times 3 \times 2 \times 1 = 24$。阶乘公式中的乘数是逐个减小的，就好像一级一级往下走的台阶，所以才取了“阶乘”这个名字。

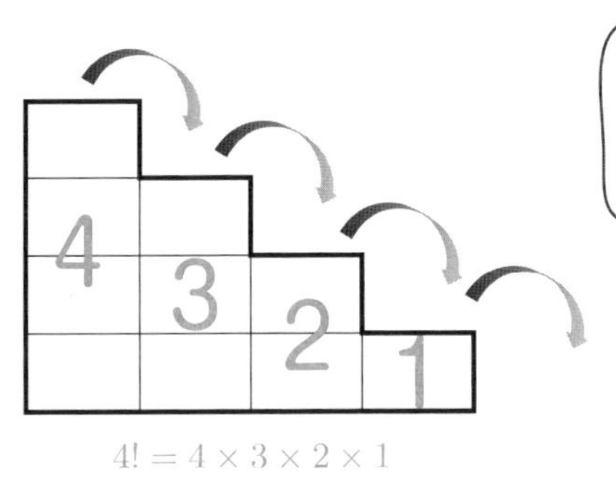

$4! = 4 \times 3 \times 2 \times 1$

也有人认为，之所以使用“!”符号代表阶乘，是因为阶乘会使数字以令人惊叹的速度变大。

此外，我们规定 0 的阶乘为 $0! = 1$[①]。

排列（考虑顺序但不允许重复的情况数）

例如，我们现在要从由 A、B、C 三人组成的队伍中选出一名队长和一名副队长，试问共有几种情况。

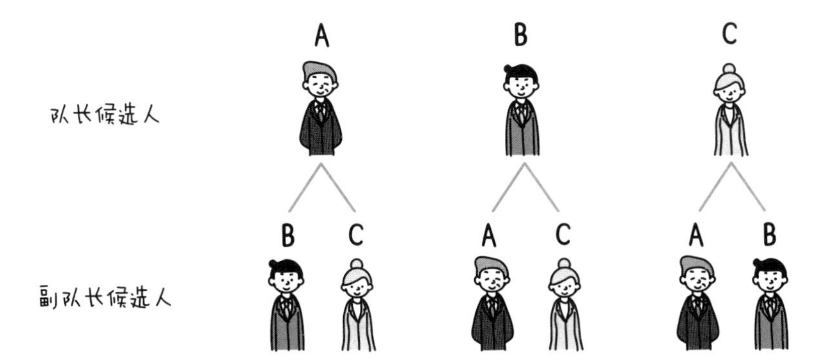

① 这么做的原因是使 P_n^r 在 $r = n$ 时也能成立。

从三人中选择任意一人当队长，共有 3 种情况。从剩下的两人中再选一人当副队长，共有 2 种情况。也就是说，从三人队伍中选出一名队长和一名副队长的情况共有 $3\times2=\mathbf{6}$ **种**。

在这种情景下，我们**需要考虑顺序**（“队长是 A →副队长是 B”和“队长是 B →副队长是 A”这两种情况可能导致队伍内部的氛围不同），并且**不允许重复**。一般来说，我们将考虑了顺序的情况数称为排列（permutation）。像上一页的例子那样，从相异的 3 个元素中任取 2 个不重复的元素所构成的排列数，取英文首字母表示为 P_3^2 ①。和前面所说的一样，$P_3^2=3\times2=6$。

P_3^2 还可以像下面这样用阶乘来表示。

写成阶乘形式的话，就可以总结出公式了！

$$P_3^2=3\times2=\frac{3\times2\times1}{1}=\frac{3!}{1}=\frac{3!}{(3-2)!}$$

$$P_5^3=5\times4\times3=\frac{5\times4\times3\times2\times1}{2\times1}=\frac{5!}{2!}=\frac{5!}{(5-3)!}=60$$

$$P_{10}^4=10\times9\times8\times7=\frac{10\times9\times8\times7\times6\times5\times4\times3\times2\times1}{6\times5\times4\times3\times2\times1}=\frac{10!}{6!}=\frac{10!}{(10-4)!}=5040$$

对于**从 n 个相异的元素中任取 r 个不重复的元素所构成的排列数**，我们把它写作 P_n^r，可以用下列含阶乘的公式来表示。

$$P_n^r=\frac{n!}{(n-r)!}$$

特别是当 $r=n$ 时，下式成立。

$$P_n^n=\frac{n!}{(n-n)!}=\frac{n!}{0!}=\frac{n!}{1}=n!$$

该公式**表示对 n 个相异元素进行排列时所有可能的情况数**。

组合（不考虑顺序，不允许重复的情况数）

这次我们从 A、B、C 三个人中任选两个人去便利店买午餐。在这种情景下，无论是选 A → B 还是 B → A，去买午餐的两个人都是 $\{A,B\}$，**因此没有必要考虑顺序**。也就是说，此时共有 3 种情况，分别是 $\{A,B\}$、$\{B,C\}$ 和 $\{C,A\}$。

① 我国现行的中学教科书中写作 A_3^2，以前的教科书中写作 P_3^2。——译者注

一般来说，我们把不需要考虑顺序时的情况数称为组合（combination）。在这次的例子中，一个人显然不能被选两次，所以也**不允许重复**。

从相异的 3 个元素中任取 2 个不重复的元素所构成的组合数，取英文首字母表示为C_3^2。由前文可知，$C_3^2=3$。这里我们来思考一下 C_3^2 和 P_3^2 的关系。

$$\mathrm{C}_3^2\ \text{种}\begin{cases}\{\mathrm{A},\mathrm{B}\} \Rightarrow \mathrm{A}\to\mathrm{B}、\mathrm{B}\to\mathrm{A} \quad 2!\ \text{种}\\ \{\mathrm{B},\mathrm{C}\} \Rightarrow \mathrm{B}\to\mathrm{C}、\mathrm{C}\to\mathrm{B} \quad 2!\ \text{种}\\ \{\mathrm{C},\mathrm{A}\} \Rightarrow \mathrm{C}\to\mathrm{A}、\mathrm{A}\to\mathrm{C} \quad 2!\ \text{种}\end{cases}$$

例如，对于从 3 个元素中选出 2 个元素的组合 {A, B}，它们的排列有 A → B 和 B → A，共 $P_2^2=2!$ 种。{B, C} 和 {C, A} 同理。也就是说，从 C_3^2 种组合中我们总共可以得到 $C_3^2\times 2!$ 种排列，分别是 A → B、B → A、B → C、C → B、C → A 和 A → C，这实际上等同于从相异的 3 个元素中任取 2 个元素的排列数 P_3^2。由此可知下式成立。

$$C_3^2\times 2! = P_3^2 \Rightarrow C_3^2=\frac{P_3^2}{2!}$$

一般来说，对于**从 n 个相异元素中任取 r 个不重复的元素所构成的组合数**，我们把它写作 C_n^r，可以用以下公式来表示。

$$C_n^r=\frac{P_n^r}{r!}$$

例 $C_5^3 = \frac{P_5^3}{3!} = \frac{5 \times 4 \times 3}{3 \times 2 \times 1} = 10, \quad C_{10}^4 = \frac{P_{10}^4}{4!} = \frac{10 \times 9 \times 8 \times 7}{4 \times 3 \times 2 \times 1} = 210$

此外，从 A、B、C 三人中任选两人去便利店的组合数，和从三人中任选一人留在公司的组合数相等，故 $C_3^2 = C_3^1$。同样，从相异的 n 个元素中任取 r 个元素所构成的组合数，与从相异的 n 个元素中任取 $n-r$ 个元素所构成的组合数相等，故下列公式成立。

$$C_n^r = C_n^{n-r}$$

允许重复的排列（考虑顺序，允许重复的情况数）

已知在 A、B、C 三个人中，有人丢了一个钱包，有人丢了一把伞。我们来考虑一下失主的身份共有几种情况。

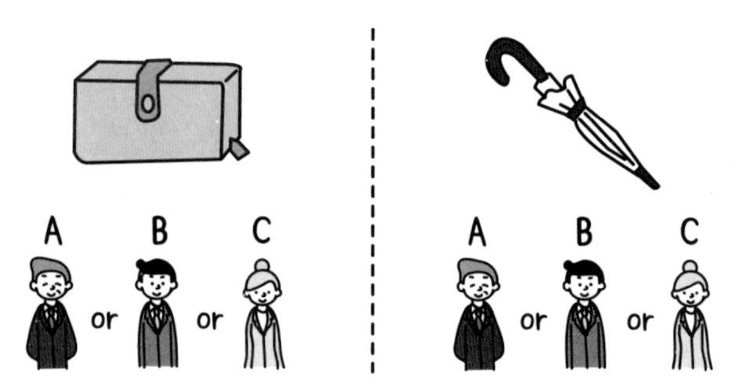

我们以钱包→伞的顺序来寻找失主。显然 A → B（钱包的失主是 A，伞的失主是 B）与 B → A（钱包的失主是 B，伞的失主是 A）是不同的，所以**需要考虑顺序**。再者，钱包的失主和伞的失主也可能是同一个人，故应当**允许重复**。由此可得共有 $3 \times 3 = 9$ 种情况。

我们把这样的排列称为允许重复的排列（repeated permutation），用 $\prod_3^2$ 这个符号来表示[①]。使用该符号可将上述计算转化为公式 $\prod_3^2 = 3 \times 3 = 3^2$。

一般来说，对于**从相异的 n 个元素中任取 r 个可重复元素所构成的允许重复的排列数 $\prod_n^r$**，我们有如下公式。

$$\prod_n^r = n^r$$

① Π（派）是 π 的大写形式，希腊字母之一，相当于英语字母 P。

允许重复的组合（不考虑顺序但允许重复的情况数）

已知 A、B、C 这个三人团队得到了两罐咖啡，现需选择让谁来喝，选法共有多少种呢？注意，一个人也可以喝两罐咖啡。在这种情况下，由于两罐咖啡并无区别，所以我们**没有必要考虑顺序（即这是组合）**，又因为同一个人可以喝两罐咖啡，故**允许重复**。

最终喝上咖啡的人的组合共有 6 种，分别是 $\{A,A\}$、$\{A,B\}$、$\{A,C\}$、$\{B,B\}$、$\{B,C\}$ 和 $\{C,C\}$，这些组合与上图中的**两罐咖啡及两条分隔线（|）所构成的排列一一对应**。此时，排列数就是从①～④中任选两处放置咖啡（剩下两处即自动放置分隔线）的排列数，故喝上咖啡的人的组合数为 $C_4^2 = P_4^2 \div 2! = (4\times3)\div(2\times1) = 6$ 种。

我们把这种从相异的 3 个元素中任取 2 个可重复元素的情况数称为允许重复的组合（repeated combination），用符号 H_3^2 表示[①]。由前述内容可知，$H_3^2 = C_4^2$。

我们为了区别 n 个元素而准备了 $n-1$ 条分隔线与 r 个○，这 $n-1+r=n+r-1$ 个元素所构成的组合数，就相当于**从相异的 n 个元素中任取 r 个可重复元素所构成的允许重复的组合数**。所求的组合数**与从 $n+r-1$ 个元素中任取 r 个元素所构成的组合数相等**，故下式成立。

$$H_n^r = C_{n+r-1}^r$$

例 $H_5^3 = C_{5+3-1}^3 = C_7^3 = 35$

① 符号 H 取自齐次积（homogeneous product）的首字母，该符号的由来比较复杂，在此不做深入讨论。

概率基础

步入社会以后，人们最常听到的数学名词或许就是概率，但人们直觉与数学结果不一致的情况，偏偏也最常发生在这个概率领域。正因为如此，对概率理解不充分可能会导致我们的日常生活中出现一些麻烦事。

什么是概率

1	3	5
2	4	6

掷骰子时，我们无法事先知道能否掷出偶数面，但因正方体骰子掷出任何面的可能性都相等，故可知掷出偶数面的比例是 $\frac{3}{6}=\frac{1}{2}$。我们把像这样**用来表示某件事发生的可能性大小的数值**称为概率（probability）。

与概率相关的术语（试验、样本空间、事件）

为了准确定义概率，我们需要了解以下几个术语。

试验（trial）：反复多次进行同一件事，且事情的结果总是随机的。

例 掷骰子、扔硬币。

样本空间（sample space）：某个试验的所有结果的集合。

例 掷骰子试验的样本空间是 $\{1,2,3,4,5,6\}$。

扔硬币试验的样本空间是 {正面, 反面}。

事件（event）：样本空间的一部分（即样本空间的一个子集）。

例 “掷出偶数面”是掷骰子试验的一个事件。

“扔出正面”是扔硬币试验的一个事件。

概率的定义

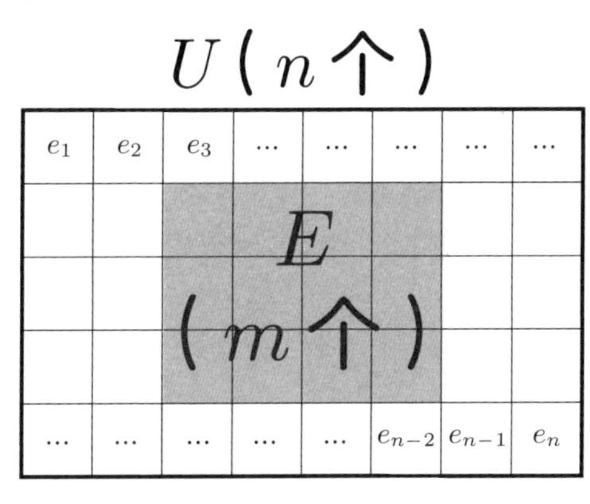

设某个试验的样本空间 $U=\{e_1,e_2,\cdots,e_n\}$，出现 $e_1,e_2,\cdots,e_n$ 中**任何一种结果的可能性大小皆相等**[1]。当事件 E 包含 m 种结果时，事件 E 发生的概率可用下式表示[2]。

$$P(E)=\frac{m}{n}=\frac{\text{事件 }E\text{ 包含的结果个数}}{\text{样本空间 }U\text{ 包含的结果个数}}$$

“可能性大小相等”是怎么回事

我们在考虑概率的时候，最需要注意的就是构成样本空间的每个最小事件（称作**基本事件**，也称作**样本点**）发生的可能性大小是否相等，也就是确定每个基本事件是否会以相同的概率发生。例如，针对明天的天气状况，我们有包含 4 个元素的样本空间 { 晴, 阴, 雨, 雪 }，在该样本空间中，各个基本事件发生的概率并不相等，因此不能说“明天下雪的概率是 $\frac{1}{4}$”。

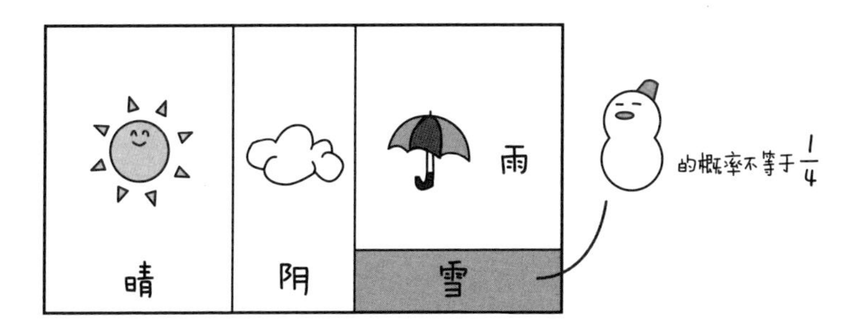

① 具体请见下一小节。
② $P(E)$ 是“Probability（概率）of E”的简写。

和事件的概率与概率加法公式

在考虑两个事件发生的概率时，可能会遇到概率加法问题、概率乘法问题，甚至是混合运算的问题。理解这些概率运算间的区别，是理解高中数学中概率相关内容的第一步。

积事件与和事件

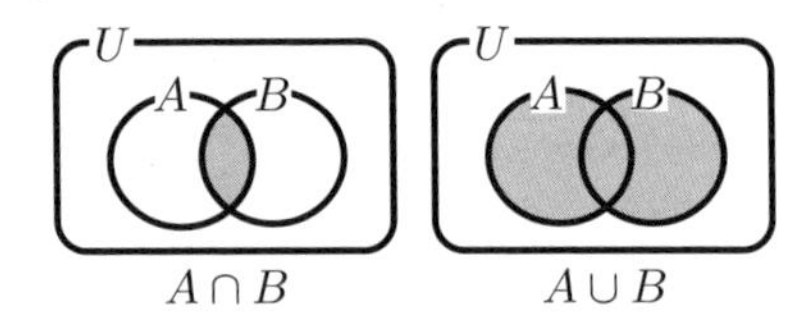

设某试验中有 A、B 两个事件，我们把“A、B 都发生”时的事件称为积事件（product event），写作 $A\cap B$；把“A 和 B 至少有一个发生”时的事件称为和事件（sum event），写作 $A\cup B$[①]。

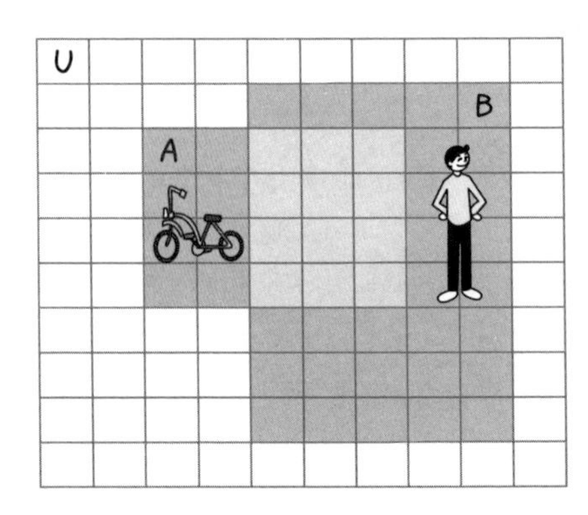

U：全部职员（100 人）

A：骑自行车上班的职员（20 人）

B：男性职员（40 人）

$A\cap B$：骑自行车上班的男性职员（12 人）

积事件的概率与和事件的概率

我们来进行这样一个试验：在公司门口随机拦下一名职员。设事件 A 为“拦下的职员骑自行车上班”，事件 B 为“拦下的职员是男性职员”。此时，$A\cap B$（积事件）为“拦下的职员是骑自行车上班的男性职员”，$A\cup B$（和事件）为“拦下的职员骑自行车上班或性别为男”。

① 如果将事件看作集合，积事件就相当于交集，和事件就相当于并集（参见第 3 页）。

已知职员共有 100 人，骑自行车上班的职员有 20 人，男性职员有 40 人，骑自行车上班的男性职员有 12 人。在公司门口拦下的职员是完全随机的，即每个职员被拦下的可能性大小相等。

这里，我们设 $\boldsymbol{n(A)}$[①] 为**事件 $\boldsymbol{A}$ 所包含的结果个数**，可得如下式子。

$$n(U) = 100，n(A \cap B) = 12$$

于是，**积事件 $\boldsymbol{A \cap B}$ 的概率 $\boldsymbol{P(A \cap B)}$** 为

$$P(A \cap B) = \frac{n(A \cap B)}{n(U)} = \frac{12}{100} = \frac{3}{25}$$

U
B
A
A∩B
12
20-12
40-12

由上图可知，和事件的结果个数如下所示。

$$\begin{aligned} n(A \cup B) &= (20 - 12) + 12 + (40 - 12) \\ &= 20 + 40 - 12 \\ &= n(A) + n(B) - n(A \cap B) \end{aligned}$$

通常，对于**和事件的概率 $\boldsymbol{P(A \cup B)}$**，我们可以用以下方法求得。

$$P(A \cup B) = \frac{n(A \cup B)}{n(U)} = \frac{n(A) + n(B) - n(A \cap B)}{n(U)} = \frac{n(A)}{n(U)} + \frac{n(B)}{n(U)} - \frac{n(A \cap B)}{n(U)}$$

$$\Rightarrow P(A \cup B) = P(A) + P(B) - P(A \cap B)$$

① $n(A)$ 是“number of A”的简写。

互斥事件与概率加法公式

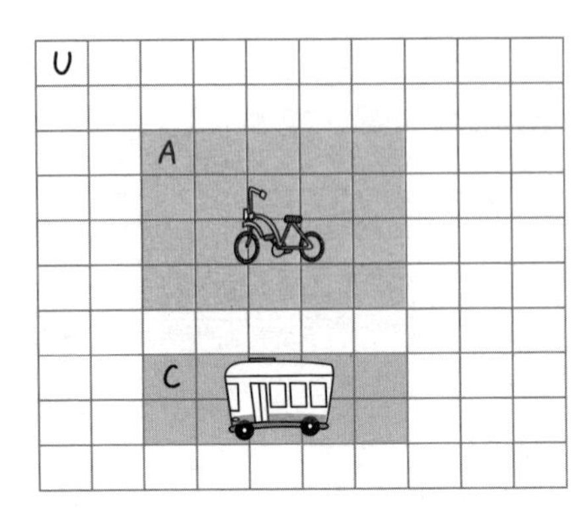

U：全部职员（100 人）

A：骑自行车上班的职员（20 人）

C：坐公交车上班的职员（10 人）

像前面的例子那样，我们继续进行在公司门口随机拦下职员的试验。设事件 A 为“拦下的职员骑自行车上班”，事件 C 为“拦下的职员坐公交车上班”。由于同一个职员不可能同时骑自行车和坐公交车上班，故事件 A 与事件 C 不可能同时发生。

像这样，如果两个事件不可能同时发生，那么我们称这两个事件为互斥事件（exclusive event）。

当事件 A 与事件 C 互斥时，A 与 C 的积事件的元素个数为 $\boldsymbol{n(A \cap C) = 0}$，故 $\boldsymbol{P(A \cap C) = 0}$。根据前面介绍的和事件概率公式，可得如下式子。

$$P(A \cup C) = P(A) + P(C) - P(A \cap C) = P(A) + P(C) - 0$$
$$\Rightarrow \boldsymbol{P(A \cup C) = P(A) + P(C)}$$

这就是**概率的**加法公式（addition formula）。

在上述例子中，拦下的职员骑自行车上班或坐公交车上班的概率 $P(A \cup C)$ 如下所示。

$$P(A \cup C) = P(A) + P(C) = \frac{20}{100} + \frac{10}{100} = \frac{3}{10}$$

积事件的概率与和事件的概率

假设有这样两个试验：一个是下班回家的电车上是否有座位，另一个是等候你归来的家人准备了日式、西式、中式这三种类型中其中一种类型的晚餐。这两个试验完全无关，结果互不干扰。像这样，当**两个试验的结果互不影响**时，我们称这两个试验是独立（independent）的。

U_1 \ U_2			
	{有座・日式}	{有座・西式}	{有座・中式}
	{无座・日式}	{无座・西式}	{无座・中式}

设回家的电车上是否有座的试验为 S，晚餐是日式、西式或中式的试验为 T。设试验 S 的全部事件为 U_1，试验 T 的全部事件为 U_2，则 $U_1=\{$ 有座, 无座 $\}$，$U_2=\{$ 日式, 西式, 中式 $\}$。

在进行 S、T 这两个试验时，可能发生的情况共有 $n(U_1)\times n(U_2)=2\times 3$（种）。现在，（简单起见）我们假设每种结果发生的可能性大小相等。

这里，我们设事件 A 为“电车有座”，事件 B 为“晚餐是西式”，事件 C 为“试验 S 的结果是事件 A，试验 T 的结果是事件 B”，则有 $A=\{$ 有座 $\}$，$B=\{$ 西式 $\}$，$C=\{$ 有座・西式 $\}$。其中 $n(A)=1$，$n(B)=1$，$n(C)=1$。需要注意的是，$n(C)$ 可以看作 $\boldsymbol{n(C)=n(A)\times n(B)}$。

由此，我们可以得出以下式子。

$$\boldsymbol{P(C)}=\frac{n(C)}{n(U_1)\times n(U_2)}=\frac{n(A)\times n(B)}{n(U_1)\times n(U_2)}=\frac{n(A)}{n(U_1)}\times\frac{n(B)}{n(U_2)}=\boldsymbol{P(A)P(B)}=\frac{1}{2}\times\frac{1}{3}=\frac{1}{6}$$

一般来说，**对于两个独立试验 S、T**，若事件 C 的内容是“S 的结果是事件 A，T 的结果是事件 B”，则我们可以通过以下式子计算事件 C 发生的概率。

$$P(C)=P(A)P(B)$$

重复试验的概率

学到重复试验以后，很多人就开始搞不清概率了，但如果我们认真学习这部分，就能复习到很多前面学过的内容。

余事件的概率

在学习重复试验之前，我们先了解一下余事件的概念。

对于一个事件 A，我们把 A 不发生时的事件称为 A 的余事件（complementary event），用 $\overline{A}$ 来表示。由于事件 A 和它的余事件互斥（即不会同时发生），所以二者适用于**加法公式**（参见第 24 页）。也就是说，$P(A\cup\overline{A})=P(A)+P(\overline{A})$。

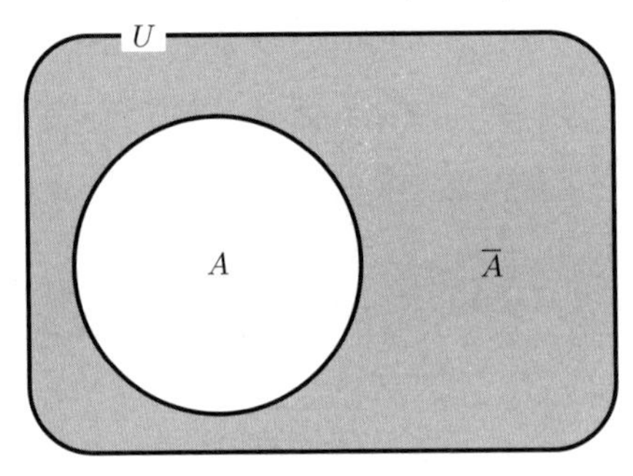

设全部事件为 U，根据上图，$\boldsymbol{A\cup\overline{A}=U}$。于是，可得如下公式。

$$P(A)+P(\overline{A})=P(A\cup\overline{A})=P(U)=1$$

由此可知，关于余事件的概率，以下公式成立。

$$\boldsymbol{P(\overline{A})=1-P(A)}$$

例 假设 10 根签中有 3 根是红签。现同时抽取两根签，求至少抽中 1 根红签的概率。设事件 A 为“至少抽中 1 根红签”，则 $\overline{A}$ 为“未抽中红签”①。于是可得以下结果。

$$P(\overline{A})=1-P(A)$$

$$\Rightarrow P(A)=1-P(\overline{A})=1-\frac{C_7^2}{C_{10}^2}=1-\frac{\frac{7\times 6}{2\times 1}}{\frac{10\times 9}{2\times 1}}=1-\frac{21}{45}=\frac{24}{45}=\boldsymbol{\frac{8}{15}}$$

① “未抽中红签”的情况数就是从余下的 7 根签中抽两根签的情况数，即 C_7^2。

重复试验

在反复掷骰子的过程中，每一次试验都不会对下一次试验产生影响，即各试验是独立的。像这样重复进行独立试验的行为，我们称之为重复试验（repeated trials）。

假如有一场考试，试卷共有 5 道选择题，答对 4 道即算通过。其中每道题有 4 个备选答案，只有 1 个是正确答案。在完全没有学习（即每题都盲选）的情况下，通过这场考试的概率是多少呢？这里，我们把解答每道题的过程分别看作不同的试验，它们相互独立。

备选答案有 4 个，因此每道题答对的概率都是 $\frac{1}{4}$。答对 4 道题算通过，那么通过的情况共有两种，分别是 5 道题全部答对以及 5 道题中答对了 4 道题。

现在我们设 T_1 为解答第 1 题的试验，T_2 为解答第 2 题的试验，以此类推，设各题答对的事件分别为 $A_1, A_2, \cdots$。

(i) 5 道题全部答对的情况

5 道题全都答对，即在试验 $T_1 \sim T_5$ 中，事件 $A_1 \sim A_5$ 全数发生。将这整个情况设为事件 B。因 $T_1 \sim T_5$ 这 5 个试验相互独立，所以适用独立试验的概率公式（参见第 25 页），具体如下。

$$P(B) = P(A_1)P(A_2)P(A_3)P(A_4)P(A_5) = \frac{1}{4} \times \frac{1}{4} \times \frac{1}{4} \times \frac{1}{4} \times \frac{1}{4} = \left(\frac{1}{4}\right)^5 = \mathbf{\frac{1}{1024}}$$

(ii) 5 道题中答对 4 道题的情况

5 道题中答对 4 道题，即在试验 $T_1 \sim T_5$ 中，$A_1 \sim A_5$ 这 5 个事件共发生了 4 个。我们用○表示回答正确，× 表示回答错误。假设在事件 $A_1 \sim A_5$ 中发生了 A_1、A_2、A_3、A_4 这 4 个事件。

这时，使用独立试验的概率公式可以计算出这种情况的概率。

$$P(A_1)P(A_2)P(A_3)P(A_4)P(\overline{A_5})=\frac{1}{4}\times\frac{1}{4}\times\frac{1}{4}\times\frac{1}{4}\times\frac{3}{4}=\left(\frac{1}{4}\right)^4\left(\frac{3}{4}\right)^1$$

同样，当事件 $A_1\sim A_5$ 中发生的事件是 A_1、A_2、A_3、A_5 时，我们也可以按照下面的方式进行计算。

$$P(A_1)P(A_2)P(A_3)P(\overline{A_4})P(A_5)=\frac{1}{4}\times\frac{1}{4}\times\frac{1}{4}\times\frac{3}{4}\times\frac{1}{4}=\left(\frac{1}{4}\right)^4\left(\frac{3}{4}\right)^1$$

其他情况下的计算结果也是一样的。

此外，5 道题中答对 4 道题的情况等同于从 5 个□中选择 4 处填入○，即共有 $\boldsymbol{C_5^4=5}$ 种情况。

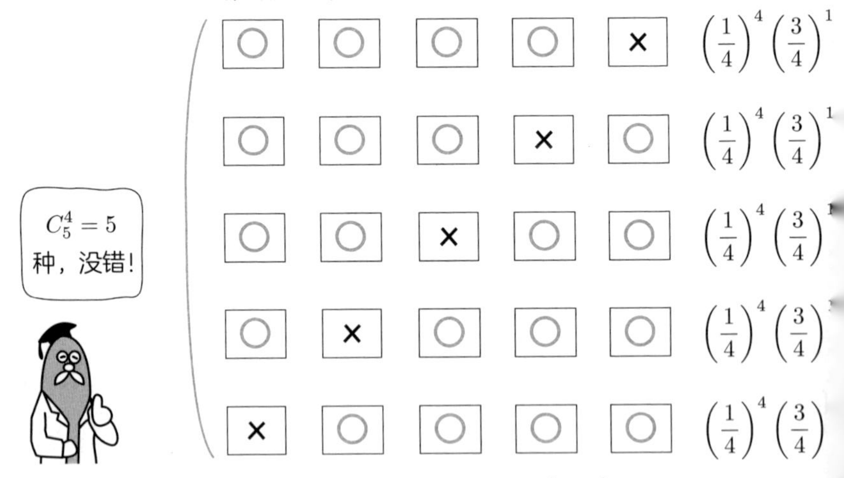

上图中的 5 种情况，每种情况发生的概率都是 $\left(\frac{1}{4}\right)^4\left(\frac{3}{4}\right)^1$，并且它们都互斥（不会同时发生）。因此，设事件 C 为“5 道题中答对 4 道题”，根据概率的加法公式，可得如下结果。

$$P(C)=\left(\frac{1}{4}\right)^4\left(\frac{3}{4}\right)^1+\left(\frac{1}{4}\right)^4\left(\frac{3}{4}\right)^1+\left(\frac{1}{4}\right)^4\left(\frac{3}{4}\right)^1+\left(\frac{1}{4}\right)^4\left(\frac{3}{4}\right)^1+\left(\frac{1}{4}\right)^4\left(\frac{3}{4}\right)^1$$
$$=5\times\left(\frac{1}{4}\right)^4\left(\frac{3}{4}\right)^1=C_5^4\times\left(\frac{1}{4}\right)^4\left(\frac{3}{4}\right)^1=\mathbf{\frac{15}{1024}}$$

我们所求的是“至少答对 4 道题”的概率，即“答对 5 道题或答对 4 道题”的概率，由于“答对 5 道题”与“答对 4 道题”互斥，运用加法公式可得如下结果。

$$P(B\cup C)=P(B)+P(C)=\frac{1}{1024}+\frac{15}{1024}=\frac{16}{1024}=\mathbf{\frac{1}{64}=0.015\,625}$$

也就是说，在完全没有学习的情况下，通过这场考试的概率约为 1.6%。

重复试验公式

一般来说，对于某次试验中的事件 A，其发生的概率是 $\boldsymbol{P(A)=p}$（$\mathbf{0\leqslant p\leqslant 1}$）。假设重复进行 n 次试验，事件 A 恰好发生了 k 次的概率如下所示。

$$C_n^k p^k(1-p)^{n-k}\quad(0\leqslant k\leqslant n)$$

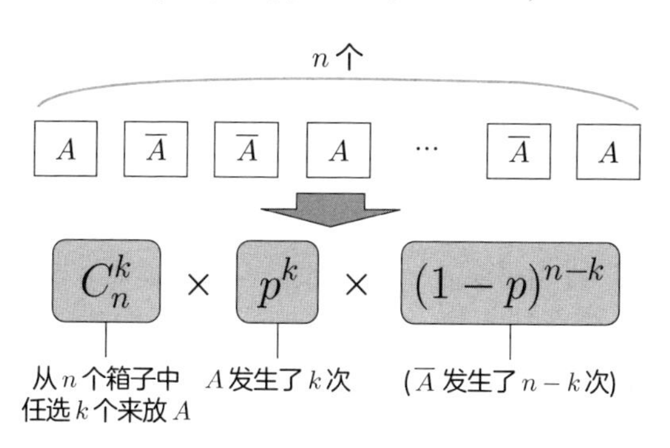

事件 A 发生了 k 次，即余事件 $\overline{A}$ 发生了 $n-k$ 次。需要注意的是，若事件 A 发生的概率为 p，那么余事件 $\overline{A}$ 发生的概率就为 $1-p$。

例 求掷 6 次骰子时，掷出 4 次 1 的概率[1]。

$$C_6^4\left(\frac{1}{6}\right)^4\left(\frac{5}{6}\right)^{6-4}=C_6^2\left(\frac{1}{6}\right)^4\left(\frac{5}{6}\right)^2=\frac{6\times5}{2\times1}\times\frac{5^2}{6^6}=\frac{125}{15552}$$

[1] 根据 $C_n^r=C_n^{n-r}$（参见第 18 页），$C_6^4=C_6^2$。

条件概率

条件概率是一个重要的知识点，最前沿的统计方法——贝叶斯统计中也会用到它。条件概率原本是高三的理科生才需要学习的知识（尽管很多人可能已经不记得自己学过它了），但最近被放进了高一的数学教科书里。

条件概率

例如，已知某种产品的总量中有 60% 由第一工厂制造，剩下的 40% 由第二工厂制造，又知第一工厂产出次品的比例为 10%，第二工厂的为 5%。

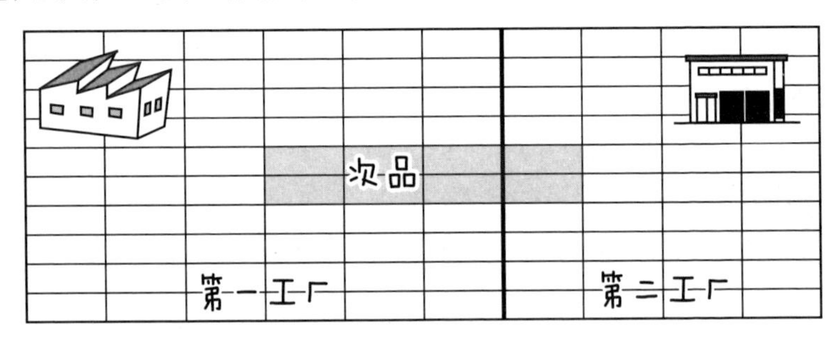

现在我们随机收集一些做好的产品，从中任选出一个产品。设事件 A 为“产品由第一工厂制造”，事件 B 为“产品为次品”。

试问，当选中的产品由第一工厂制造时，该产品是次品的概率是多少？此时，我们求的是当事件 A 发生时事件 B 发生的概率，它一般被称作**当事件 A 发生时事件 B 发生的**条件概率（conditional probability），用 $P_A(B)$ 来表示。在上述例子中，$P_A(B)=10\%$。

概率的乘法公式

$P(A\cap B)$ 与 $P_A(B)$ 容易混淆，需要特别注意。这里，我们通过图来理解它们之间的区别。

对于各基本事件发生概率相等的试验 U，设 $n(U)=u$，$n(A)=a$，$n(B)=b$，$n(A\cap B)=z$。

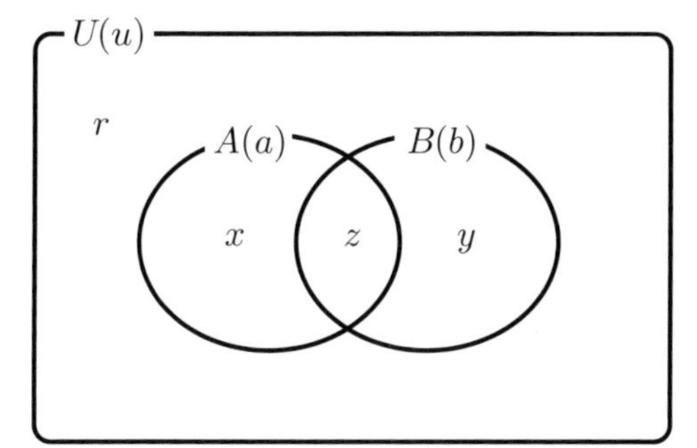

※ $A(a)$ 表示“集合 A 的元素个数是 a”

如上图所示，我们将各个区域的元素个数分别设为 x、y、z、r。

$P(A\cap B)$ 是指对全部事件 U 来说，$A\cap B$ 发生的概率，即

$$P(A\cap B)=\frac{z}{u}=\frac{\boldsymbol{z}}{\boldsymbol{x+y+z+r}} \quad \cdots ①$$

而 $P_A(B)$ 是指在 A 发生的前提下 B 发生的概率，分母应为 $a(=x+z)$，即

$$P_A(B)=\frac{z}{a}=\frac{\boldsymbol{z}}{\boldsymbol{x+z}} \quad \cdots ②$$

式子 ① 和式子 ② **虽然分子相同，但分母不同**。又因

$$P(A)=\frac{a}{u}=\frac{x+z}{x+y+z+r} \quad \cdots ③$$

所以由 ① 式 ~ ③ 式，可得如下公式。

$$P(A\cap B)=\frac{z}{x+y+z+r}=\frac{x+z}{x+y+z+r}\times\frac{\boldsymbol{z}}{\boldsymbol{x+z}}=P(A)\times \boldsymbol{P_A(B)}$$

$$\Rightarrow \boldsymbol{P(A\cap B)=P(A)\times P_A(B)}$$

这就是概率的乘法公式（multiplication rule）。

例 回顾前面的例子，我们随机收集一些做好的产品并从中任选出一个产品。此时 $A\cap B$ 的概率，即产品由第一工厂制造且为次品的概率如下所示。

$$P(A\cap B)=P(A)\times P_A(B)=\frac{60}{100}\times\frac{10}{100}=\frac{6}{100}=\frac{3}{50}$$

贝叶斯定理

我们知道，$A \cap B$ 与 $B \cap A$ 是相同的。也就是说，前面讲过的乘法公式**在形式上**也可以写成下面这样。

$$\boldsymbol{P(A \cap B)} = P(B \cap A) = \boldsymbol{P(B) \times P_B(A)} \qquad \cdots ④$$

根据上一页的图，我们可以观察到下式[①]成立。

$$P(B) = \frac{b}{u} = \frac{z+y}{x+y+z+r}$$
$$= \frac{z}{x+y+z+r} + \frac{y}{x+y+z+r} = P(A \cap B) + P(\overline{A} \cap B) \qquad \cdots ⑤$$

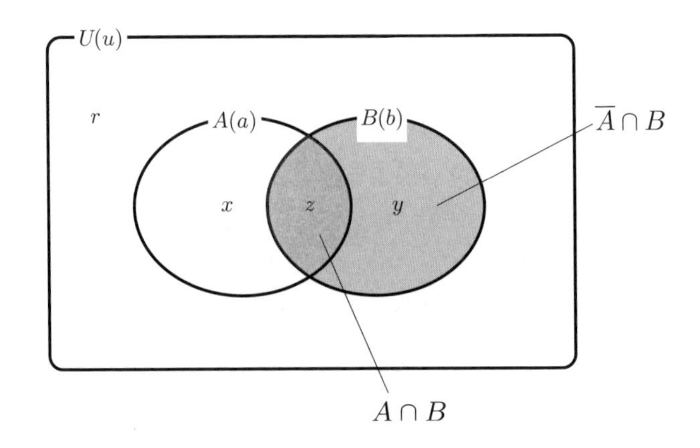

再根据 ④ 式和 ⑤ 式，可得如下公式。

这样的变形
有什么意义啊？

$$P(B) \times P_B(A) = P(A \cap B)$$
$$\Rightarrow P_B(A) = \frac{P(A \cap B)}{P(B)}$$
$$\Rightarrow \boldsymbol{P_B(A) = \frac{P(A \cap B)}{P(A \cap B) + P(\overline{A} \cap B)}}$$

像这样计算 $P_B(A)$ 的方式被称为贝叶斯定理（Bayes' theorem）。

目前为止，我们只是对公式进行了**形式上的变形**，现在来考虑一下这些公式的含义吧。假如有两个事件 A 和 B，这两个事件按照 $A \to B$ 的顺序发生，那么左边的 $P_B(A)$ 求的就是**当 B 发生时 A 发生的概率**。我们可以看到**时间轴逆转**了。假如 A 是"原因"，B 是"结果"，那么我们可以把"当 B 发生时 A 发生的概率"想成"当

① 式子中的 $\overline{A} \cap B$ 是"非 A 且 B"的意思。

某个结果（B）出现时某个原因（A）发生的概率”。

也就是说，$P_B(A)$ 求的是出现结果 B 的原因是 A 的概率。

例 还是刚才工厂的例子，我们试着求出当选取到的产品是次品时，其为第一工厂所制产品的概率 $P_B(A)$。

其为第二工厂所制产品的概率 $P(\overline{A})=40\%$，第二工厂所制产品为次品的概率 $P_{\overline{A}}(B)=5\%$，根据第 31 页的概率乘法公式，可得如下式子。

$$P(\overline{A}\cap B)=P(\overline{A})\times P_{\overline{A}}(B)=\frac{40}{100}\times\frac{5}{100}=\frac{2}{100}=\frac{1}{50}$$

与第 31 页所得的结果一样，可得如下式子。

$$P(A\cap B)=\frac{3}{50}$$

根据上述公式及贝叶斯定理，所求概率如下所示。

$$P_B(A)=\frac{P(A\cap B)}{P(A\cap B)+P(\overline{A}\cap B)}=\frac{\frac{3}{50}}{\frac{3}{50}+\frac{1}{50}}=\frac{3}{3+1}=\frac{3}{4}$$

该计算实际表示的是所有次品中（共占 8 格）属于第一工厂所制产品的比例。

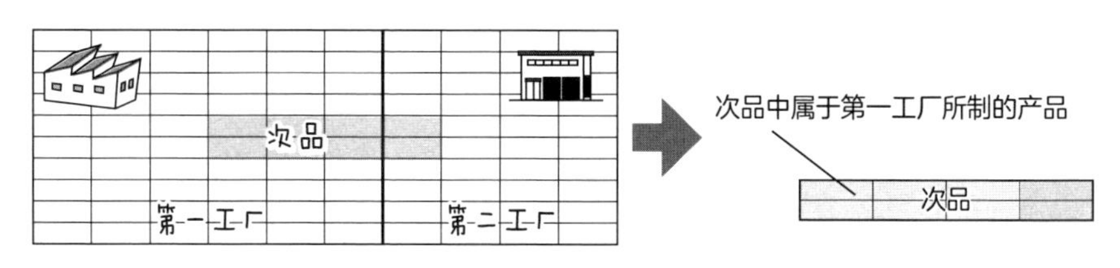

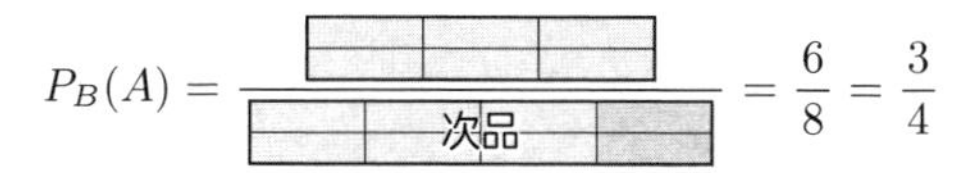

$$P_B(A)=\frac{\square}{\square}=\frac{6}{8}=\frac{3}{4}$$

Stone throw, it is Fun-ction.

第3章　函数

函数基础

应该不会有人没听说过函数这个词吧。就算说函数是高中数学的主心骨也不为过。但如果我此刻问你“函数是什么”，你能否自信地给出答案呢?

函数的由来

若 $y = x^2 + 1$

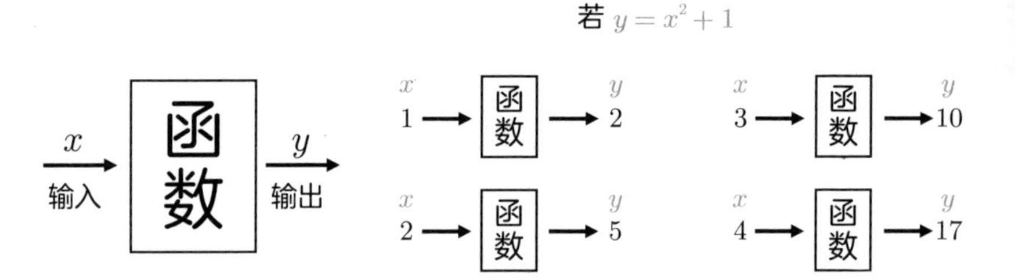

“y 是 x 的函数（function）”是指**对于每一个 x 值都有唯一确定的 y 值与其对应**。

函数这个词由中国传入日本时，写作“函数”[①]。“函”在日语中有箱子的意思，“y 是 x 的函数”可以理解为“y 是 x 的箱数”。我们不妨这么理解：往某个“箱子”里输入一个 x 值，“箱子”会随即输出一个对应的 y 值，“y 是 x 的函数”就相当于“y 是往箱子里输入一个 x 之后得出的数”。

“y 是 x 的函数”用英文表达就是“y is a function of x”，将其转化为公式，写作 $y = f(x)$。对于函数 $y = f(x)$，**当 x 的值为 a 时，其对应的 y 值**写作 $f(a)$。

“関数”原来是
“函数”呀!

例 设函数 $y=x^2+1$，则 $f(x)=x^2+1$，下列公式成立。

$$f(1) = 1^2 + 1 = 2, f(a) = a^2 + 1, f\left(\frac{p}{2}\right) = \left(\frac{p}{2}\right)^2 + 1 = \frac{p^2}{4} + 1$$

① 当前在日本用“関数”表示函数。——编者注

构成函数的条件

y 要成为 x 的函数有一个必要条件：输入一个确定的 x 值，其输出的 y 值必须是唯一且确定的。我们可以将其理解为这是**函数成为一个值得信任的功能箱的条件**。试着想一下自动售货机就能明白为什么这个条件是必要的了。

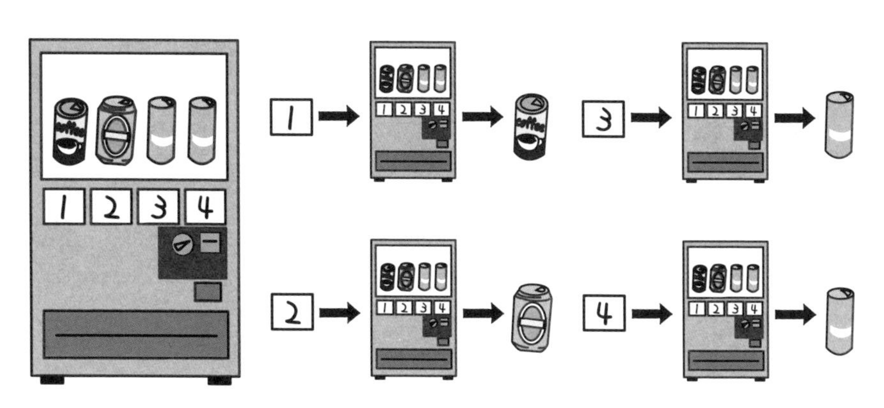

如上图所示，我们可以把自动售货机看作一个箱子，输入是按钮上的数字，输出则是商品。如果每次按下按钮“1”（并付了钱）后，从自动售货机里滚出来的商品都不同，那么这台售货机就无法让人放心使用了。和自动售货机一样，函数也要值得信任才行，所以每次输入（按钮）都必须有唯一确定的输出（商品）与其对应。

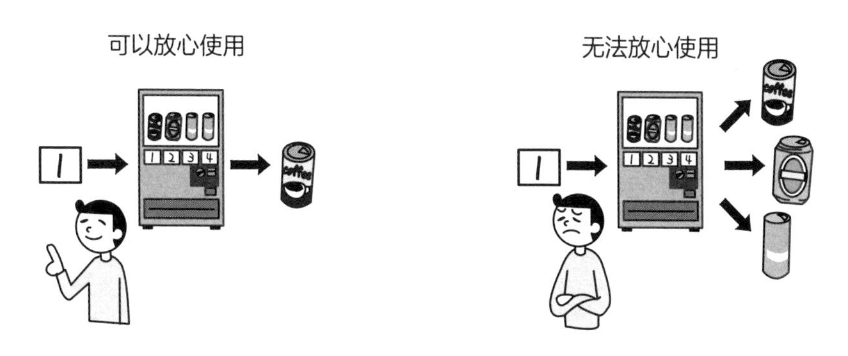

此外，在这台自动售货机上按下“3”或“4”买到的都是运动饮料，但这并不影响售货机的可信度。同样，在函数中，不同的输入值也有可能会产生相同的输出值，这一点需要特别注意。

例 设 $y=x^2$。对于任意 x 总是有唯一确定的 y 与其对应，因此 y 是 x 的函数。但是，当 y 的值为 1 时，x 的值可能为 1 或 -1，因此 x 不是 y 的函数。

当 y 是 x 的函数时，我们把 x 称为自变量（independent variable），把 y 称为因变量（dependent variable）。自变量的取值范围称为定义域（domain），因变量的取值范围称为值域（range）。

函数图像

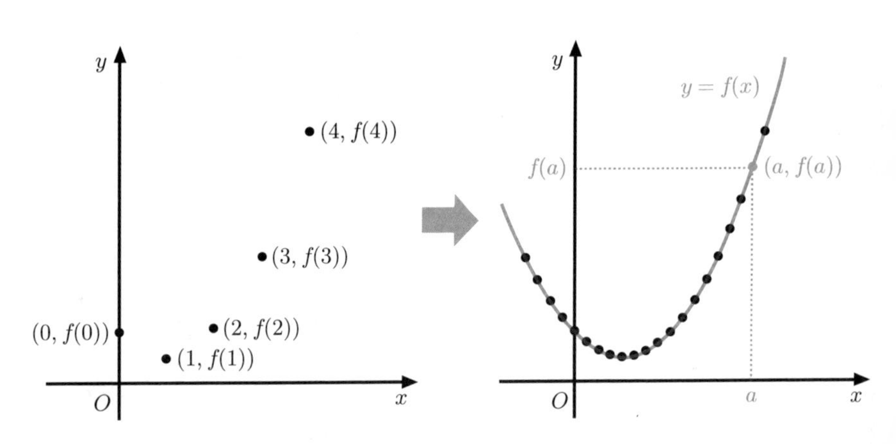

如果先将 $x=0, 1, 2, 3, \cdots$ 这样具体的数值代入函数 $y=f(x)$，再将 $(0, f(0))$, $(1, f(1))$, $(2, f(2))$, $(3, f(3))$, $\cdots$ 所对应的点标在平面直角坐标系上，就能构成 $y=f(x)$ 的函数图像。也就是说，$y=f(x)$ 的函数图像实际上是指满足 $y=f(x)$ 的所有点的集合。**这意味着位于函数图像上的某点的坐标 $(a, f(a))$ 必然满足 $y=f(x)$（即代入后成立），而不位于函数图像上的任意一点的坐标都不能满足 $y=f(x)$（即代入后不成立）。**

图像的平移

一般来说，若将函数 $y=f(x)$ 的图像平移，即在 x 方向上 $+p$，在 y 方向上 $+q$，则平移后的图像所对应的函数相比原函数 $y=f(x)$，其 x、y 有如下变化。

$$x \to x-p,\ y \to y-q$$

将其代入原函数，可获得下式（理由下述）。

$$y-q=f(x-p) \quad \Rightarrow \quad y=f(x-p)+q \qquad \cdots①$$

拓展 详解图像平移

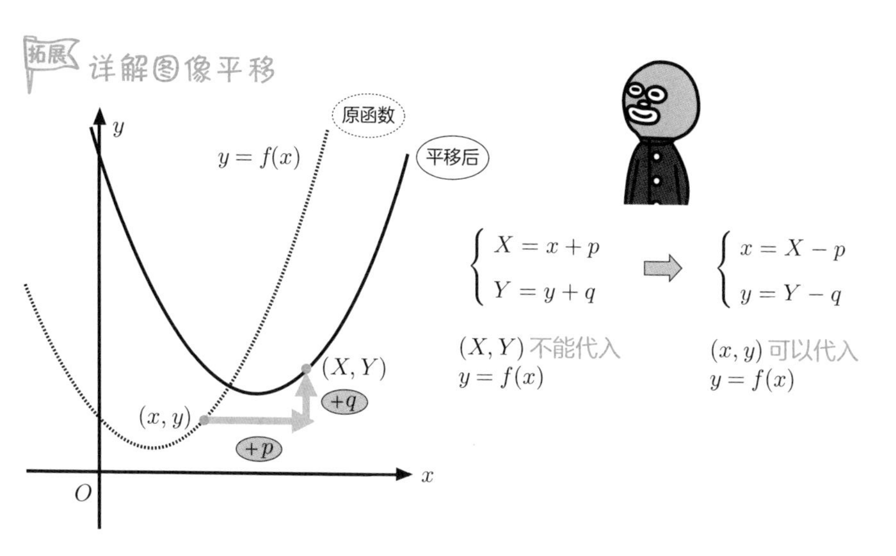

将位于函数 $y=f(x)$ 图像上的点 (x,y) 平移后得到点 (X,Y)，由上图可知，$X=x+p$，$Y=y+q$。但是，**点 (X,Y) 是无法代入 $y=f(x)$ 的**，因为 (X,Y) 并不在 $y=f(x)$ 的图像上。如果我们将点 (x,y) 的 x 坐标和 y 坐标分别表示为 $x=X-p$ 和 $y=Y-p$，因为点 (x,y) 位于函数 $y=f(x)$ 的图像上，所以我们**可以把这个点代入 $y=f(x)$**（代入时公式成立）。于是可得如下式子。

$$Y-q=f(X-p) \quad \Rightarrow \quad Y=f(X-p)+q \qquad \cdots②$$

(X,Y) 是平移后的图像上的点，② 是与 (X,Y) 有关的式子，因此②是平移后的图像上的点所满足的公式，即平移后的图像所代表的函数。将平移后的点设为 (X,Y) 是为了与原函数上的点作区分，如果你认为自己不会弄混它们，也可以将 ② 式中的 (X,Y) 改写成 (x,y)。这样一来便能够得到 ① 式。

二次函数

大家还记得配方吗？配方是高中数学中最重要的一种变形，因为它能够帮助我们构造最常见的函数——二次函数的图像。

配方之根本

根据乘法公式 $(x+m)^2 = x^2 + 2mx + m^2$，我们可以得到以下式子。我个人将它称为配方之根本。

配方之根本 $x^2 + 2mx = (x+m)^2 - m^2$

（$2m$ 取一半得 m，m 平方得 m^2）

例 $x^2+6x=(x+3)^2-9$，$x^2-5x=\left(x-\dfrac{5}{2}\right)^2-\dfrac{25}{4}$，$x^2+kx=\left(x+\dfrac{k}{2}\right)^2-\dfrac{k^2}{4}$。

配方

我们将二次式 $\boldsymbol{ax^2+bx+c}$ 变形为 $a(\cdots)^2+$常数的过程称为配方（completing the square）。运用前述的“配方之根本”，可以得到如下公式。

配方

$$ax^2+bx+c=a\left(x^2+\frac{b}{a}x\right)+c=a\left\{\left(x+\frac{b}{2a}\right)^2-\frac{b^2}{4a^2}\right\}+c$$

（配方之根本：$\dfrac{b}{a}$ 取一半得 $\dfrac{b}{2a}$，$\dfrac{b}{2a}$ 平方得 $\dfrac{b^2}{4a^2}$）

$$=a\left(x+\frac{b}{2a}\right)^2-\frac{b^2}{4a}+c=a\left(x+\frac{b}{2a}\right)^2-\frac{b^2-4ac}{4a}$$

例 $3x^2+6x+9=3(x^2+2x)+9=3\{(x+1)^2-1\}+9$

$$=3(x+1)^2-3+9=3(x+1)^2+6$$

二次函数的图像

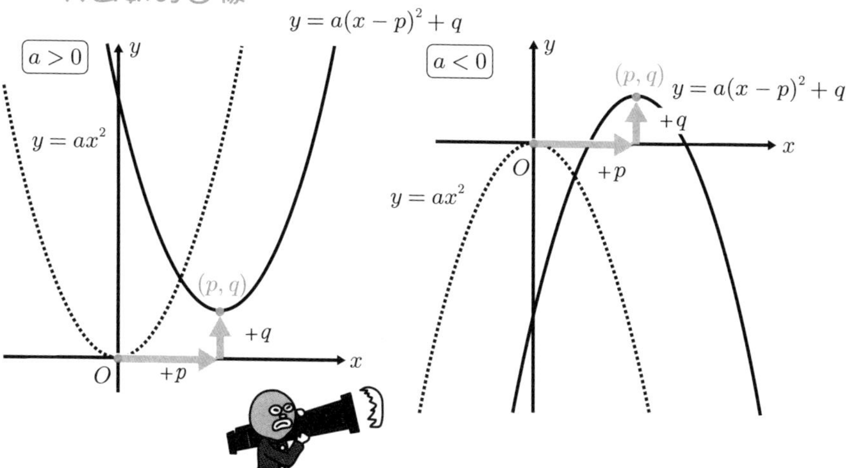

学习过上一节的“图像的平移”后，我们知道函数 $y = a(x-p)^2 + q$ 的图像是由函数 $y = ax^2$ 的图像（经过原点的抛物线[1]）**在 x 方向上 $+p$，在 y 方向上 $+q$ 平移得到的**[2]。由前述内容可知，$y = a(x-p)^2 + q$ 的图像的顶点坐标是 (p, q)。

将二次函数 $y = ax^2 + bx + c$ 转换为 $y = a(x-p)^2 + q$ 的形式需要用到配方公式。

例 设 $y=-x^2+4x-5$，根据配方公式可得下列式子。

$$y=-x^2+4x-5=-(x^2-4x)-5=-\{(x-2)^2-4\}-5=-(x-2)^2-1$$

由上式得出 $y=-x^2+4x-5$ 的顶点坐标为 $(2,-1)$。

二次函数的最大值和最小值

不仅是二次函数，对于其他函数，通过绘制函数图像，我们也可以一目了然地看到函数的最大值和最小值。

例如，设 $y = -x^2 + 4x - 5$ $(0 \leqslant x \leqslant 3)$，根据右图中的函数图像可知如下最大值和最小值。

最大值： $y = -1$（当 $x = 2$ 时）

最小值： $y = -5$（当 $x = 0$ 时）

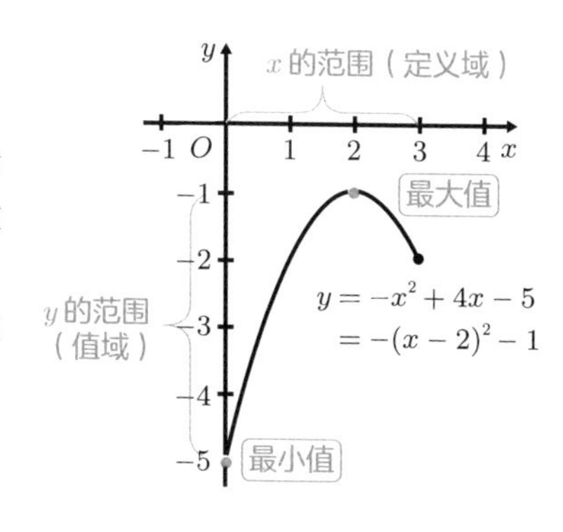

[1] $y = ax^2$ 的图像是经过原点的抛物线，这个知识点我们在初中就已经学过了。

[2] 对于函数 $y = ax^2$，令 $x \to x - p$，$y \to y - q$，代入可得 $y = a(x-p)^2 + q$。

三角函数

我们在学习三角函数时会遇到大量的公式。很多人通过口诀来记忆这些公式，如“奇变偶不变，符号看象限”。在这一节中，笔者将通过图片向大家解释这些公式成立的原因。

三角函数的定义及其相互关系

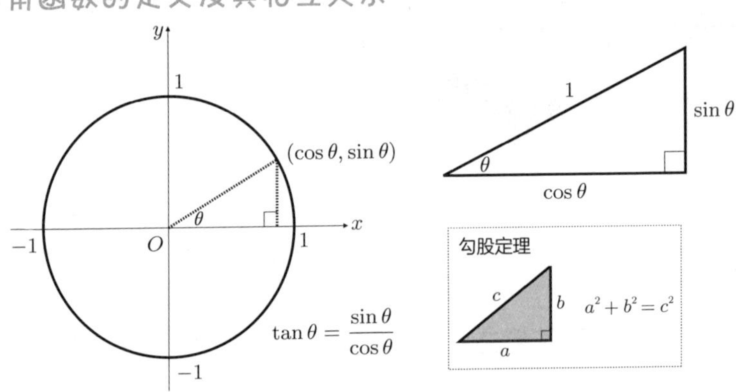

三角函数（trigonometric function）的定义如下所述。

三角函数的定义

设 $\angle\theta$ 的始边是 x 轴的非负半轴，终边在第一象限上，其终边与单位圆（以原点为圆心、以 1 为半径的圆）的交点坐标为 $(\cos\theta, \sin\theta)$。另外，我们规定 $\tan\theta$ 为 $\tan\theta = \dfrac{\sin\theta}{\cos\theta}$。

根据上述定义，我们可以得知三角函数间的关系。

(1) $\cos^2\theta + \sin^2\theta = 1$ (2) $\tan\theta = \dfrac{\sin\theta}{\cos\theta}$

根据 (1) 和 (2)，可导出下列关系式。

(3) $1 + \tan^2\theta = \dfrac{1}{\cos^2\theta}$

在上图的直角三角形中运用勾股定理能够立刻得出 (1) 的结论。

弧度制

角度的表示方法有两种，一种是以 360° 为 1 周的**角度制（degree measure）**，另一种是用**弧长与半径之比**来表示角度的**弧度制（radian measure）**。弧度制的单位是 rad[1]。

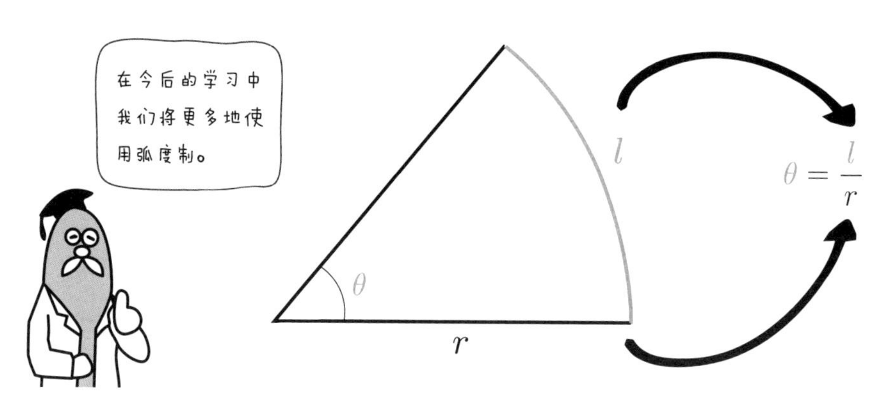

我们来比较一下弧度制与角度制。半径为 r、弧长为 l 的扇形所对应的圆心角角度用角度制表示为 $a°$，则有如下式子。

$$l = 2\pi r \times \frac{a^\circ}{360^\circ} = \frac{a^\circ}{180^\circ}\pi r \Rightarrow \theta = \frac{l}{r} = \frac{\frac{a^\circ}{180^\circ}\pi r}{r} = \frac{\boldsymbol{a^\circ}}{\boldsymbol{180^\circ}}\pi \ [\text{rad}]$$

例

$$30^\circ = \frac{\pi}{6}\ [\text{rad}],\quad 45^\circ = \frac{\pi}{4}\ [\text{rad}],\quad 60^\circ = \frac{\pi}{3}\ [\text{rad}],$$

$$90^\circ = \frac{\pi}{2}\ [\text{rad}],\quad 180^\circ = \pi\ [\text{rad}],\quad 360^\circ = 2\pi\ [\text{rad}]。$$

在用弧度制表示角度的情况下，扇形的弧长和面积可用如下公式表示。

$$l = r\theta$$

$$S = r^2\pi \times \frac{\theta}{2\pi} = \frac{1}{2}r^2\theta$$

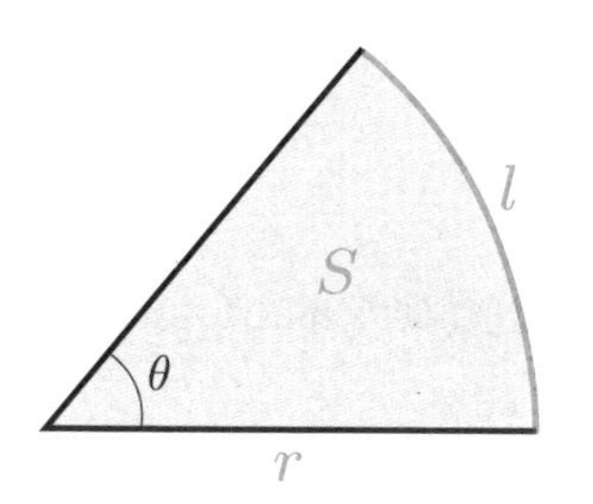

$l = r\theta$

$S = \frac{1}{2}r^2\theta$

[1] 用弧度制来表示角度时，单位 rad 通常略去不写。

著名的三角函数值

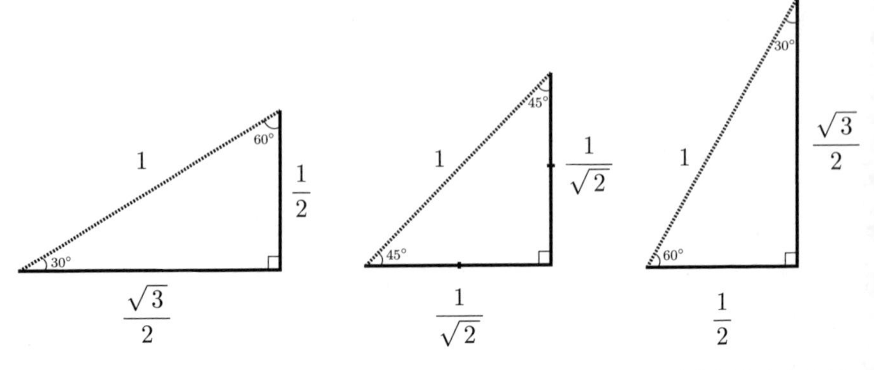

三角尺的各边之比如上图所示。下图表示的是三角尺的斜边与单位圆的交点坐标。

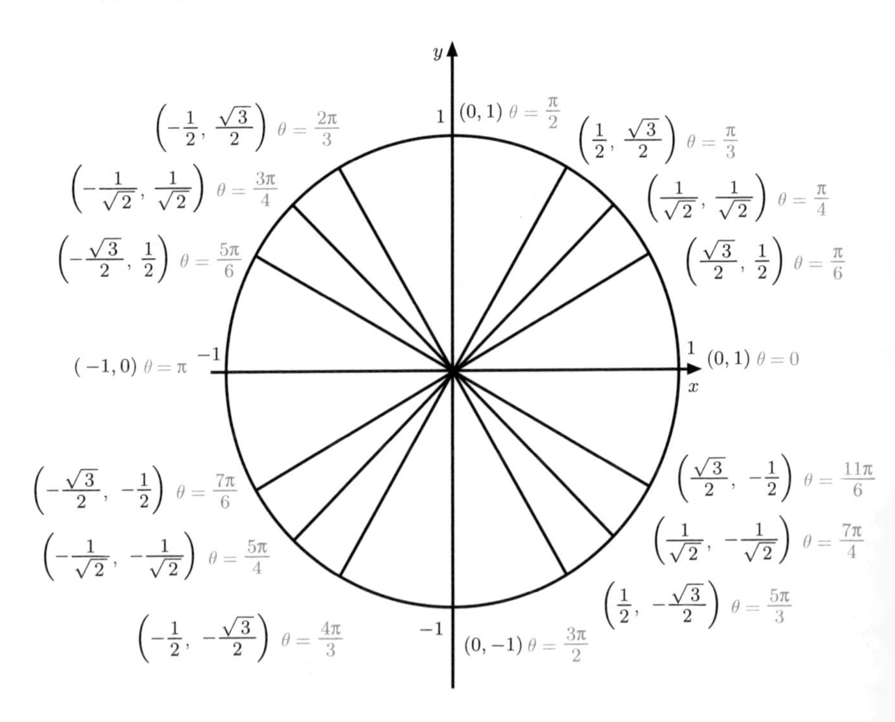

我们可以利用这些值绘制出三角函数的图像。

三角函数的图像

$y=\cos\theta$ 的图像

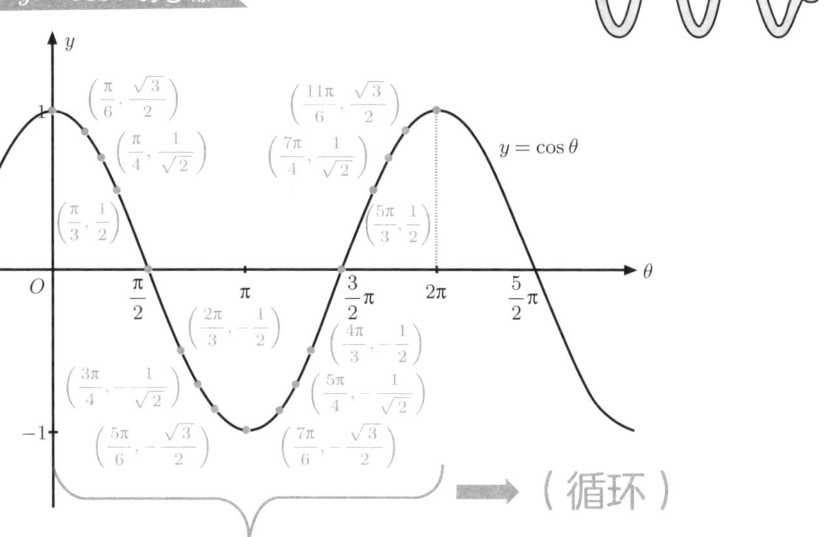

周期为 0 ~ 2π

$y=\cos\theta$ 与 $y=\sin\theta$ 的性质

(i) 值域为 $-1 \leqslant y \leqslant 1$

(ii) 周期为 2π

$y=\sin\theta$ 的图像

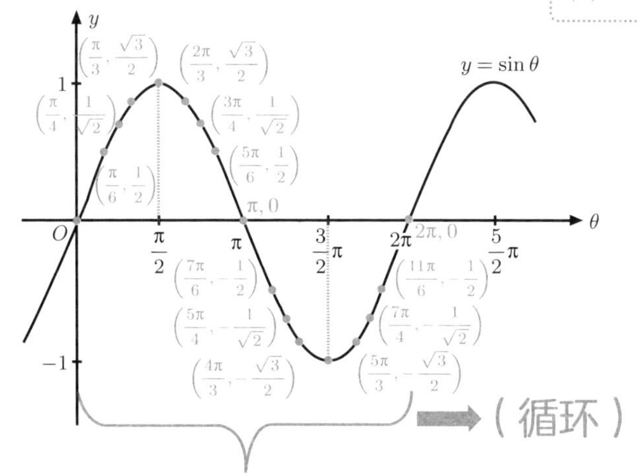

周期为 0 ~2π

$y=\tan\theta$ 的图像

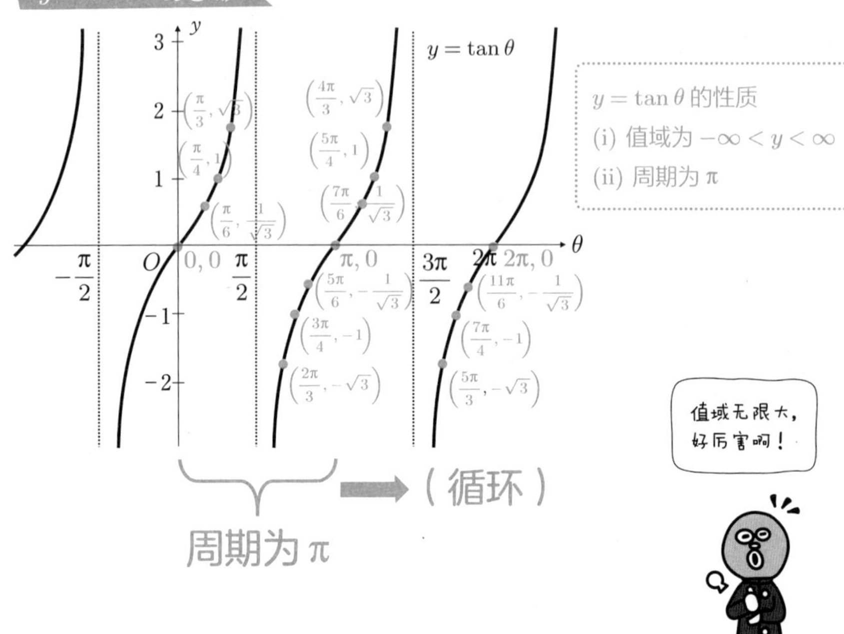

负角和余角的诱导公式

根据三角函数的定义，我们可以绘制出图，并借此推出负角和余角[①]的诱导公式。

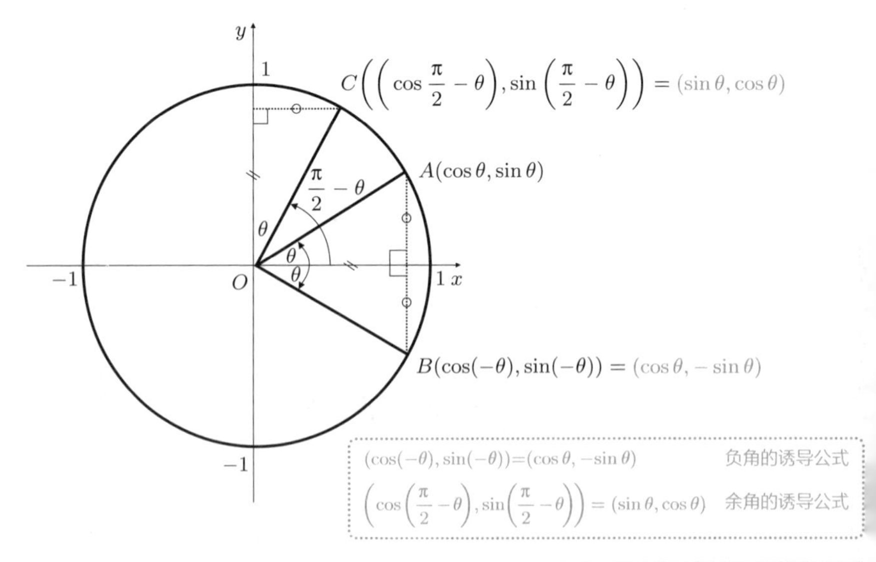

① 若两个角的和为直角，则这两个角互为对方的余角。

两角和差公式

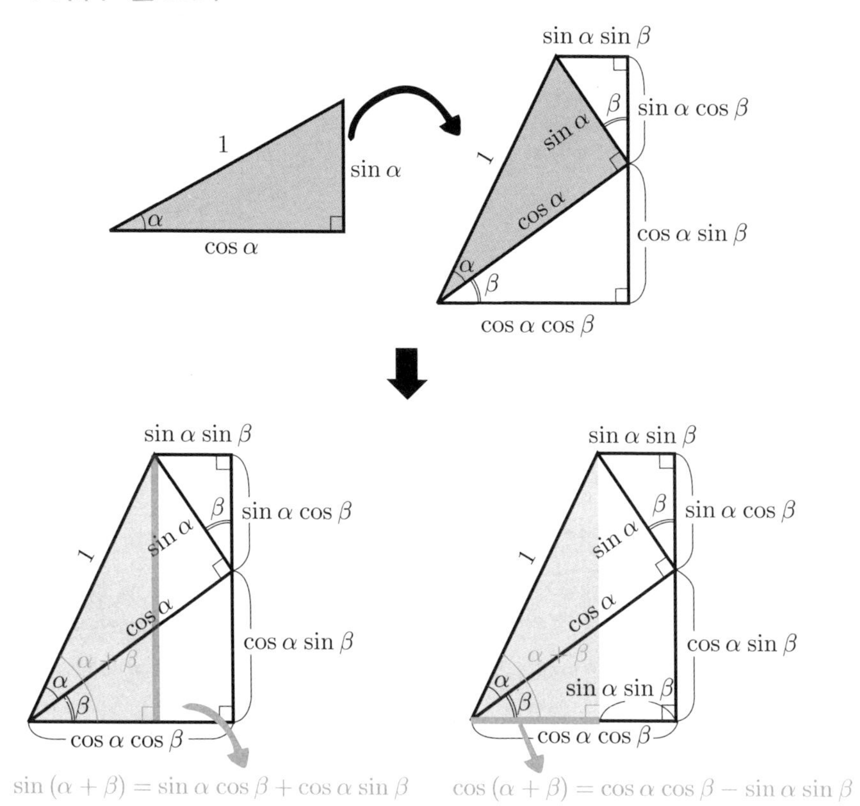

由上图可知如下式子成立。

$$\sin(\alpha+\beta)=\sin\alpha\cos\beta+\cos\alpha\sin\beta \qquad \cos(\alpha+\beta)=\cos\alpha\cos\beta-\sin\alpha\sin\beta$$

将上式中的 β 替换为 $-\beta$，根据负角的诱导公式可得

$$\sin(\alpha-\beta)=\sin\alpha\cos\beta-\cos\alpha\sin\beta \qquad \cos(\alpha-\beta)=\cos\alpha\cos\beta+\sin\alpha\sin\beta$$

又根据三角函数间的关系，可推出下列公式。

$$\tan(\alpha+\beta)=\frac{\tan\alpha+\tan\beta}{1-\tan\alpha\tan\beta} \qquad \tan(\alpha-\beta)=\frac{\tan\alpha-\tan\beta}{1+\tan\alpha\tan\beta}$$

我们将上述公式统称为两角和差公式[①]。

① 后文有严格的证明过程（内容较难，曾作为东京大学的入学试题出现）。

两角和差公式的严密证明

设以原点为圆心的单位圆上有如下图所示的 A、P、Q、R 四个点。

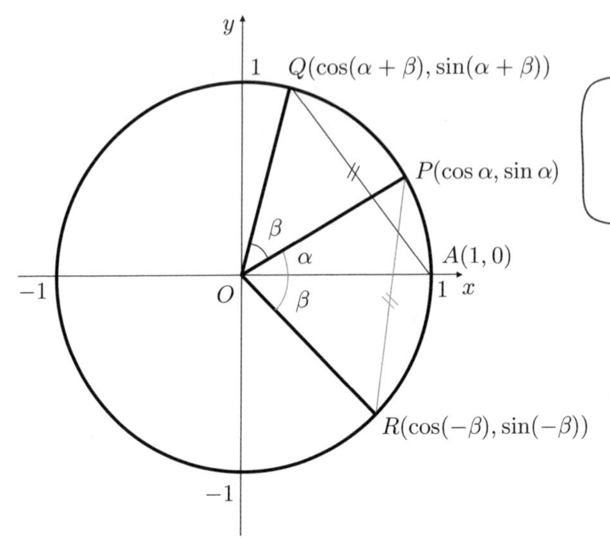

负角的诱导公式
$\cos(-\theta) = \cos\theta$
$\sin(-\theta) = -\sin\theta$

根据三角函数的定义，可知各点坐标为

$P(\cos\alpha, \sin\alpha)$

$Q(\cos(\alpha+\beta), \sin(\alpha+\beta))$

$R(\cos(-\beta), \sin(-\beta)) = R(\cos\beta, -\sin\beta)$

很显然，RP 绕原点逆时针旋转 β 度后会与 AQ 重合，由此可得

$AQ = RP$

$$\Rightarrow \sqrt{\{\cos(\alpha+\beta)-1\}^2 + \{\sin(\alpha+\beta)-0\}^2} = \sqrt{(\cos\beta-\cos\alpha)^2 + (-\sin\beta-\sin\alpha)^2}$$

将等式两边同时平方，展开后得到下式。

$$\cos^2(\alpha+\beta) - 2\cos(\alpha+\beta) + 1^2 + \sin^2(\alpha+\beta)$$
$$= \cos^2\beta - 2\cos\beta\cos\alpha + \cos^2\alpha + \sin^2\beta + 2\sin\beta\sin\alpha + \sin^2\alpha$$

由三角函数间的关系 $\cos^2\theta + \sin^2\theta = 1$ 可得

$$2 - 2\cos(\alpha+\beta) = 2 - 2\cos\beta\cos\alpha + 2\sin\beta\sin\alpha$$
$$\Rightarrow \quad -2\cos(\alpha+\beta) = -2\cos\beta\cos\alpha + 2\sin\beta\sin\alpha$$
$$\Rightarrow \quad \boldsymbol{\cos(\alpha+\beta) = \cos\alpha\cos\beta - \sin\alpha\sin\beta} \qquad \cdots①$$

将①式中的 β 替换为 $-\beta$，由负角的诱导公式可得

$$\cos\{\alpha+(-\beta)\}=\cos\alpha\cos(-\beta)-\sin\alpha\sin(-\beta)$$

$$\Rightarrow\quad \cos(\alpha-\beta)=\cos\alpha\cos\beta-\sin\alpha(-\sin\beta)$$

$$\Rightarrow\quad \boldsymbol{\cos(\alpha-\beta)=\cos\alpha\cos\beta+\sin\alpha\sin\beta} \qquad \cdots②$$

根据余角的诱导公式和上述刚证明的两角差的余弦公式②，可得

$$\sin\ (\alpha+\beta)$$

$$=\cos\left\{\frac{\pi}{2}-(\alpha+\beta)\right\}$$

$$=\cos\left\{\left(\frac{\pi}{2}-\alpha\right)-\beta\right\}$$

$$=\cos\left(\frac{\pi}{2}-\alpha\right)\cos\beta+\sin\left(\frac{\pi}{2}-\alpha\right)\sin\beta$$

$$=\sin\alpha\cos\beta+\cos\alpha\sin\beta$$

$$\Rightarrow\quad \boldsymbol{\sin(\alpha+\beta)=\sin\alpha\cos\beta+\cos\alpha\sin\beta} \qquad \cdots③$$

余角的诱导公式

$$\cos\left(\frac{\pi}{2}-\theta\right)=\sin\theta$$

$$\sin\left(\frac{\pi}{2}-\theta\right)=\cos\theta$$

$$\cos(\alpha-\beta)$$
$$=\cos\alpha\cos\beta+\sin\alpha\sin\beta$$

从①开始顺藤摸瓜地展开。

将③式中的 β 替换为 $-\beta$，由负角的诱导公式可得

$$\sin\{\alpha+(-\beta)\}=\sin\alpha\cos(-\beta)+\cos\alpha\sin(-\beta)$$

$$\Rightarrow\quad \sin(\alpha-\beta)=\sin\alpha\cos\beta+\cos\alpha(-\sin\beta)$$

$$\Rightarrow\quad \boldsymbol{\sin(\alpha-\beta)=\sin\alpha\cos\beta-\cos\alpha\sin\beta} \qquad \cdots④$$

由①式、③式及三角函数间的关系可得

$$\tan(\alpha+\beta)$$

$$=\frac{\sin(\alpha+\beta)}{\cos(\alpha+\beta)}=\frac{\sin\alpha\cos\beta+\cos\alpha\sin\beta}{\cos\alpha\cos\beta-\sin\alpha\sin\beta}=\frac{\dfrac{\sin\alpha\cos\beta}{\cos\alpha\cos\beta}+\dfrac{\cos\alpha\sin\beta}{\cos\alpha\cos\beta}}{\dfrac{\cos\alpha\cos\beta}{\cos\alpha\cos\beta}-\dfrac{\sin\alpha\sin\beta}{\cos\alpha\cos\beta}}=\frac{\dfrac{\sin\alpha}{\cos\alpha}+\dfrac{\sin\beta}{\cos\beta}}{1-\dfrac{\sin\alpha}{\cos\alpha}\times\dfrac{\sin\beta}{\cos\beta}}$$

$$\Rightarrow \boldsymbol{\tan(\alpha+\beta)=\frac{\tan\alpha+\tan\beta}{1-\tan\alpha\tan\beta}}$$

$$\tan\theta=\frac{\sin\theta}{\cos\theta}$$

同理，由②式、④式可得

$$\tan(\alpha-\beta)$$

$$=\frac{\sin(\alpha-\beta)}{\cos(\alpha-\beta)}=\frac{\sin\alpha\cos\beta-\cos\alpha\sin\beta}{\cos\alpha\cos\beta+\sin\alpha\sin\beta}=\frac{\dfrac{\sin\alpha\cos\beta}{\cos\alpha\cos\beta}-\dfrac{\cos\alpha\sin\beta}{\cos\alpha\cos\beta}}{\dfrac{\cos\alpha\cos\beta}{\cos\alpha\cos\beta}+\dfrac{\sin\alpha\sin\beta}{\cos\alpha\cos\beta}}=\frac{\dfrac{\sin\alpha}{\cos\alpha}-\dfrac{\sin\beta}{\cos\beta}}{1+\dfrac{\sin\alpha}{\cos\alpha}\times\dfrac{\sin\beta}{\cos\beta}}$$

$$\Rightarrow\quad \boldsymbol{\tan(\alpha-\beta)=\frac{\tan\alpha-\tan\beta}{1+\tan\alpha\tan\beta}}$$

（证毕）

三角函数辅助角公式

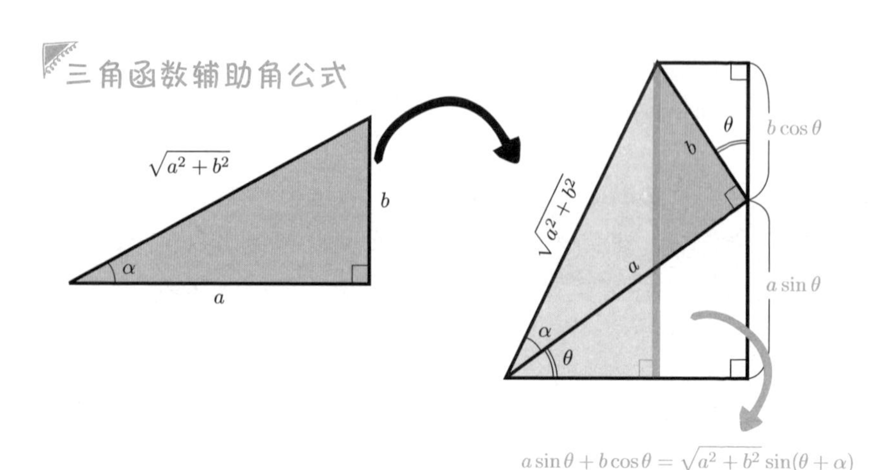

由上图可知，拥有相同角度的两个三角函数可以合并成一个三角函数。

$a\sin\theta+b\cos\theta=\sqrt{a^2+b^2}\sin(\theta+\alpha)$

$$\left(\text{其中，}\alpha\text{ 需要满足 }\cos\alpha=\frac{a}{\sqrt{a^2+b^2}},\sin\alpha=\frac{b}{\sqrt{a^2+b^2}}\right)$$

我们把这个公式称为三角函数辅助角公式（compositions of trigonometric functions）。

例

$$\sqrt{3}\sin\theta+\cos\theta=\sqrt{\left(\sqrt{3}\right)^2+1^2}\sin(\theta+\alpha)=2\sin\left(\theta+\frac{\pi}{6}\right)$$

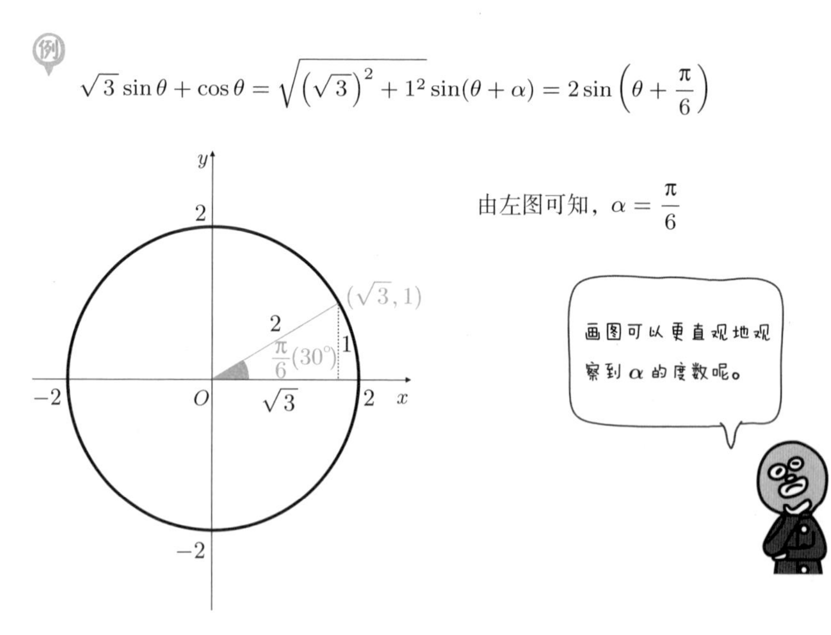

由左图可知，$\alpha=\frac{\pi}{6}$

指数函数

在高中阶段，我们常遇到 2^0、2^{-1} 这样的幂运算，很多人看到之后内心都会产生疑问：2 的 0 次方、2 的 −1 次方到底是什么意思？为了能够理解指数函数的定义，我们需要先学会当指数（即数字右上角的数字）范围“扩大”时的幂运算。

幂运算法则

$a^2 \times a^3 = (a \times a) \times (a \times a \times a) = a^5 = a^{2+3}$

$(a^2)^3 = a^2 \times a^2 \times a^2 = (a \times a) \times (a \times a) \times (a \times a) = a^6 = a^{2\times 3}$

$(ab)^2 = (ab) \times (ab) = a\times b\times a\times b = (a \times a) \times (b \times b) = a^2b^2$

从上述例子可知，当指数为正整数时，下列公式成立。

幂运算法则

(1) $a^m \times a^n = a^{m+n}$

(2) $(a^m)^n = a^{mn}$

(3) $(ab)^n = a^n b^n$

（其中，m、n 为正整数）

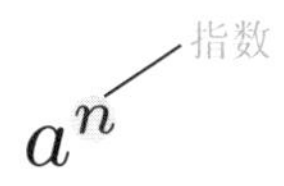

这就是幂运算法则（exponential law）。

扩大指数范围①（指数为 0 或负整数）

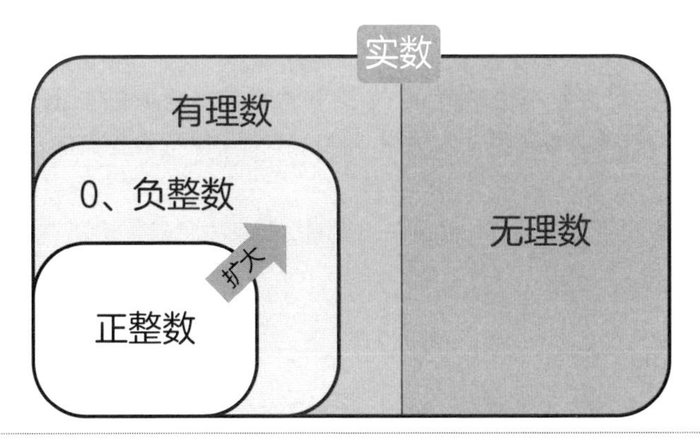

设 a 为正数，$f(x)=a^x$（该函数为指数函数，详见后述内容），为了使 x 能在所有实数范围内取值，即函数的定义域为 $-\infty<x<\infty$，我们需要对指数的定义进行补充。与此同时，还要时刻注意**幂运算法则是否仍然成立**[1]。首先，我们来看当指数为 0 或负整数的情况。

$$2^3 \xrightarrow{\times\frac{1}{2}} 2^2 \xrightarrow{\times\frac{1}{2}} 2^1 \xrightarrow{\times\frac{1}{2}} 2^0 \xrightarrow{\times\frac{1}{2}} 2^{-1} \xrightarrow{\times\frac{1}{2}} 2^{-2} \xrightarrow{\times\frac{1}{2}} 2^{-3}$$

$$\Downarrow$$

$$8 \to 4 \to 2 \to 1 \to \frac{1}{2} \to \frac{1}{4} \to \frac{1}{8}$$

根据上图，我们可以列出如下公式。

$$2^0=1、2^{-1}=\frac{1}{2^1}=\frac{1}{2}、2^{-2}=\frac{1}{2^2}=\frac{1}{4}、2^{-3}=\frac{1}{2^3}=\frac{1}{8}$$

由此，当指数为 0 或负整数时，我们有如下定义。

$$\boldsymbol{a^0=1、a^{-n}=\frac{1}{a^n}}$$

方根

一般来说，对于某个正整数 n，如果**一个数的 n 次方等于 a，即当 x 满足 $x^n=a$ 时，我们称 x 为 a 的 n 次方根**。像这样的 n 次方根我们把它统称为方根（radical root）[2]。

a 的 n 次方根是关于 x 的方程 $x^n=a$ 的解，因此它是函数 $y=x^n$ 和 $y=a$ 的图像交点的 x 坐标。

① 当指数范围扩大时，幂运算法则是否依然成立，这一点我们将在最后汇总验证。

② 一般，我们将 2 次方根称作“平方根”。

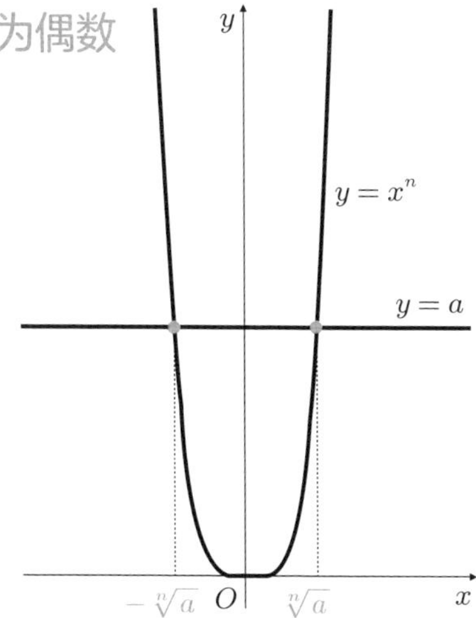

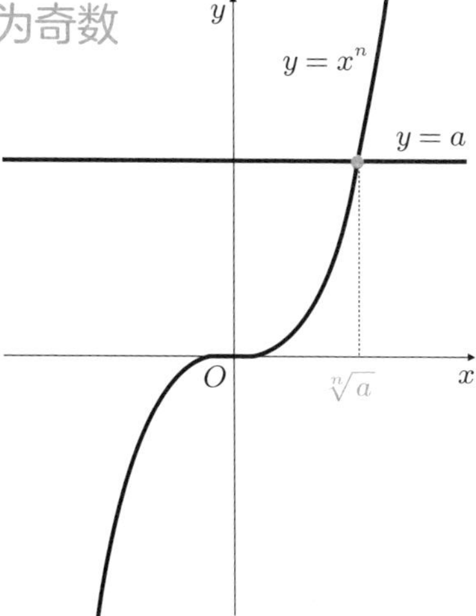

当 n 为偶数时，a 的 n 次方根有两个，其中正的方根表示为 $\sqrt[n]{a}$ [1]（负的方根表示为 $-\sqrt[n]{a}$）。当 n 为奇数时，a 的 n 次方根只有一个，表示为 $\sqrt[n]{a}$。

(i) 当 n 为偶数时

$$x^n = a \Leftrightarrow x = \pm\sqrt[n]{a}\ (a > 0)$$

(ii) 当 n 为奇数时

$$x^n = a \Leftrightarrow x = \sqrt[n]{a}$$

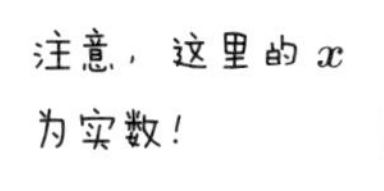

另外，特别规定当 $a = 0$ 时，$\sqrt[n]{0} = 0$。

例

$$x^4 = 16 \Leftrightarrow x = \pm\sqrt[4]{16} = \pm 2$$

$$x^3 = -8 \Leftrightarrow x = \sqrt[3]{-8} = -2$$

若 n 为偶数，我们在考虑方根时就需要分别考虑 a 为正数、负数和 0 的情况。补充指数定义的目的是令函数 $f(x) = a^x$ 的自变量 x 能在所有实数范围内取值，即 $-\infty < x < \infty$。为避免麻烦，后文（在没有特别说明的情况下）考虑方根时默认 $a > 0$。

[1] 当 $n = 2$ 时，一般将 $\sqrt[2]{a}$ 略写为 $\sqrt{a}$。

一般来说，方根具有如下性质。

方根的性质

(i) $\sqrt[n]{a}\times\sqrt[n]{b}=\sqrt[n]{ab}$

(ii) $(\sqrt[n]{a})^m=\sqrt[n]{a^m}$

在这里，$a>0$，$b>0$，m 是整数，n 是正整数。

拓展 方根性质的证明

注意，$x=\sqrt[n]{a}$ 是方程 $x^n=a$ 的解，将其代入原方程可知 $(\sqrt[n]{a})^n=a$。设 $a>0$，$b>0$，m 是整数，n 是正整数。

(i) 证明 $\sqrt[n]{a}\times\sqrt[n]{b}=\sqrt[n]{ab}$

左边取 n 次方 $=(\sqrt[n]{a}\times\sqrt[n]{b})^n=(\sqrt[n]{a})^n\times(\sqrt[n]{b})^n=a\times b=ab$

右边取 n 次方 $=(\sqrt[n]{ab})^n=ab$

$\Rightarrow (\sqrt[n]{a}\times\sqrt[n]{b})^n=(\sqrt[n]{ab})^n$

由 $\sqrt[n]{a}>0$，$\sqrt[n]{b}>0$，得出 $\sqrt[n]{a}\times\sqrt[n]{b}>0$，$\sqrt[n]{ab}>0$，所以 $\sqrt[n]{a}\times\sqrt[n]{b}=\sqrt[n]{ab}$。

$(ab)^p=a^pb^p$

$(\sqrt[n]{a})^n=a$

(ii) 证明 $(\sqrt[n]{a})^m=\sqrt[n]{a^m}$

左边取 n 次方 $=\{(\sqrt[n]{a})^m\}^n=(\sqrt[n]{a})^{mn}=(\sqrt[n]{a})^{nm}=\{(\sqrt[n]{a})^n\}^m=a^m$

右边取 n 次方 $=(\sqrt[n]{a^m})^n=a^m$

$\Rightarrow \{(\sqrt[n]{a})^m\}^n=(\sqrt[n]{a^m})^n$

因为 $\sqrt[n]{a}>0$，$(\sqrt[n]{a^m})>0$，所以 $(\sqrt[n]{a})^m=\sqrt[n]{a^m}$。

$(a^p)^q=a^{pq}$

$(\sqrt[n]{a})^n=a$

（证毕）

扩大指数范围②（指数为有理数）

在 n 为整数的情况下，当 2^n 的指数 n 为 $0,1,2,3,\cdots$ 时（即等差数列），$2^0,2^1,2^2,2^3,\cdots$ 这种数列从第 2 项起，每一项与它前一项的比值都等于同一个常数（即等比数列）。我们假设这一性质在指数为有理数（分数）时亦成立。

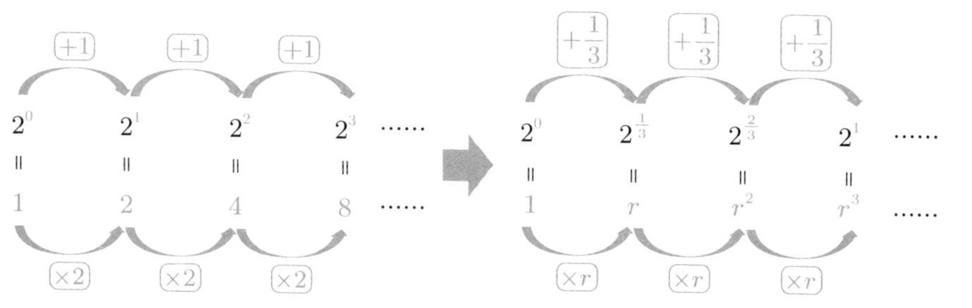

根据"$r=2^{\frac{1}{3}}$ 且 $r^3=2 \Leftrightarrow r=\sqrt[3]{2}$"，我们可以推测出 $2^{\frac{1}{3}}=\sqrt[3]{2}$。由前述可得，当指数为有理数时，我们有如下定义。

$$a^{\frac{1}{n}}=\sqrt[n]{a} \quad (a>0,\ n \text{ 为正整数})$$

$x^n=a$
$\Leftrightarrow x=\sqrt[n]{a}$

将上式两边同取 m 次方（m 为整数），可得下面的式子。

$$\left(a^{\frac{1}{n}}\right)^m=(\sqrt[n]{a})^m \Leftrightarrow a^{\frac{m}{n}}=(\sqrt[n]{a})^m=\sqrt[n]{a^m}$$

方根的性质
$(\sqrt[n]{a})^m=\sqrt[n]{a^m}$

综上所述，可得如下公式。

$$a^{\frac{m}{n}}=(\sqrt[n]{a})^m=\sqrt[n]{a^m} \quad (a>0,\ m \text{ 为整数},\ n \text{ 为正整数})$$

结果，"a 的 n 次方根的 m 次方"和"a 的 m 次方的 n 次方根"都等于 $a^{\frac{m}{n}}$。

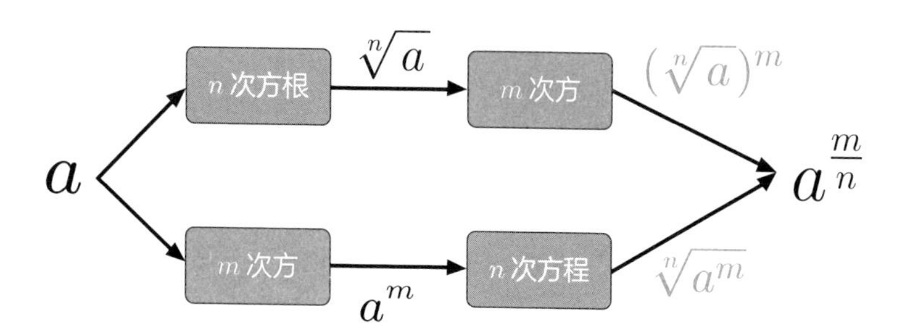

将指数的范围扩大之后，我们来验证一下幂运算法则是否仍然成立。该部分将出现大量烦琐的计算公式，不感兴趣的读者可以直接跳过。

验证扩大指数范围后的幂运算法则仍然成立

[关于 $a^0=1$ 和 $a^{-n}=\frac{1}{a^n}$]

设 $a>0$，$b>0$，m 是整数，n 是正整数。

(1) $\boldsymbol{a^m\times a^0}=a^m\times 1=a^m=\boldsymbol{a^{m+0}}$

$$\boldsymbol{a^{-n}\times a^n}=\frac{1}{a^n}\times a^n=1=a^0=\boldsymbol{a^{-n+n}}$$

$a^p\times a^q=a^{p+q}$

(2) $\boldsymbol{(a^m)^0}=1=\boldsymbol{a^{m\times 0}}$

$$\boldsymbol{(a^m)^{-n}}=\frac{1}{(a^m)^n}=\frac{1}{a^{mn}}=a^{-(mn)}=\boldsymbol{a^{m\times(-n)}}$$

$(a^p)^q=a^{pq}$

(3) $\boldsymbol{(ab)^0}=1=1\times 1=\boldsymbol{a^0b^0}$

$$\boldsymbol{(ab)^{-n}}=\frac{1}{(ab)^n}=\frac{1}{a^nb^n}=\frac{1}{a^n}\times\frac{1}{b^n}=\boldsymbol{a^{-n}b^{-n}}$$

$(ab)^p=a^pb^p$

[关于 $a^{\frac{1}{n}}=\sqrt[n]{a}$ 和 $a^{\frac{m}{n}}=\sqrt[n]{a^m}$]

设 $a>0$，$b>0$，m、s 是整数，n、t 是正整数，$p=\dfrac{m}{n}$，$q=\dfrac{s}{t}$。

(1) $a^p\times a^q=a^{\frac{m}{n}}\times a^{\frac{s}{t}}=a^{\frac{mt}{nt}}\times a^{\frac{ns}{nt}}=\sqrt[nt]{a^{mt}}\times\sqrt[nt]{a^{ns}}=\sqrt[nt]{a^{mt}\times a^{ns}}=\sqrt[nt]{a^{mt+ns}}$

$a^{p+q}=a^{\frac{m}{n}+\frac{s}{t}}=a^{\frac{mt+ns}{nt}}=\sqrt[nt]{a^{mt+ns}}$

$a^{\frac{m}{n}}=\sqrt[n]{a^m}$　　$\sqrt[n]{a}\times\sqrt[n]{b}=\sqrt[n]{ab}$

$\Rightarrow \boldsymbol{a^p\times a^q=a^{p+q}}$

(2) $(a^p)^q=\left(a^{\frac{m}{n}}\right)^{\frac{s}{t}}=\left\{\left(a^{\frac{1}{n}}\right)^m\right\}^{\frac{s}{t}}=\left[\left\{\left(a^{\frac{1}{n}}\right)^m\right\}^s\right]^{\frac{1}{t}}$

$a^{\frac{m}{n}}=\left(a^{\frac{1}{n}}\right)^m$

$=\left\{\left(a^{\frac{1}{n}}\right)^{ms}\right\}^{\frac{1}{t}}=\left\{(a^{ms})^{\frac{1}{n}}\right\}^{\frac{1}{t}}=\sqrt[t]{\left\{(a^{ms})^{\frac{1}{n}}\right\}}=\sqrt[t]{a^{\frac{ms}{n}}}$

$a^{pq}=a^{\frac{m}{n}\times\frac{s}{t}}=a^{\frac{ms}{nt}}=a^{\frac{\frac{ms}{n}}{t}}=\sqrt[t]{a^{\frac{ms}{n}}}$

$\Rightarrow \boldsymbol{(a^p)^q=a^{pq}}$

$a^{\frac{m}{n}}=\sqrt[n]{a^m}$

(3) $(ab)^p=(ab)^{\frac{m}{n}}=\{(ab)^m\}^{\frac{1}{n}}=(a^mb^m)^{\frac{1}{n}}=\sqrt[n]{a^mb^m}=\sqrt[n]{a^m}\times\sqrt[n]{b^m}$

$a^{\frac{m}{n}}=(a^m)^{\frac{1}{n}}$

$a^pb^p=a^{\frac{m}{n}}b^{\frac{m}{n}}=\sqrt[n]{a^m}\times\sqrt[n]{b^m}$

$\Rightarrow \boldsymbol{(ab)^p=a^pb^p}$

$a^{\frac{m}{n}}=\sqrt[n]{a^m}$　　$\sqrt[n]{a}\times\sqrt[n]{b}=\sqrt[n]{ab}$

扩大指数范围③（指数为无理数）

指数可以是无理数的严密证明比较深奥，一般只有大学数学类专业的学生才需要学习，对本书来说这是超纲的内容，因此我们仅进行如下思考。

例如，我们来思考一下 $2^{\sqrt{2}}$ 这个数。$\sqrt{2}=1.414\,213\,562\,37\ldots$，这是一个无限不循环小数。现在，我们用相近的有理数来替代它，使指数无限接近于 $\sqrt{2}$。

$$
\begin{aligned}
2^{1} &= 2 \\
2^{1.4} &= 2^{\frac{14}{10}} = 2.639\,01\ldots \\
2^{1.41} &= 2^{\frac{141}{100}} = 2.657\,37\ldots \\
2^{1.414} &= 2^{\frac{1414}{1000}} = 2.664\,74\ldots \\
2^{1.4142} &= 2^{\frac{14142}{10000}} = 2.665\,11\ldots
\end{aligned}
$$

继续算下去的话，等式右边将无限接近于一个固定的值 2.665 144 142 . . .。因此，我们将 $2^{\sqrt{2}}$ 的值定义如下。

$$2^{\sqrt{2}} = 2.665\,144\,142\ldots$$

当幂运算的指数为其他无理数时，我们也可以用同样的方式定义幂运算的值。在这种定义方式下，即使指数为无理数，以下幂运算法则仍然成立。

幂运算法则

设 $a>0$，$b>0$，x、y 是实数，则

(1) $a^x \times a^y = a^{x+y}$

(2) $(a^x)^y = a^{xy}$

(3) $(ab)^x = a^x b^x$

证明过程要在大学的课程里学习！

指数函数

设 a 是不为 1 的正数，则定义域为 $-\infty < x < \infty$ 的指数函数（exponential function）的定义如下所述。

指数函数的定义

$$f(x) = a^x$$

对于函数 $f(x) = a^x$，我们把 a 称为**指数函数 $f(x)$** 的底（base）[1]。

指数函数的图像

x	-3	-2	-1	0	1	2	3
2^x	$\frac{1}{8}$	$\frac{1}{4}$	$\frac{1}{2}$	1	2	4	8
$\left(\frac{1}{2}\right)^x$	8	4	2	1	$\frac{1}{2}$	$\frac{1}{4}$	$\frac{1}{8}$

根据上表，我们可以绘制出函数 $y = 2^x$ 及 $y = \left(\frac{1}{2}\right)^x$ 的图像。

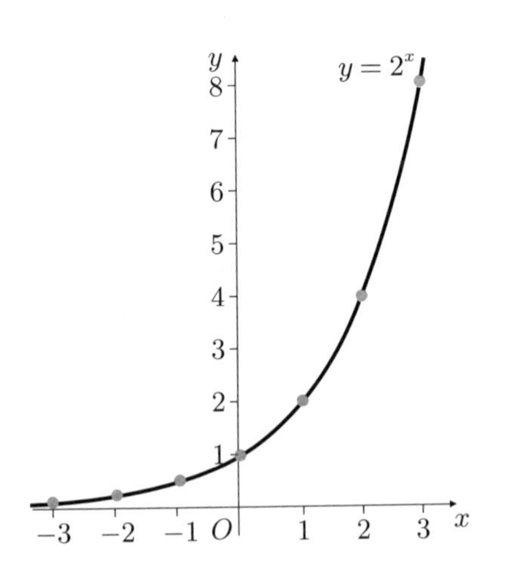

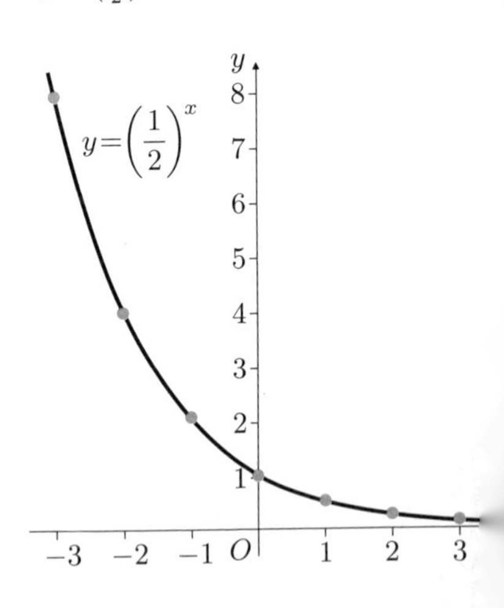

① 当 $f(x) = a^x$ 时，我们之所以规定 $a > 0$，是因为在考虑方根时已经约定好 $a > 0$（参见第 53 页）。规定 $a \neq 1$ 与数函数的定义有关（参见第 64 页）。

一般来说，是 $a>1$ 还是 $0<a<1$ 会令函数 $y=a^x$ 的图像产生极大的差别。

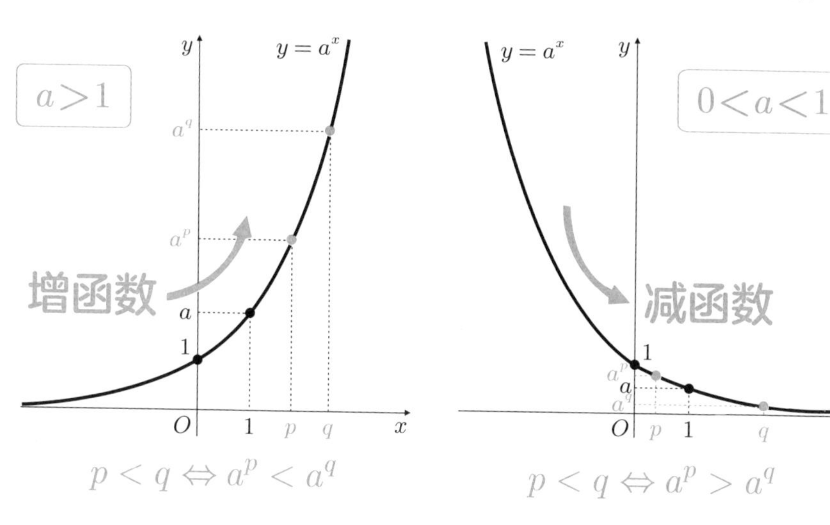

请注意，无论何种情况，$a^x>0$ 都为真。

指数函数 $f(x)=a^x$ 在 $a>1$ 的时候呈爆发式增长。

例如，把 0.1 mm 厚的报纸对折 x 次，此时它的高度如下所示。

$$y=0.1\times 2^x$$

当 $x=42$ 时，y 的值约为 440 000 km，甚至超过了地月距离（约 380 000 km）！[1]

[1] 在实际情况下，一张报纸大概只能折 10 次左右。

对数函数

被誉为日本代表数学家之一的秋山仁老师在第一次学习对数时，曾对老师发问："老师，黑板上写的 10 g 是什么意思？"实际上，如果就"高中数学最让人不明所以的概念"做一次问卷调查，对数恐怕会排第一名。

对数是什么

$2^{\square}=3$ 中的 $\square$ 是什么呢？ $2^{\square}=3$ 中的 $\square$ 可以表示成 $\log_2 3$！

2 的某次方等于 3 时所对应的数

logarithm

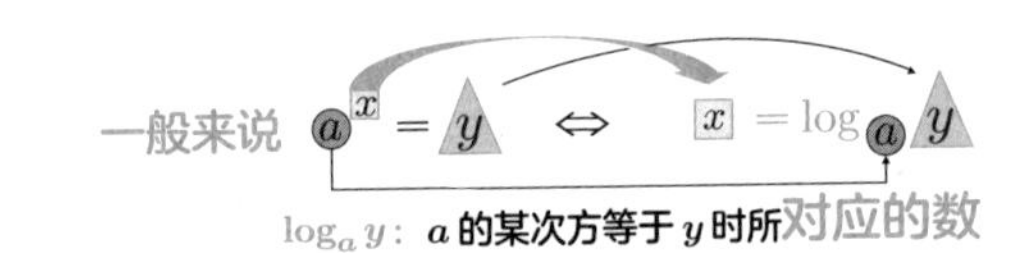

在对数（logarithm）出现之前，我们无法找到一个 x 能满足 $2^x=3$。因为 $2^1=2$，$2^2=4$，所以我们可以设想 x 是比 1 大且比 2 小的数。尝试将 1.5、$\sqrt{2}$ 这样属于 $1<x<2$ 的数代入原方程，我们发现它们都不能正好等于 3。

但是，根据右图中函数 $y=2^x$ 的图像，"2 的某次方等于 3 时所对应的数"显然是存在的。于是，当 $2^x=3$ 时，我们把 x 所对应的数表示为 $\log_2 3$。

log 这个符号是对数（对应的数）的英文 logarithm 的简写形式。也就是说，$2^x=3 \Leftrightarrow x=\log_2 3$。一般来说，对数的定义如下所述。

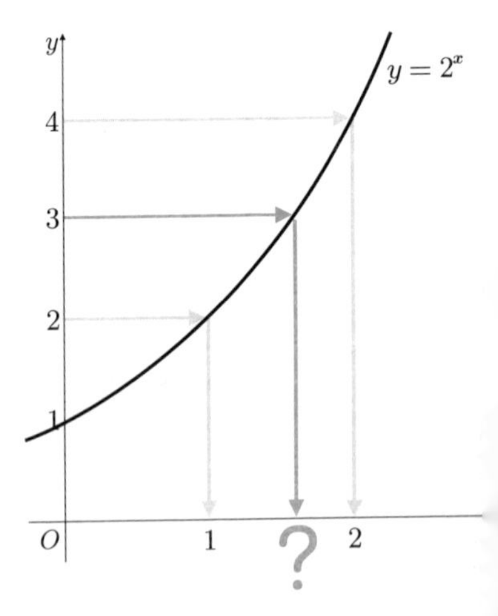

对数的定义 我们将满足 $a^x = p$ 的 x 的值表示为

$$x = \log_a p$$

其中，a 称为底，p 称为**真数（anti-logarithm）**。

（注意，$a>0$ 且 $a \neq 1$，$p>0$）

对数的定义还可以表示为下列公式。

$$a^{\log_a p} = p$$

根据 $a^x = p \Leftrightarrow x = \log_a p$，可以把 x 消去。

$2^{\log_2 2} = 2$，$3^{\log_3 9} = 9$，$5^{\log_5 \sqrt{5}} = \sqrt{5}$

对数的性质

根据定义，我们可以总结出一些显而易见的对数性质。

对数的性质

(1) $\log_a a = 1$

(2) $\log_a 1 = 0$

注意，a 是不等于 1 的正实数。

拓展 对数性质的证明

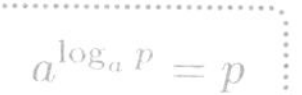

$a^p = a^q \Rightarrow p = q$

(1) $a^{\log_a a} = a = a^1 \Rightarrow \log_a a = 1$

(2) $a^{\log_a 1} = 1 = a^0 \Rightarrow \log_a 1 = 0$

$a^0 = 1$

对数的运算法则

从幂运算法则可以推导出以下的对数运算法则（logarithmic law）。

（i） $\log_a(M \times N) = \log_a M + \log_a N$
乘法　加法

（ii） $\log_a \frac{M}{N} = \log_a M - \log_a N$
除法　减法

（iii） $\log_a M^r = r \log_a M$
将指数前移

$2^5 = 32 \Leftrightarrow 5 = \log_2 32 = \log_2(8 \times 4)$

$2^3 = 8 \Leftrightarrow 3 = \log_2 8$

$2^2 = 4 \Leftrightarrow 2 = \log_2 4$

$2^1 = 2 \Leftrightarrow 1 = \log_2 2 = \log_2 \frac{8}{4}$

原来是这样呀！

（i） $\log_2(8 \times 4) = \log_2 8 + \log_2 4$　　（i） $5 = 3 + 2$

（ii） $\log_2 \frac{8}{4} = \log_2 8 - \log_2 4$　　（ii） $1 = 3 - 2$

（iii） $\log_2 2^3 = 3 \log_2 2$　　（iii） $3 = 3 \times 1$

拓展　对数运算法则的证明

（i）

$a^{\log_a M} \times a^{\log_a N} = a^{\log_a M + \log_a N} \Rightarrow M \times N = a^{\log_a M + \log_a N} \Rightarrow a^{\log_a(M \times N)} = a^{\log_a M + \log_a N}$

$\therefore \log_a(M \times N) = \log_a M + \log_a N$　　$a^{\log_a p} = p$　　$a^p \times a^q = a^{p+q}$

（ii）

$\frac{a^{\log_a M}}{a^{\log_a N}} = a^{\log_a M - \log_a N} \Rightarrow \frac{M}{N} = a^{\log_a M - \log_a N} \Rightarrow a^{\log_a \frac{M}{N}} = a^{\log_a M - \log_a N}$

$\therefore \log_a \frac{M}{N} = \log_a M - \log_a N$　　$a^{\log_a p} = p$　　$\frac{a^p}{a^q} = a^{p-q}$

（iii）

$(a^{\log_a M})^r = a^{\log_a M \cdot r} \Rightarrow (M)^r = a^{r \cdot \log_a M} \Rightarrow M^r = a^{r \log_a M} \Rightarrow a^{\log_a M^r} = a^{r \log_a M}$

$\therefore \log_a M^r = r \log_a M$　　$a^{\log_a p} = p$　　$(a^p)^q = a^{p \times q}$

换底公式

进行对数运算时最重要的技巧就是**统一对数的底**。为此，需要用到下述的换底公式（change of base formula）。

$$\log_a b = \frac{\log_c b}{\log_c a}$$

（a、c 是 1 以外的正数，b 是正数）

$$\log_a M^r = r\log_a M$$

$$\log_2 8 = \frac{\log_{10} 8}{\log_{10} 2}$$

$\log_2 8 = \log_2 2^3 = 3\log_2 2 = 3\times 1 = 3$

$\dfrac{\log_{10} 8}{\log_{10} 2} = \dfrac{\log_{10} 2^3}{\log_{10} 2} = \dfrac{3\log_{10} 2}{\log_{10} 2} = 3$

原来是这么回事！

拓展 换底公式的证明

$$a^{\log_a b} = b \Rightarrow \left(c^{\log_c a}\right)^{\log_a b} = c^{\log_c b} \Rightarrow c^{\log_c a\times\log_a b} = c^{\log_c b}$$

$$\therefore \log_c a\times\log_a b = \log_c b \Rightarrow \log_a b = \frac{\log_c b}{\log_c a}$$

$$a^{\log_a p} = p$$

$$(a^p)^q = a^{p\times q}$$

常用对数

我们单独把以 10 为底的对数，即 $\log_{10} x$ 称为常用对数（common logarithm）。对于任意真数 x 的一般对数，我们可以通过查找它所对应的常用对数的值，再运用“换底公式”来计算 10 以外的底的对数的值。**常用对数表**（可以在网上搜索到）中总结了 $0 < x < 10$ 的 $\log_{10} x$ 的值。

例 根据常用对数表，$\log_{10} 2 \approx 0.3010$，$\log_{10} 3 \approx 0.4771$，由此可得如下结果[①]。

$$\log_2 3 = \frac{\log_{10} 3}{\log_{10} 2} \approx \frac{0.4771}{0.3010} \approx 1.5850$$

① $\log_{10} 2$ 和 $\log_{10} 3$ 是无理数，即小数点后有无限不循环的数字。

对数函数

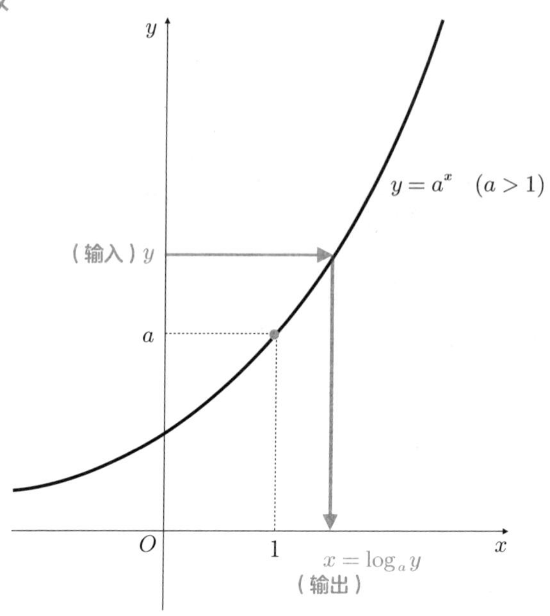

根据上图，对于函数 $y=a^x$，当我们把 y 作为输入值，把 x 作为输出值时，对于 $y>0$ 范围中的任意 y 来说，有且只有唯一确定的 x 与其对应[①]。

因为 $y=a^x \Leftrightarrow x=\log_a y$，所以当 $y=a^x$ 时，我们将 **x 关于 y 的函数表示为 $x=\log_a y$**。由于我们习惯上会把 x 作为输入值（自变量），把 y 作为输出值（因变量），所以在写的时候应把 x 和 y 互换。

一般来说，当 a 为不等于 1 的正数时，我们把 $\boldsymbol{y=\log_a x}$ 称为 y 关于 x 的以 a 为底的对数函数（logarithmic function）。

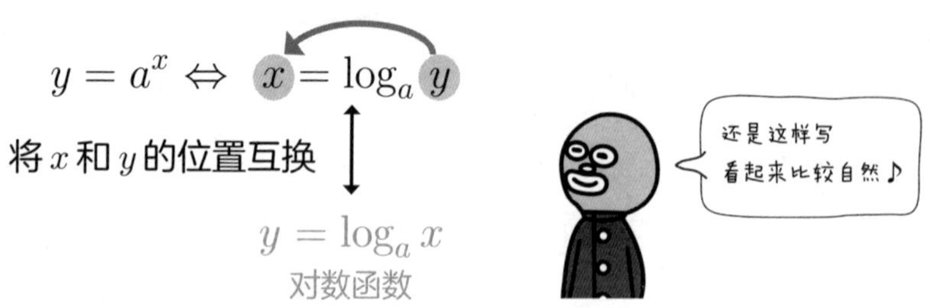

① 当 $a=1$ 时，y 永远为 1，因此对于任意的 y 来说，x 并不是唯一确定的。

对数函数的图像

$y=a^x$ 与 $x=\log_a y$ 等价，从公式上来说它们表示的是同样的内容。因此，虽然表示方法有所不同，但这两个公式的图像是一样的[1]。这里，我们通过以下步骤来完成 $y=\log_a x$ 的图像：**绘出 $x=\log_a y$ 的图像（即 $y=a^x$ 的图像）→将 x 和 y 的位置互换→调整坐标系，将 x 轴和 y 轴恢复到原来的位置**。

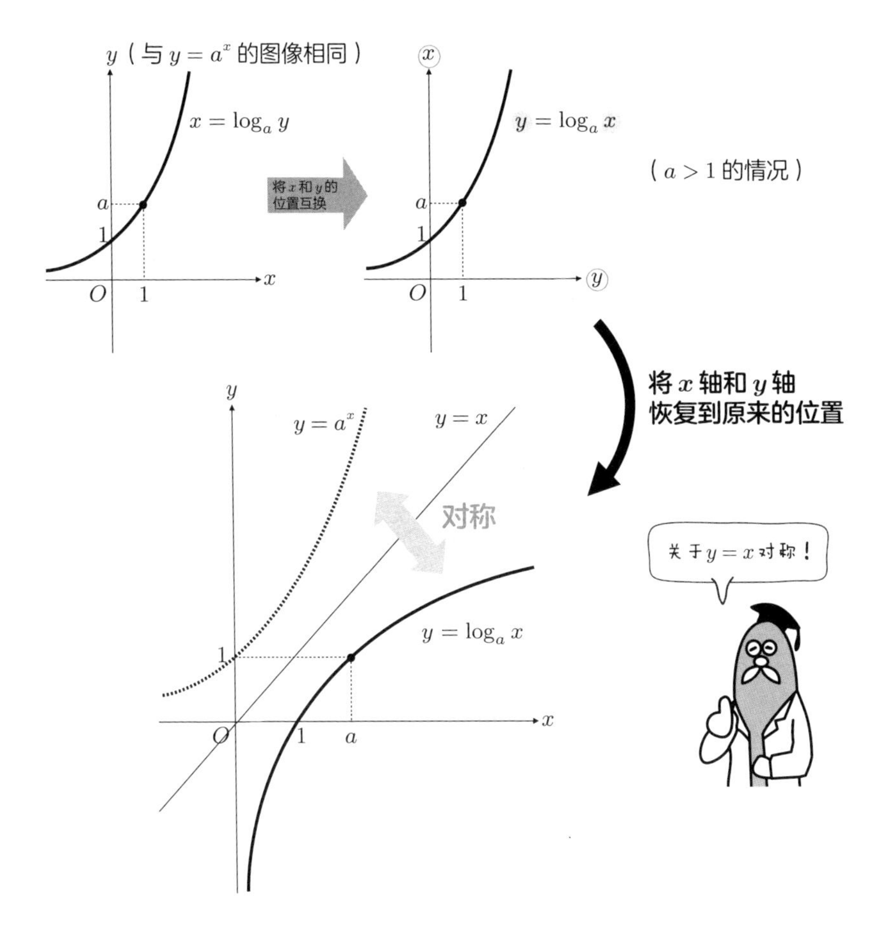

由此得到的函数 $y=a^x$ 的图像，与 $y=\log_a x$ 的图像**关于直线 $y=x$ 对称**。

① 相互等价的公式，其图像也相同。例如 $y=x+1 \Leftrightarrow x-y+1=0$，所以 $y=x+1$ 和 $x-y+1=0$ 的图像是一样的。

同理，当 $0 < a < 1$ 时，对数函数的图像如下图所示。我们将它与 $a > 1$ 时的情况进行比较。

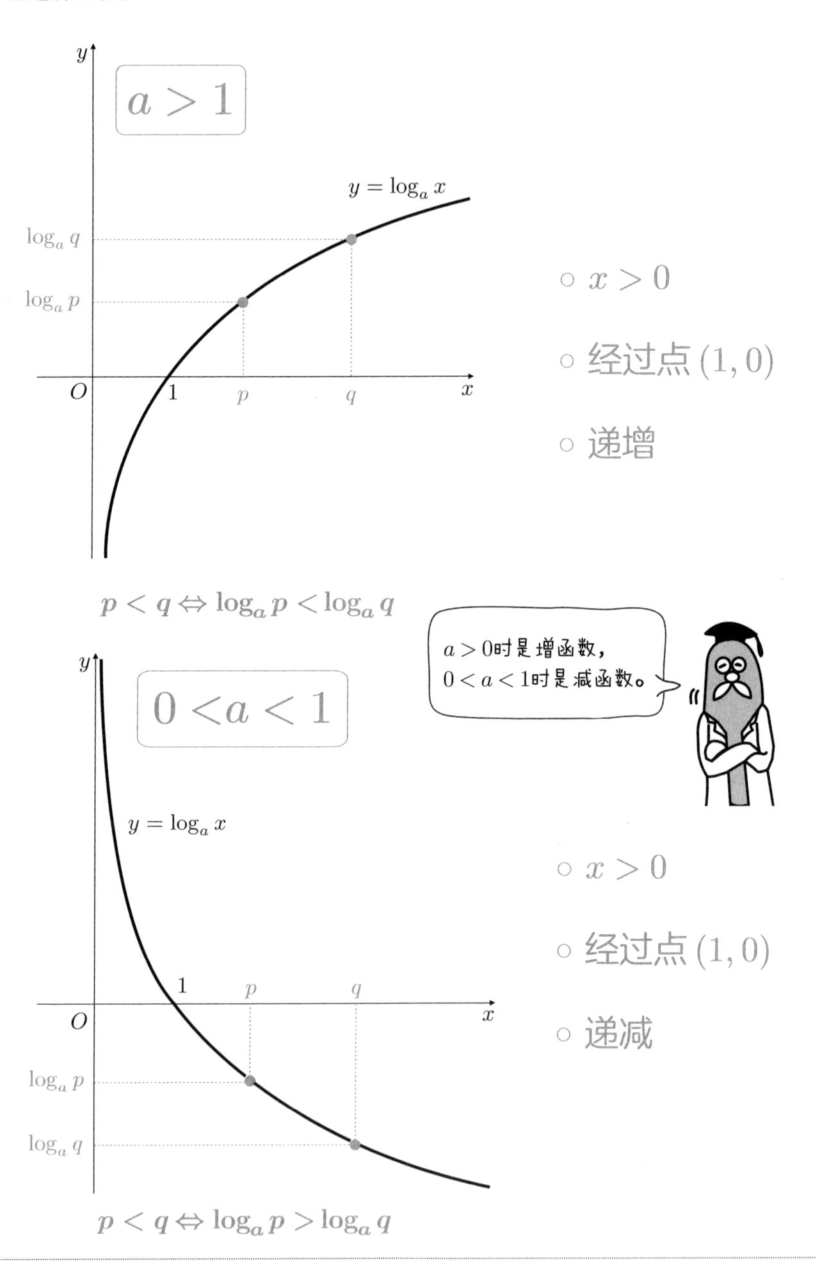

约翰·纳皮尔（1550—1617）

对数的诞生

在高中数学课上，我们通常会在学完指数函数后才学对数函数。当16世纪末苏格兰的约翰·纳皮尔（John Napier）发现对数时，人们尚不习惯将 $2 \times 2 \times 2$ 表示为 2^3。当然，那时候也没有指数函数的概念。也就是说，从历史的角度来看，对数反而更早被“发明”出来。

那么，在不存在指数的情况下为什么会产生对数呢？这与当时的欧洲处在大航海时代有着密切的联系。那时不像现在可以通过GPS（Global Positioning System，全球定位系统）来定位，当时，海员需要观测夜空中的星象，对照当时的时刻，再根据天文历推断自己所处的位置。在天文历中，天文学家通过计算预测出了每日每时的星星的位置。海员利用仅有的天文历和六分仪（测量夹角的仪器）在没有路标的大海上确定船的方位。

然而，当时的天文历并不精确。要想推算出365天中各个时刻的星星的位置（每年都在变化），需要进行大量的天文学计算，很多海员甚至因此而丧命。纳皮尔见到此景后慨叹不已，开始思考可以减轻天文学家计算负担的方法。这就是对数及对数表产生的契机。

高中数学书中附有常用对数表，表中能够查到从 $x = 1.00$ 到 $x = 9.99$ 为止的 $\log_{10} x$ 的值。例如查表可知，$\log_{10} 1.23 \approx 0.0899$，$\log_{10} 4.56 \approx 0.6590$，根据对数的定义（参见第61页），我们可以按如下方法进行计算。

$$1.23 \times 4.56 = 10^{0.0899} \times 10^{0.6590} = 10^{0.0899+0.6590} = 10^{0.7489}$$

这里我们再次查阅常用对数表，可知 $0.7489 \approx \log_{10} 5.61$。由此可得如下结果。

$$1.23 \times 4.56 = 10^{0.7489} \approx 10^{\log_{10} 5.61} = 5.61 \text{（←使用公式 } a^{\log_a p} = p\text{）}$$

根据这个结果我们可以很快知道 $123 \times 456 \approx 56100$。

在那个没有计算机的年代，对数和对数表就相当于计算机。顺便一提，对于纳皮尔发明了对数这件事，世人称他让天文学家的寿命延长了一倍（使天文学家一生中能计算的数据量增加了一倍）。

Challenge to the limit

第4章　微积分

极限

有人在上高中时看到 $\lim_{x\to\infty}\frac{1}{x}=0$ 这个式子可能会想:“不对吧，严格来说中间不是应该用 $\approx$ 吗?”会这样想的人对极限的理解或许存在偏差。

函数的极限

我们把**“对于函数 $f(x)$，自变量 x 不等于 α 但无限接近于 α，相应地，$f(x)$ 的值也无限接近于某个确定的值 p”**表示为

$$\lim_{x\to\alpha}f(x)=p$$

当 $x\to\alpha$ 时，p 称为函数 $f(x)$ 的极限（limit）。另外，此时我们称函数 $f(x)$ 收敛（converge）于 p。

所谓极限，其实就是“无限接近于这个值”。因此，以下两个式子都是正确的。

$$\lim_{x\to\infty}\frac{1}{x}=0 \qquad \lim_{x\to 1}\frac{1}{x}=1$$

这是因为，“x 无限接近于无穷大，则 $\frac{1}{x}$ 无限接近于 0”和“x 无限接近于 1，则 $\frac{1}{x}$ 也无限接近于 1”都是正确的。

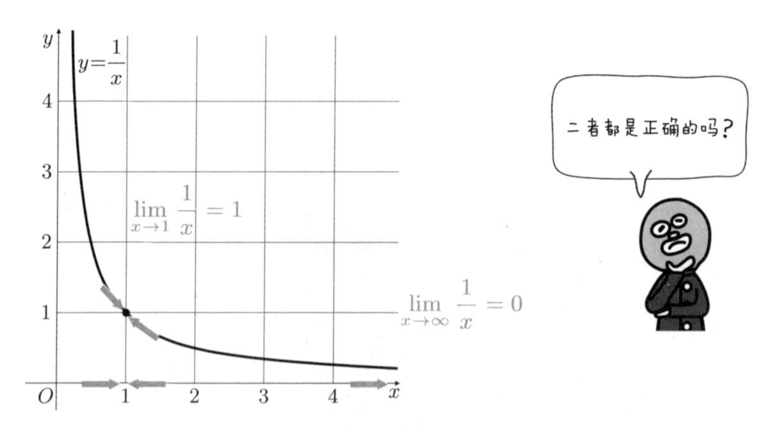

请注意，“$x\to\alpha$ 时 $f(x)$ 的极限”和 $f(\alpha)$ 未必相等。

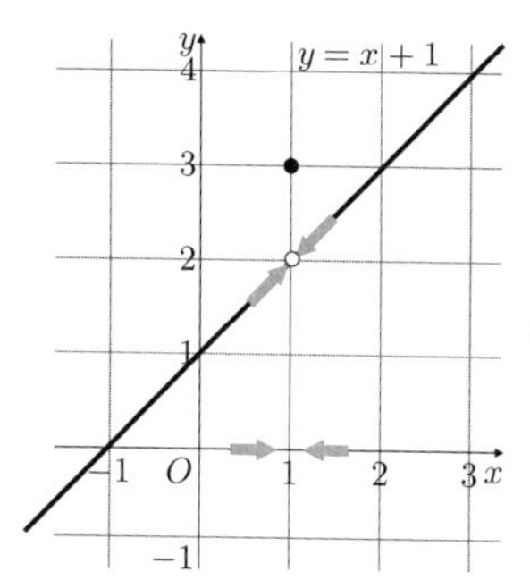

当 $f(x)=\begin{cases} x+1 (x\neq 1) \\ 3 \quad (x=1) \end{cases}$ 时，

虽然 $f(1)=3$，但是

$$\lim_{x\to 1} f(x)=2$$

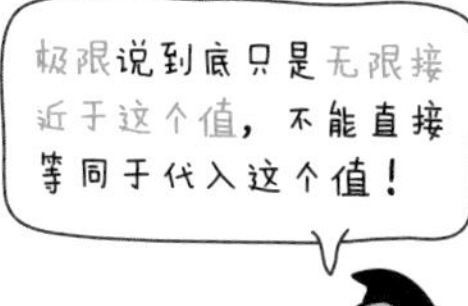

指数函数的极限

通过图像，我们明显可以看到 $x\to\infty$ 时指数函数的极限。但是，指数函数的底是大于 1 还是小于 1，会使情况有所不同（参见第 59 页），这一点需要特别注意。

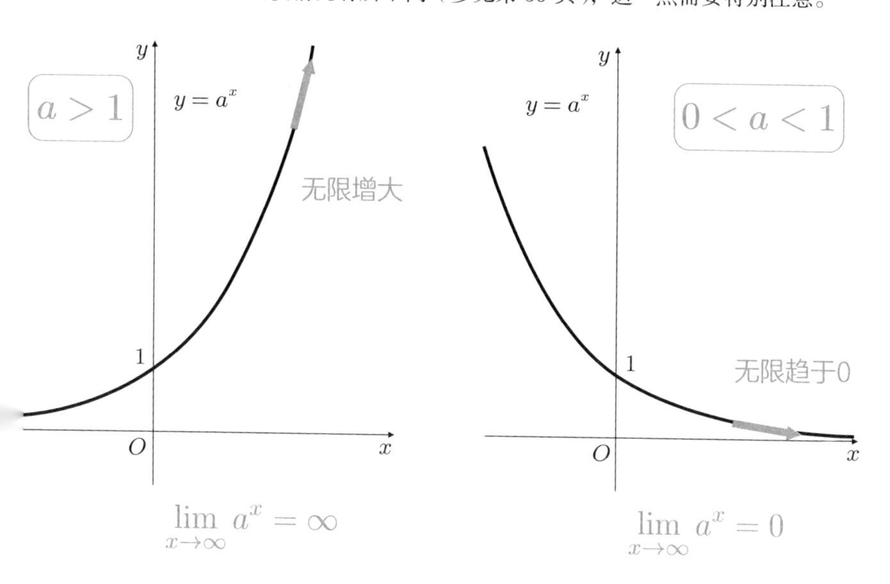

根据上图，我们可以知道，$x\to-\infty$ 时的极限如下所示。

当 $a>1$ 时，$\lim\limits_{x\to-\infty} a^x=0$

当 $0<a<1$ 时，$\lim\limits_{x\to-\infty} a^x=\infty$

对数函数的极限

通过图像，我们也可以明显看到 $x \to \infty$ 时对数函数的极限。同样，底是大于 1 还是小于 1，也会使情况有所不同（参见第 66 页）。

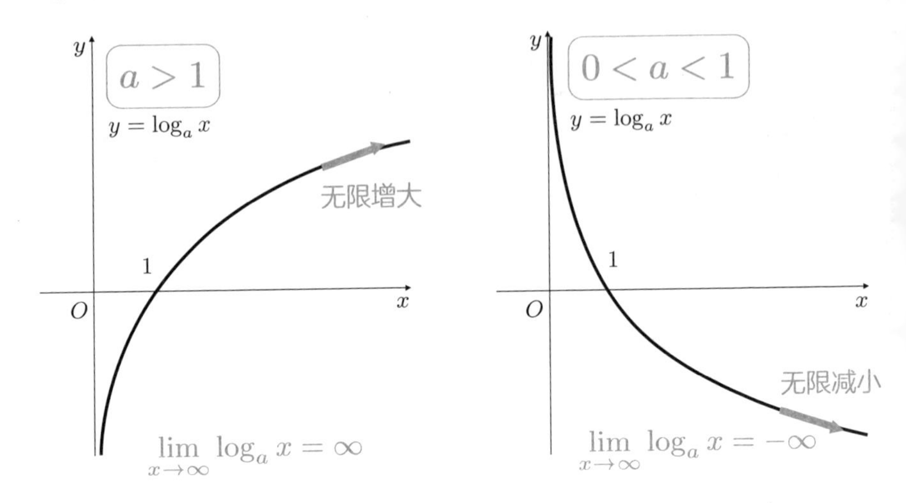

关于对数函数，大家也许会产生以下疑问。

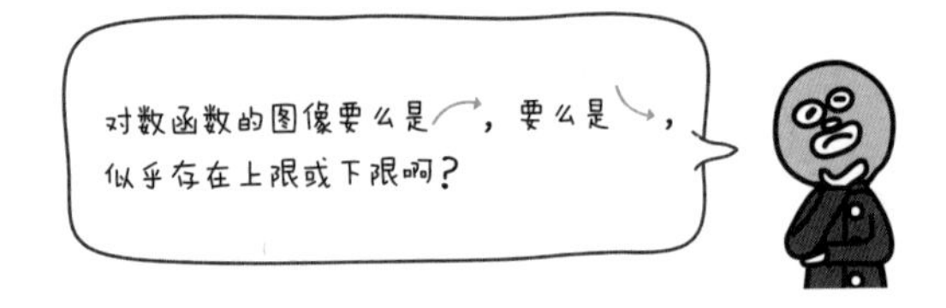

但是，只要大家回忆一下 $x = \log_a y \Leftrightarrow y = a^x$ 这个公式，是不是就能理解“当对数函数的自变量 $x \to \infty$ 时，它的极限是 ∞ 或 $-\infty$”了呢？

在 $a > 1$ 的情况下，根据指数函数的图像（参见第 59 页），可知**函数 $y = a^x$ 在 $y \to \infty$ 时，$x \to \infty$**。据此，将函数 $x = \log_a y$ 中的 x、y 对调，可得函数 $y = \log_a x$（$a > 1$）在 $x \to \infty$ 时，$y \to \infty$。

在 $0 < a < 1$ 的情况下，根据指数函数的图像，可知**函数 $y=a^x$ 在 $y \to \infty$ 时，$x \to -\infty$**。据此，将 x、y 对调后的函数 $y = \log_a x$（$0 < a < 1$），在 $x \to \infty$ 时 $y \to -\infty$。

三角函数的极限

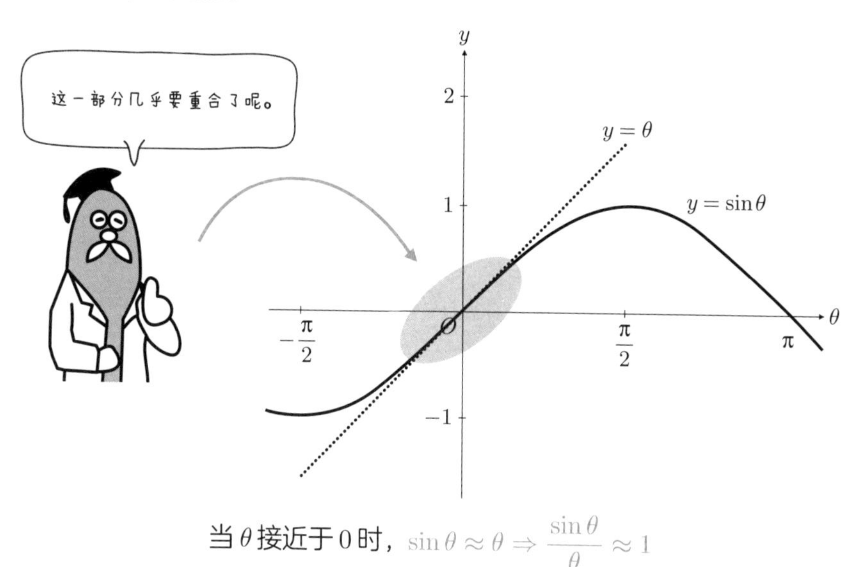

当 θ 接近于 0 时，$\sin\theta \approx \theta \Rightarrow \dfrac{\sin\theta}{\theta} \approx 1$

根据上图可知，当 θ 的值无限接近于 0 时，$\frac{\sin\theta}{\theta}$ 的值将无限接近于 1[1]。使用 lim 公式可表示为如下形式。

$$\lim_{\theta\to 0}\frac{\sin\theta}{\theta} = 1$$

拓展 三角函数极限的证明

设 $0 < \theta < \frac{\pi}{2}$，对于以点 O 为圆心、以 1 为半径的扇形 AOB，$\angle AOB = \theta$（rad）[2]。如右图所示，过 B 点作 OA 的垂线 BP 交 OA 于点 P，过 A 点作 $\overset{\frown}{AB}$ 的切线交 OB 的延长线于点 Q，由图可知下述内容成立。

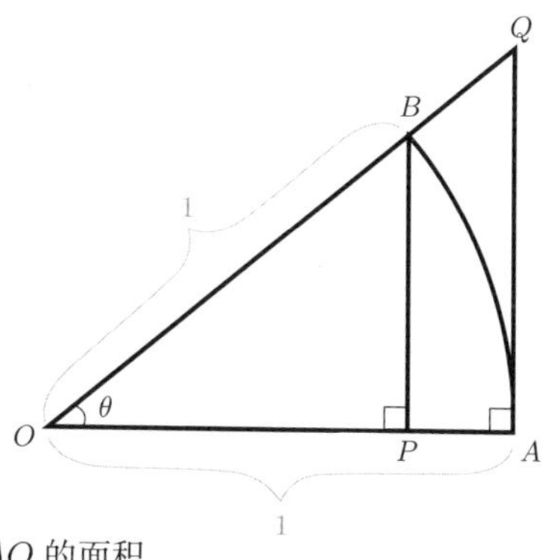

$\triangle OPB$ 的面积 $\leqslant$ 扇形 AOB 的面积 $\leqslant$ $\triangle OAQ$ 的面积

① 证明见下述拓展部分。
② 用弧度制是为了使下述证明成立（如果不用弧度制，则下述证明无法成立）。

由此可得

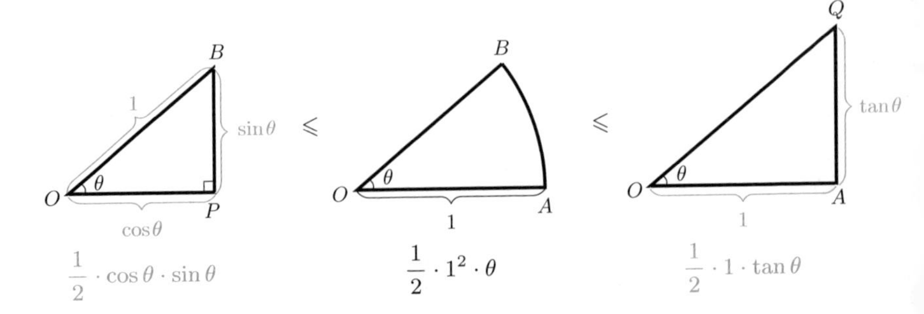

因此

$$\frac{1}{2}\cdot\cos\theta\cdot\sin\theta \leqslant \frac{1}{2}\cdot 1^2\cdot\theta \leqslant \frac{1}{2}\cdot 1\cdot\tan\theta$$

$$\Rightarrow \quad \cos\theta\sin\theta \leqslant \theta \leqslant \tan\theta$$

$$\Rightarrow \quad \cos\theta\sin\theta \leqslant \theta \leqslant \frac{\sin\theta}{\cos\theta}$$

$$\Rightarrow \quad \cos\theta \leqslant \frac{\theta}{\sin\theta} \leqslant \frac{1}{\cos\theta}$$

$$\Rightarrow \quad \frac{1}{\cos\theta} \leqslant \frac{\sin\theta}{\theta} \leqslant \cos\theta \quad \cdots①$$

用弧度制表示角度，则扇形面积可表示为

$$S=\frac{1}{2}r^2\theta$$

（参见第 43 页）

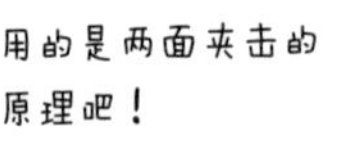

根据三角函数负角的诱导公式（参见第 46 页）可得

$$\cos(-\theta)=\cos\theta、\frac{\sin(-\theta)}{-\theta}=\frac{-\sin\theta}{-\theta}=\frac{\sin\theta}{\theta}$$

因此，当 $-\frac{\pi}{2}<\theta<0$ 时，不等式①仍成立。由①可得

$$\Rightarrow \quad \lim_{\theta\to 0}\frac{1}{\cos\theta} \leqslant \lim_{\theta\to 0}\frac{\sin\theta}{\theta} \leqslant \lim_{\theta\to 0}\cos\theta$$

$$\Rightarrow \quad 1 \leqslant \lim_{\theta\to 0}\frac{\sin\theta}{\theta} \leqslant 1$$

$$\Rightarrow \quad \lim_{\theta\to 0}\frac{\sin\theta}{\theta}=1$$

由 $\cos 0=1$ 可得

$$\lim_{\theta\to 0}\cos\theta=1$$

$$\lim_{\theta\to 0}\frac{1}{\cos\theta}=\frac{1}{1}=1$$

（证毕

4-2

微分法

高二数学教科书中的微分公式比较简单（文科生也学），可以直接套用，因此很多文科生甚至觉得“微分原来还挺简单的”。实际上，要想真正地理解微分的本质，可没有那么简单。

平均变化率

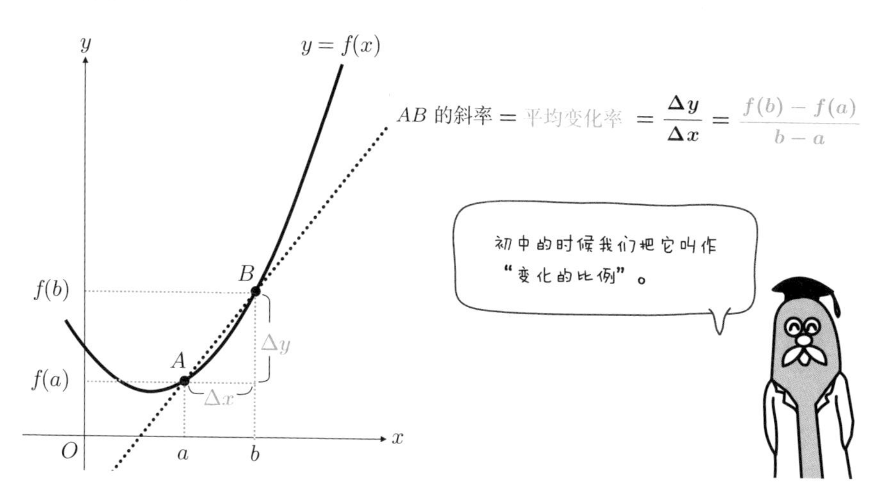

设 y 是 x 的函数，我们把 **y 的变化量（Δy）**[①] **相对于 x 变化量（Δx）的比**称为平均变化率（average change rate）。设函数 $y=f(x)$ 中的 x 从 a 变化到 b 时，y 会从 $f(a)$ 变化到 $f(b)$，其平均变化率如下所示。

$$\text{平均变化率}=\frac{\Delta y}{\Delta x}=\frac{f(b)-f(a)}{b-a}$$

该平均变化率反映的是函数 $y=f(x)$ 图像中的两点 $A(a,\ f(a))$ 和 $B(b,\ f(b))$ 所确定的直线的斜率。

① Δ（德尔塔）是希腊字母，常用来表示变化量。

微分系数

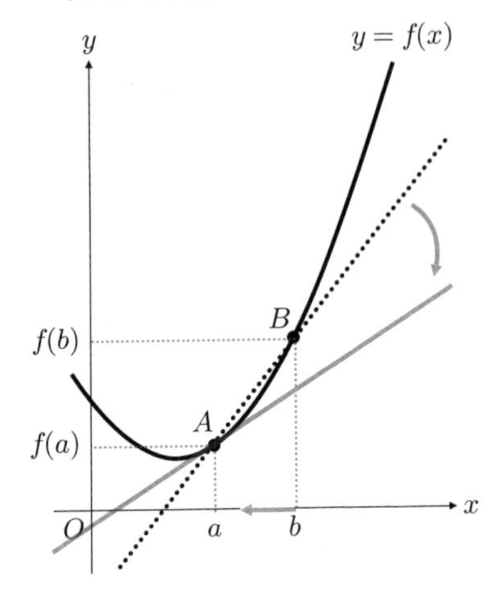

AB 的斜率 = 平均变化率 = $\dfrac{f(b)-f(a)}{b-a}$

⬇ $b \to a$

过 A 点的切线的斜率 = 微分系数 = $f'(a)$

b 与 a 的距离越接近，AB 的斜率就与过 A 点的切线的斜率越接近。

我们把平均变化率中的 x 的变化量 $(b-a)$ 趋向于无穷小时的极限称为微分系数（differential coefficient），用 $f'(a)$ 来表示。

$$f'(a)=\lim_{b\to a}\frac{f(b)-f(a)}{b-a}=\lim_{h\to 0}\frac{f(a+h)-f(a)}{h}$$

设 $b=a+h$，则当 $b\to a$ 时，$h\to 0$

$f'(a)$ 表示函数 $y=f(x)$ 的图像在 $x=a$ 处的切线斜率。

导函数

a（输入）{ 1 ⟶ 2 ⟶ 3 ⟶ } **函数** { ⟶ $f'(1)$ ⟶ $f'(2)$ ⟶ $f'(3)$ } $f'(a)$（输出）

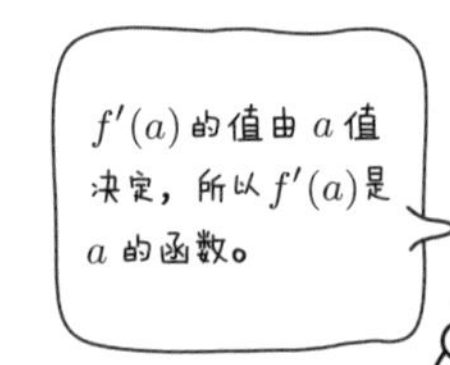

$$f'(x)=\lim_{h\to 0}\frac{f(x+h)-f(x)}{h}$$

由上式可知，$f'(x)$ 是 x 的函数。我们把 $f'(x)$ 称为函数 $f(x)$ 的导函数（derivative），简称导数。除 $f'(x)$ 以外，还可以用 y'、$\frac{dy}{dx}$、$\frac{d}{dx}f(x)$ 等符号[①] 来表示 $y=f(x)$ 的导数。此外，求微分（differentiate）其实就相当于求导数。

① 微分系数是平均变化率的极限，导函数是微分系数在函数形式上的表现。将导函数用 $f'(x)=\lim_{\Delta x\to 0}\frac{\Delta y}{\Delta x}=\frac{dy}{dx}$ 来表示有许多益处，这些益处会在我们学习的过程中逐渐显现出来。

积的求导公式

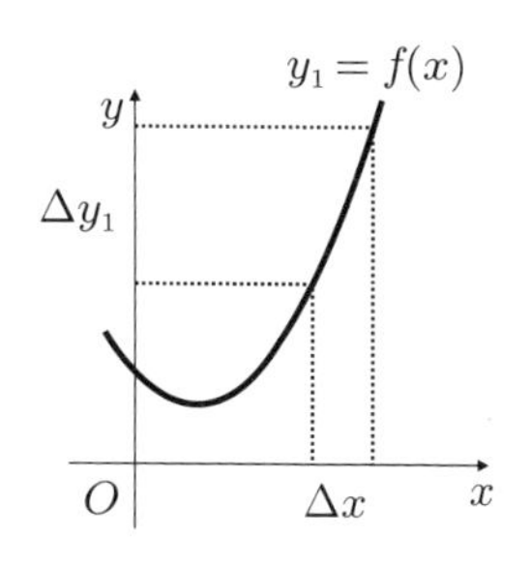

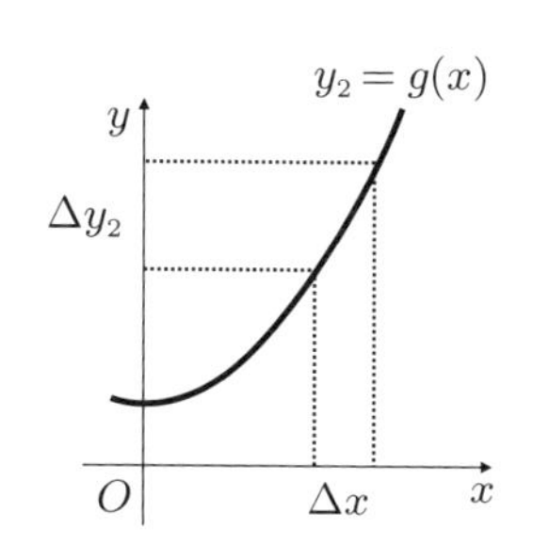

当 $\Delta x \to 0$ 时

$\Delta y_1 \to 0$

$\Delta y_2 \to 0$

设 $y_1 = f(x)$，$y_2 = g(x)$，二者相乘可得函数 $y_1 y_2 = f(x)g(x)$，我们来思考一下这个函数的微分。

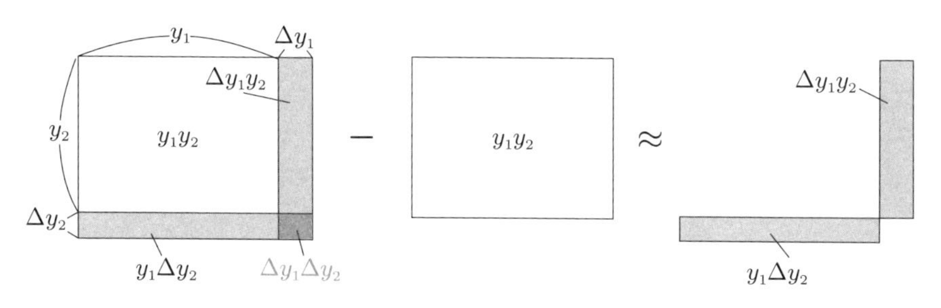

如上图所示，我们将 $y_1 y_2$ 视为长为 y_1、宽为 y_2 的长方形的面积，当 x 增加了 Δx 时，长方形的长和宽分别增加了 Δy_1 和 Δy_2。若 Δx 接近于 0，则 Δy_1 和 Δy_2 亦接近于 0，此时 **$\Delta y_1 \Delta y_2$ 的面积小到可以忽略不计**。由此可知，长方形增加的面积 $\Delta(y_1 y_2)$ 为

$$\Delta(y_1 y_2) \approx \Delta y_1 y_2 + y_1 \Delta y_2$$

原来 Δx 接近于 0 的话，
就能忽略这块面积呀！

由上式可得

$$\frac{\Delta(y_1 y_2)}{\Delta x} \approx \frac{\Delta y_1}{\Delta x} y_2 + y_1 \frac{\Delta y_2}{\Delta x} \Rightarrow \frac{\mathrm{d}(y_1 y_2)}{\mathrm{d}x} = \frac{\mathrm{d}y_1}{\mathrm{d}x} y_2 + y_1 \frac{\mathrm{d}y_2}{\mathrm{d}x}$$

因为 $y_1 = f(x)$，$y_2 = g(x)$，所以

$$\frac{\mathrm{d}}{\mathrm{d}x}\{f(x)g(x)\} = \frac{\mathrm{d}}{\mathrm{d}x} f(x) \cdot g(x) + f(x) \cdot \frac{\mathrm{d}}{\mathrm{d}x} g(x) \Rightarrow \{f(x)g(x)\}' = f'(x)g(x) + f(x)g'(x)$$

这就是**积的求导公式，在微积分学中又称为**乘积法则（product rule）。

拓展 用微分的定义证明乘积法则

设 $p(x) = f(x)g(x)$，则下式成立。

这个变形很需要技巧，好好练习吧！

$$
\begin{aligned}
p'(x) &= \lim_{h\to 0} \frac{p(x+h)-p(x)}{h} \\
&= \lim_{h\to 0} \frac{f(x+h)g(x+h)-f(x)g(x)}{h} \\
&= \lim_{h\to 0} \frac{f(x+h)g(x+h)-f(x)g(x+h)+f(x)g(x+h)-f(x)g(x)}{h} \\
&= \lim_{h\to 0} \frac{\{f(x+h)-f(x)\}g(x+h)+f(x)\{g(x+h)-g(x)\}}{h} \\
&= \lim_{h\to 0} \left\{\frac{f(x+h)-f(x)}{h}\cdot g(x+h)+f(x)\cdot\frac{g(x+h)-g(x)}{h}\right\} \\
&= \boldsymbol{f'(x)g(x)+f(x)g'(x)}
\end{aligned}
$$

拓展 商的求导公式

运用积的求导公式也可以对 $r(x)=\frac{f(x)}{g(x)}$ 求导。这里$g(x)\neq 0$。

$$
r(x)=\frac{f(x)}{g(x)} \Rightarrow f(x)=r(x)g(x)
$$

根据积的求导公式可得

$$
f'(x)=r'(x)g(x)+r(x)g'(x) \ \Rightarrow\ r'(x)=\frac{f'(x)-r(x)g'(x)}{g(x)}
$$

代入 $r(x)=\frac{f(x)}{g(x)}$ 可得

$$
\begin{aligned}
\left\{\frac{f(x)}{g(x)}\right\}' = \frac{f'(x)-\dfrac{f(x)}{g(x)}g'(x)}{g(x)} &= \frac{1}{g(x)}\left\{f'(x)-\frac{f(x)}{g(x)}g'(x)\right\} \\
&= \frac{1}{g(x)}\left\{\frac{f'(x)g(x)-f(x)g'(x)}{g(x)}\right\} = \frac{f'(x)g(x)-f(x)g'(x)}{\{g(x)\}^2}
\end{aligned}
$$

这就是**商的求导公式**。

复合函数的微分

如下图所示，箱子 ① 中的函数 $u=f(x)$ 的输入值为 x，输出值为 u；箱子 ② 中的函数 $y=g(u)$ 的输入值为 u，输出值为 y。

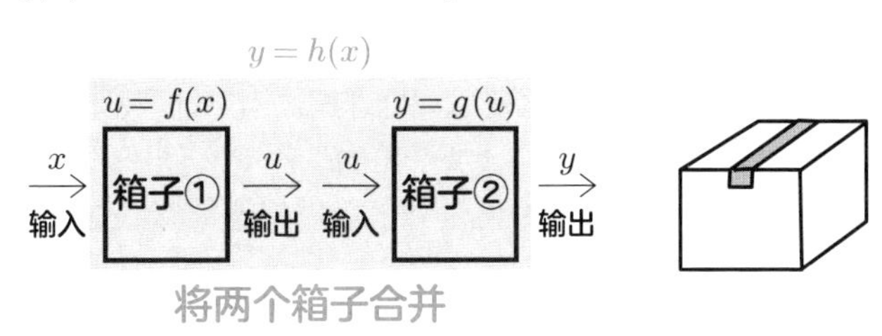

将箱子 ① 和箱子 ② 合并，并用 $y=h(x)$ 来表示 x 和 y 之间的关系，此时，$h(x)$ 称为 $f(x)$ 和 $g(u)$ 的复合函数（composite function）。我们来考虑一下复合函数的微分。

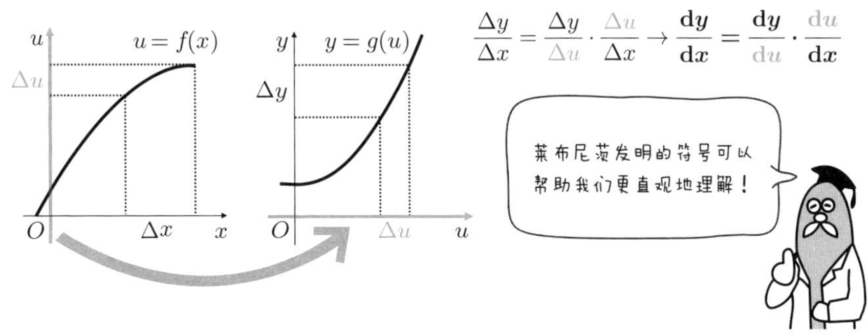

将 $u=f(x)$ 代入 $y=g(u)$ 可得 $y=g(f(x))$，则

$$\{g(f(x))\}'=\frac{\mathrm{d}y}{\mathrm{d}x}=\frac{\mathrm{d}y}{\mathrm{d}u}\cdot\frac{\mathrm{d}u}{\mathrm{d}x}=g'(u)f'(x)=g'(f(x))f'(x)$$

内部　　　　内部微分

$$\{\boxed{f(g(x))}\}'=\boxed{f'(g(x))}\,g'(x)$$

外部　　　　外部微分

用这种方法比较容易记忆复合函数的微分。

内部微分 $(x^2-1)'=2x$

例：$\{(x^2-1)^3\}'=\boxed{3(x^2-1)^2}\cdot 2x$

外部微分 $(u^3)'=3u^2$

$(x^n)'=nx^{n-1}$

（参见第 81 页）

各种函数的微分

这一节终于要开始向大家介绍各种函数的导数了。大多数函数只需要观察图像中切线的斜率就可以比较直观地理解。当然，严密的证明还是需要根据导数的定义（参见第 76 页）来计算的。

x^n 的导数

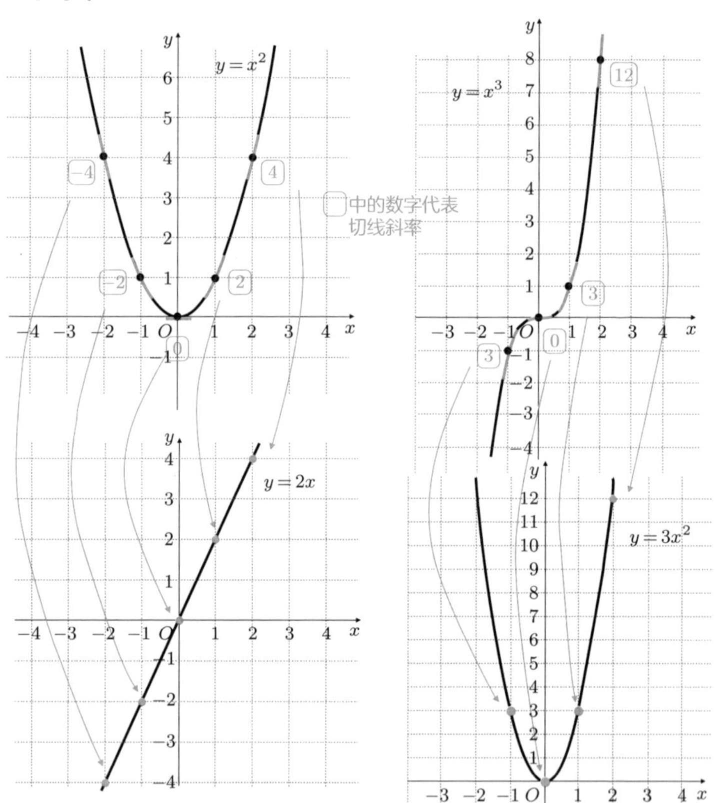

如上图所示，在函数 $y=x^2$ 和 $y=x^3$ 的图像中选取几个点，调查过这些点的切线的斜率。将各点的 (x 坐标，切线斜率) 在另一坐标系中标出来，我们可以发现这些

点都位于直线 $y=2x$ 和抛物线 $y=3x^2$ 上。这一事实说明 x^2 的导数是 $2x$，x^3 的导数是 $3x^2$。一般来说，**x^n 的导数**如下所示。

$$(x^n)'=nx^{n-1}$$

此外，如右图所示，由于常数函数 c 的切线斜率总是 0，所以**常数函数 c 的导数**如下所示。

$$(c)'=0$$

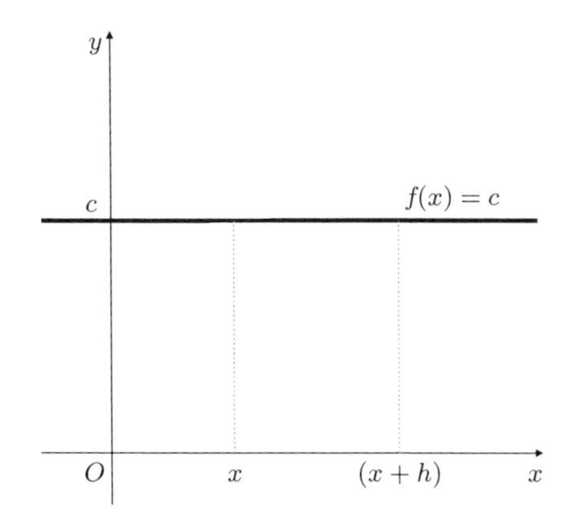

x^n 导数的证明

由二项式定理[1]可得以下式子。

$$(x+h)^n=C_n^0x^n+C_n^1x^{n-1}h+C_n^2x^{n-2}h^2+\cdots+C_n^nh^n$$

因为

$$C_n^0=1、C_n^1=n、C_n^2=\frac{n(n-1)}{2}、\cdots、C_n^n=1$$

所以如下所示。

$$(x+h)^n=x^n+nx^{n-1}h+\frac{n(n-1)}{2}x^{n-2}h^2+\cdots+h^n$$

$$f'(x)=\lim_{h\to0}\frac{f(x+h)-f(x)}{h}$$

$$(x^n)'=\lim_{h\to0}\frac{(x+h)^n-x^n}{h}$$

$$=\lim_{h\to0}\frac{x^n+nx^{n-1}h+\frac{n(n-1)}{2}x^{n-2}h^2+\cdots+h^n-x^n}{h}$$

$$=\lim_{h\to0}\frac{nx^{n-1}h+\frac{n(n-1)}{2}x^{n-2}h^2+\cdots+h^n}{h}$$

$$=\lim_{h\to0}\left\{nx^{n-1}+\frac{n(n-1)}{2}x^{n-2}h+\cdots+h^{n-1}\right\}=\boldsymbol{nx^{n-1}}$$

把0代入 h 是因为分母 h 已经消去了。

特别是当 c 为常数时，常数函数 $f(x)=c$ 的导数如下所示。

$$f'(x)=\lim_{h\to0}\frac{f(x+h)-f(x)}{h}=\lim_{h\to0}\frac{c-c}{h}=\boldsymbol{0}$$

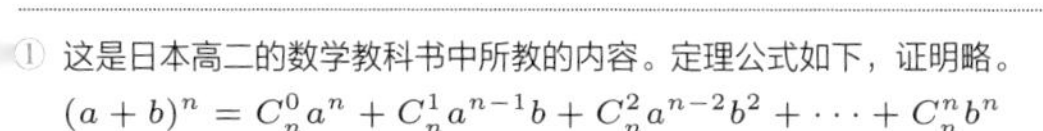

[1] 这是日本高二的数学教科书中所教的内容。定理公式如下，证明略。
$(a+b)^n=C_n^0a^n+C_n^1a^{n-1}b+C_n^2a^{n-2}b^2+\cdots+C_n^nb^n$

三角函数的导数

【sin *x* 的导数】

□中的数字代表切线斜率

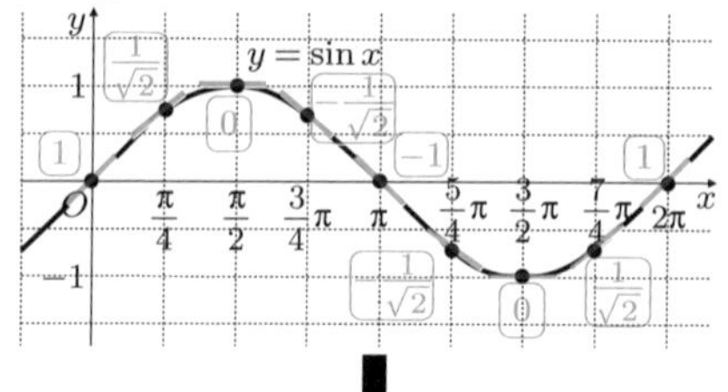

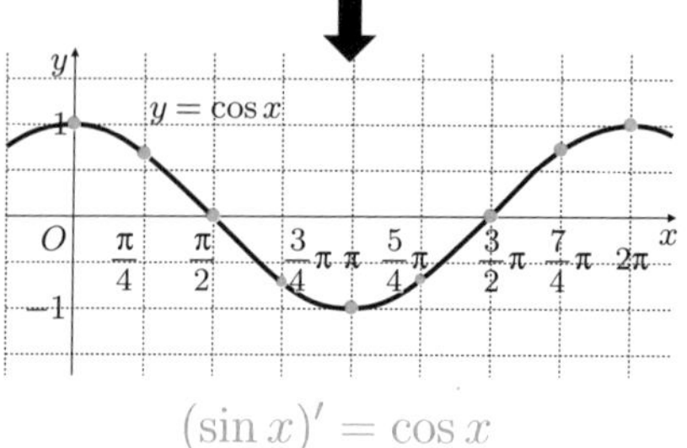

$$(\sin x)'=\cos x$$

比如，由调查可知，$x=0$ 时的切线斜率是 1，$x=\dfrac{\pi}{4}$ 时的切线斜率是 $\dfrac{1}{\sqrt{2}}$……通过这些，大家大致也能够预想到 $\sin x$ 的导数是 $\cos x$ 吧。

【cos *x* 的导数】

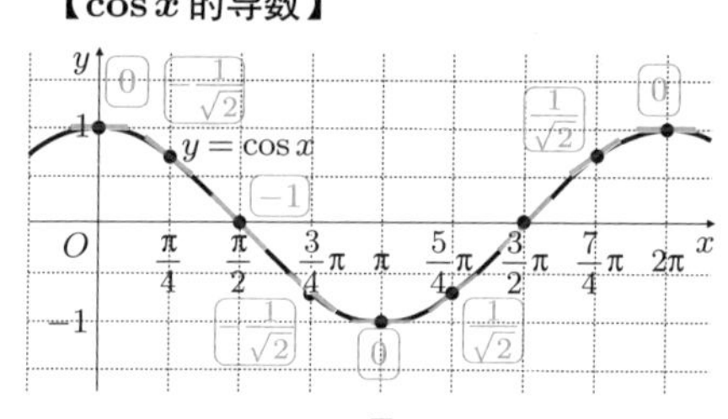

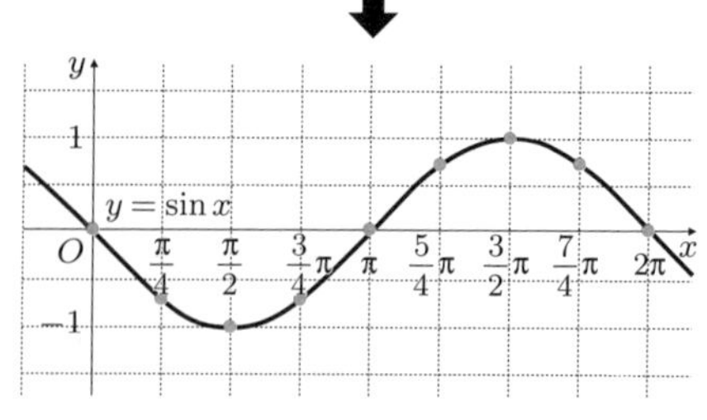

$$(\cos x)'=-\sin x$$

【tan *x* 的导数】

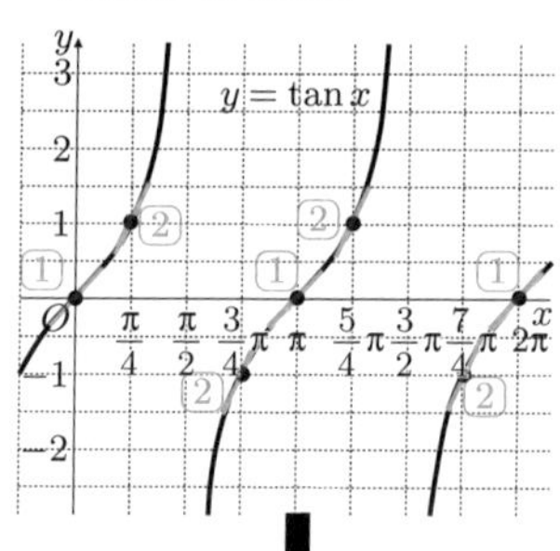

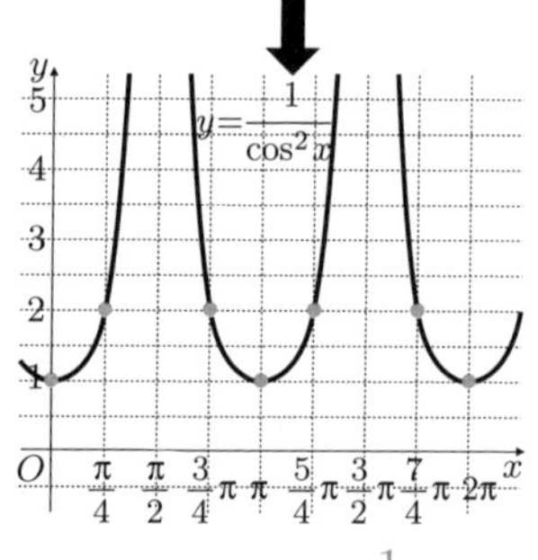

$$(\tan x)'=\frac{1}{\cos^2 x}$$

拓展 三角函数导数的证明

$$
\begin{aligned}
(\sin x)' &= \lim_{h\to 0}\frac{\sin(x+h)-\sin x}{h} \\
&= \lim_{h\to 0}\frac{\sin x\cos h+\cos x\sin h-\sin x}{h} \\
&= \lim_{h\to 0}\frac{\cos x\sin h+\sin x(\cos h-1)}{h} \\
&= \lim_{h\to 0}\frac{\cos x\sin h-\sin x(1-\cos h)}{h} \\
&= \lim_{h\to 0}\left(\cos x\frac{\sin h}{h}-\sin x\frac{1-\cos h}{h}\frac{1+\cos h}{1+\cos h}\right) \\
&= \lim_{h\to 0}\left(\cos x\frac{\sin h}{h}-\sin x\frac{1}{1+\cos h}\frac{1-\cos^2 h}{h}\right) \\
&= \lim_{h\to 0}\left(\cos x\frac{\sin h}{h}-\sin x\frac{1}{1+\cos h}\frac{\sin^2 h}{h^2}h\right) \\
&= \cos x\cdot 1-\sin x\cdot\frac{1}{2}\cdot 1^2\cdot 0=\boldsymbol{\cos x}
\end{aligned}
$$

$\sin(\alpha+\beta)$
$=\sin\alpha\cos\beta+\cos\alpha\sin\beta$

$\lim\limits_{\theta\to 0}\dfrac{\sin\theta}{\theta}=1$

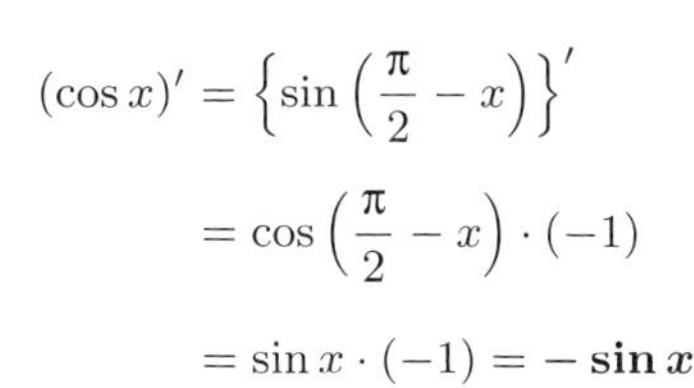

$$
\begin{aligned}
(\cos x)' &= \left\{\sin\left(\frac{\pi}{2}-x\right)\right\}' \\
&= \cos\left(\frac{\pi}{2}-x\right)\cdot(-1) \\
&= \sin x\cdot(-1)=\boldsymbol{-\sin x}
\end{aligned}
$$

复合函数的微分：
外部微分 × 内部微分

$$
\begin{aligned}
(\tan x)' &= \left(\frac{\sin x}{\cos x}\right)' \\
&= \frac{(\sin x)'\cos x-\sin x(\cos x)'}{(\cos x)^2} \\
&= \frac{\cos x\cdot\cos x-\sin x\cdot(-\sin x)}{\cos^2 x} \\
&= \frac{\cos^2 x+\sin^2 x}{\cos^2 x}=\boldsymbol{\frac{1}{\cos^2 x}}
\end{aligned}
$$

商的求导公式：

$$\left\{\frac{f(x)}{g(x)}\right\}'=\frac{f'(x)g(x)-f(x)g'(x)}{\{g(x)\}^2}$$

自然对数的底 e

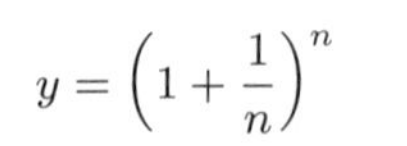

$$y = \left(1 + \frac{1}{n}\right)^n$$

n	y
1	2.000 000 . . .
10	2.593 742 . . .
20	2.653 298 . . .
100	2.704 814 . . .
1000	2.716 924 . . .
10 000	2.718 146 . . .
⋮ ↓ ∞	⋮ ↓ 2.718 281 8 . . .

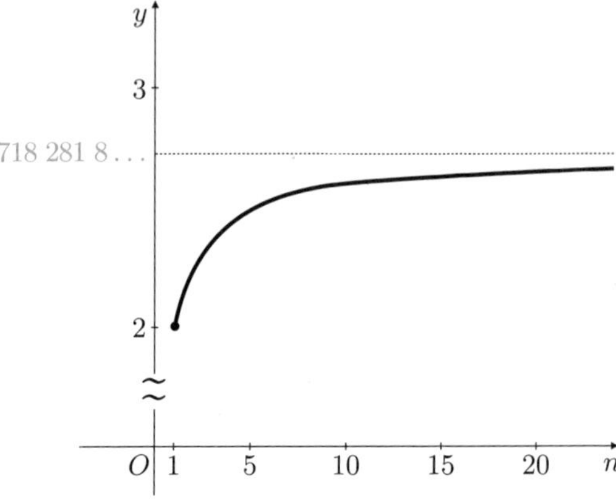

上面的表和图表示的是把具体的数值代入 n 后得到的 $(1+\frac{1}{n})^n$ 的值。看样子，随着 n 值的增大，$(1+\frac{1}{n})^n$ 的值将会无限接近于 2.718... 这个常数。我们将该常数称为自然对数的底（base of natural logarithm），又称自然常数，用字母 e 来表示[①]。

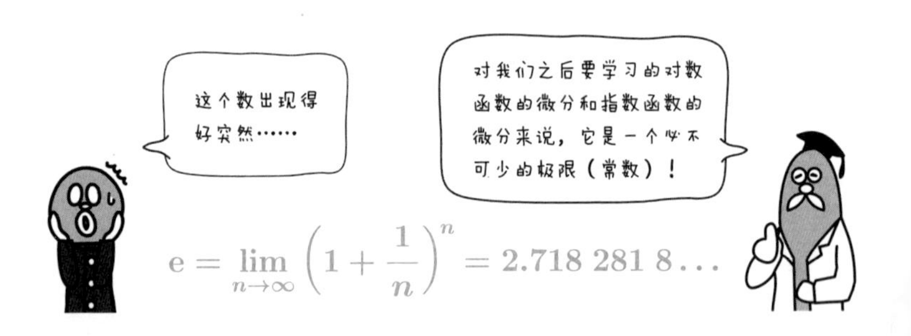

$$e = \lim_{n \to \infty}\left(1 + \frac{1}{n}\right)^n = 2.718\ 281\ 8\ldots$$

在数学中，自然常数 e 是和圆周率 π 同等重要的常数，它和圆周率一样是无理数（无法用分数表示的数）[②]。

---

① e 又称为欧拉数。此外，人们还用对数的创始人纳皮尔的名字将 e 命名为纳皮尔常数。

② 严格来说，圆周率和自然常数都是超越数（参见第 99 页的专栏）。

对数函数的微分

以上一页介绍的 e 为底的对数，我们一般称其为自然对数（natural logarithm），写作 $\ln x$。

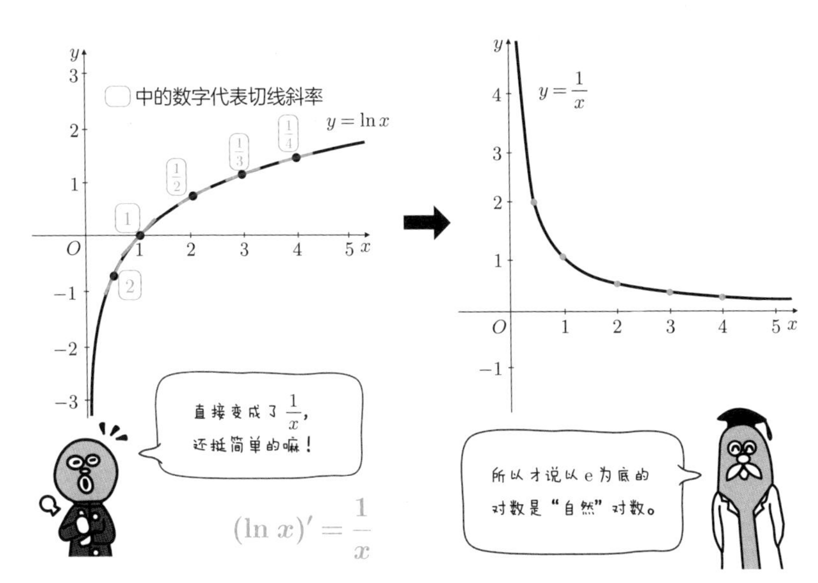

拓展 对数函数微分的证明

设 $f(x)=\ln x$[1]。

$$f'(x)=\lim_{h\to 0}\frac{f(x+h)-f(x)}{h}=\lim_{h\to 0}\frac{\ln(x+h)-\ln x}{h}=\lim_{h\to 0}\frac{\ln\frac{x+h}{x}}{h}=\lim_{h\to 0}\frac{\ln\left(1+\frac{h}{x}\right)}{h}$$

这里设 $t=\frac{h}{x}$，则 $h=xt$。当 $h\to 0$ 时 $t\to 0$，所以下式成立。

$$f'(x)=\lim_{t\to 0}\frac{\ln(1+t)}{xt}=\lim_{t\to 0}\left\{\frac{\ln(1+t)}{t}\cdot\frac{1}{x}\right\}=\lim_{t\to 0}\ln(1+t)^{\frac{1}{t}}\cdot\frac{1}{x}$$

根据 $\mathrm{e}=\lim_{n\to\infty}\left(1+\frac{1}{n}\right)^n=\lim_{t\to 0}(1+t)^{\frac{1}{t}}$ 可得如下结果。

$$f'(x)=\lim_{t\to 0}\ln(1+t)^{\frac{1}{t}}\cdot\frac{1}{x}=\ln\mathrm{e}\cdot\frac{1}{x}=1\cdot\frac{1}{x}=\boldsymbol{\frac{1}{x}}$$

$\log_a M-\log_a N=\log_a\frac{M}{N}$

$r\log_a M=\log_a M^r$

（证毕）

$\ln\mathrm{e}=\log_{\mathrm{e}}\mathrm{e}=1$

[1] 当对数的底不为 e 的时候，可以使用换底公式（参见第 63 页）将底化为 e。

指数函数的微分

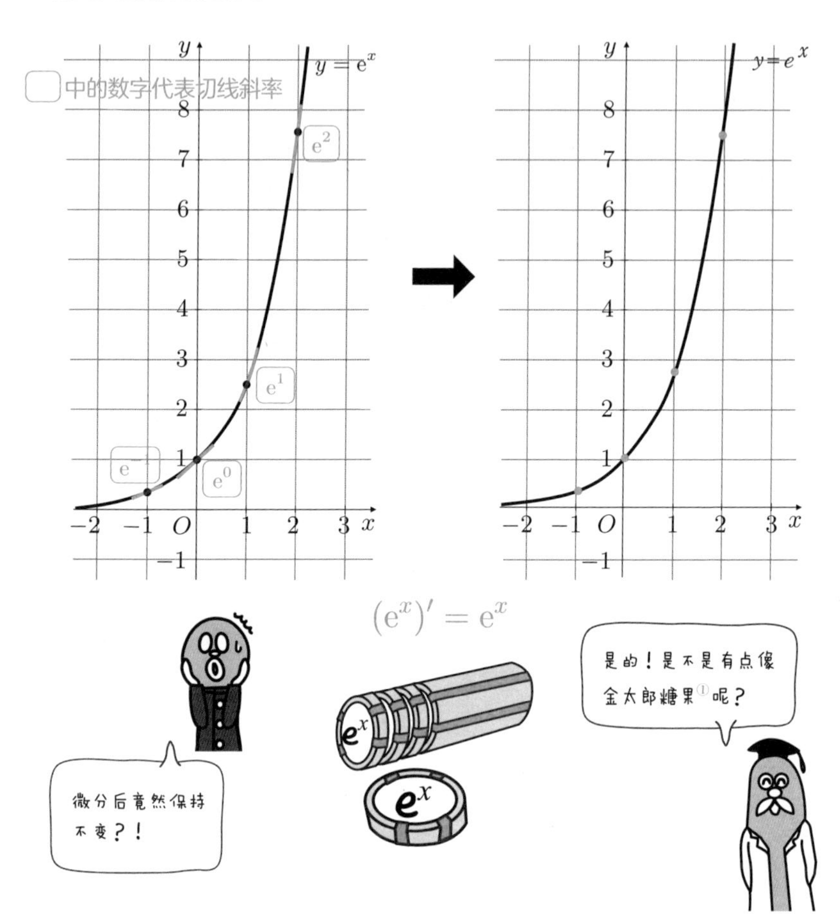

拓展 指数函数微分的证明

设 $f(x) = e^x$。

$$f'(x) = \lim_{h \to 0} \frac{f(x+h) - f(x)}{h} = \lim_{h \to 0} \frac{e^{x+h} - e^x}{h} = \lim_{h \to 0} \frac{e^x \left(e^h - 1\right)}{h} = e^x \lim_{h \to 0} \frac{e^h - 1}{h} \quad \cdots ①$$

令 $x = 0$，得下式成立。

$$f'(0) = e^0 \lim_{h \to 0} \frac{e^h - 1}{h} = 1 \cdot \lim_{h \to 0} \frac{e^h - 1}{h} = \lim_{h \to 0} \frac{e^h - 1}{h}$$

---

① 日本的一种棒状糖果，无论用刀切哪一段，其截面的图案都相同。——译者注

由前式可知，$\lim\limits_{h\to 0}\frac{\mathrm{e}^{h-1}}{h}$ 表示的是函数 $y=\mathrm{e}^x$ 的图像在 $x=0$（y 轴截距）处的切线斜率。

此外，由于函数 $y=\mathrm{e}^x$ 与函数 $y=\ln x$ 的图像关于直线 $y=x$ 对称（参见第 65 页），根据下图可知，$y=\mathrm{e}^x$ 的图像在 $x=0$（y 轴截距）处的切线斜率为 1。

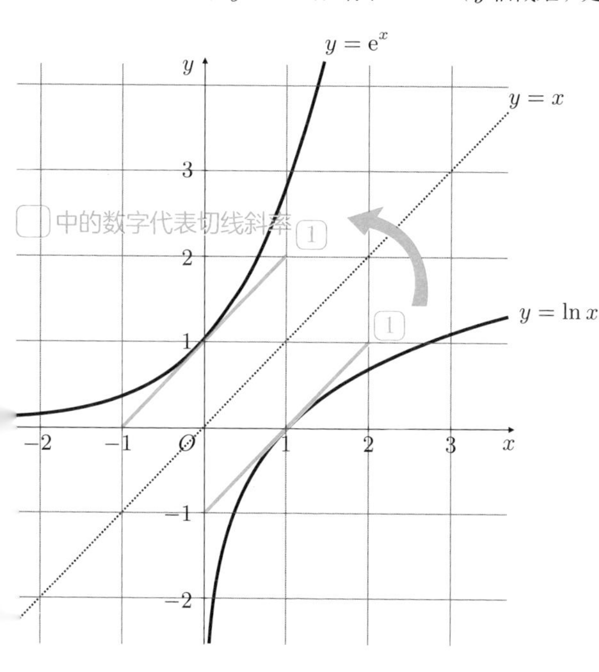

由此可得

$$f'(0)=\lim_{h\to 0}\frac{\mathrm{e}^h-1}{h}=1$$

将其代入 ① 可得以下结果。

$$f'(x)=\mathrm{e}^x\lim_{h\to 0}\frac{\mathrm{e}^h-1}{h}=\mathrm{e}^x\cdot 1=\mathrm{e}^x$$

$a^{\log_a p}=p$

此外，若 $f(x)=a^x$，我们可以运用复合函数的微分公式（参见第 79 页）求得以下结果。

因为 $\ln a$ 是常数，所以 $(\ln a\cdot x)'=\ln a$

$$f'(x)=(a^x)'=\left\{\left(\mathrm{e}^{\ln a}\right)^x\right\}'=\left(\mathrm{e}^{\ln a\cdot x}\right)'$$
$$=\mathrm{e}^{\ln a\cdot x}\cdot(\ln a\cdot x)'=\mathrm{e}^{\ln a\cdot x}\cdot\ln a=a^x\cdot\ln a$$

中值定理

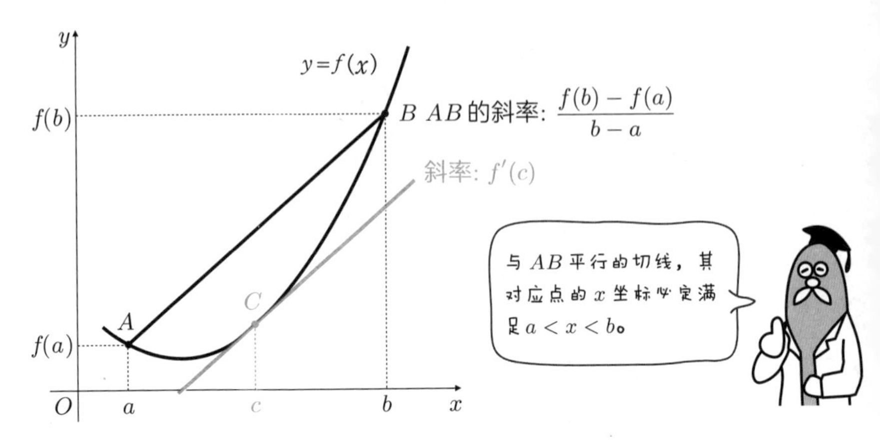

如上图所示，若函数 $y=f(x)$ 的图像在 $a \leqslant x \leqslant b$ 的区间内光滑且连续，则必定存在一个实数 c 满足以下公式。

$$\boldsymbol{\frac{f(b)-f(a)}{b-a}=f'(c),\quad a<c<b}$$

这就是中值定理（mean value theorem）。

若函数图像不是光滑且连续的，则中值定理不一定成立。

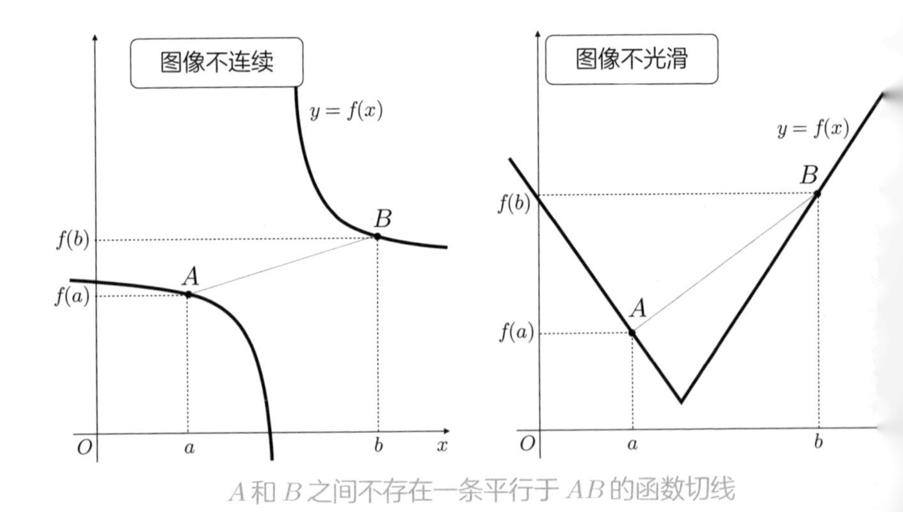

A 和 B 之间不存在一条平行于 AB 的函数切线

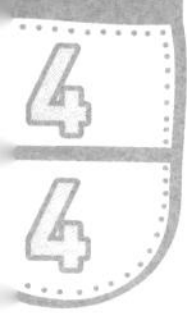

积分法

很多人或许会认为微分是先于积分被发明出来的，实则不然。相对于微分，积分拥有更古老的历史。积分是微分的“逆运算”（微积分基本定理）可以说是数学史上最大的发现。

不定积分

设 $F'(x) = f(x)$，我们把 $F(x)$ 称为函数 $f(x)$ 的原函数（primitive function）。

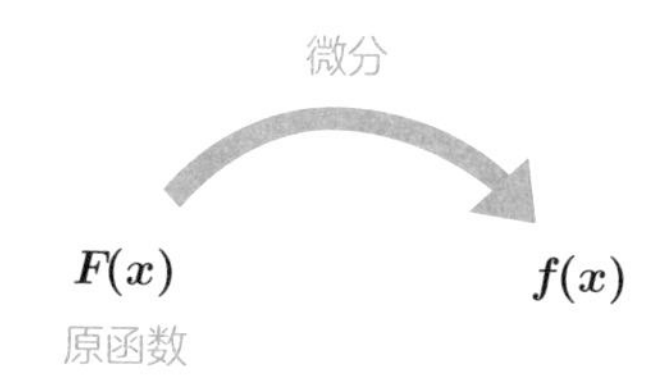

例如，设 $F(x) = x^2$，$F'(x) = f(x) = 2x$，所以 x^2 是 $2x$ 的原函数；又因为 $F_1(x) = x^2 + 1$、$F_2(x) = x^2 + 2$ 和 $F_3(x) = x^2 + 3$ 的微分也是 $2x$，所以 $x^2 + 1$、$x^2 + 2$、$x^2 + 3$ 也都是 $2x$ 的原函数。因为常数的微分是 0，所以无论数字多大，都不会产生影响。

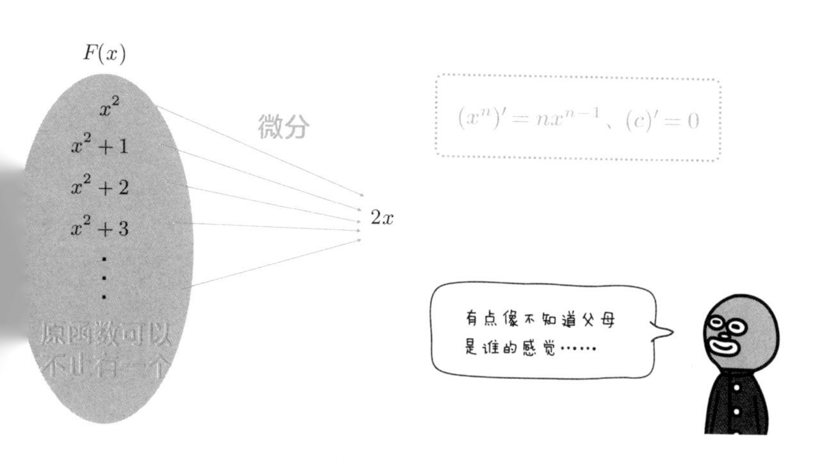

这里，我们将 $f(x)$ 的所有原函数共同表示为

$$\int f(x)\mathrm{d}x$$

并称其为不定积分（indefinite integral）[①]。

设 $f(x)$ 的其中一个原函数为 $F(x)$，则不定积分通常表示为下式。

$$\int f(x)\mathrm{d}x=F(x)+C$$

其中，C 是**积分常数**。

例 $$(x^2)'=2x \Rightarrow \int 2x\mathrm{d}x=x^2+C$$

定积分

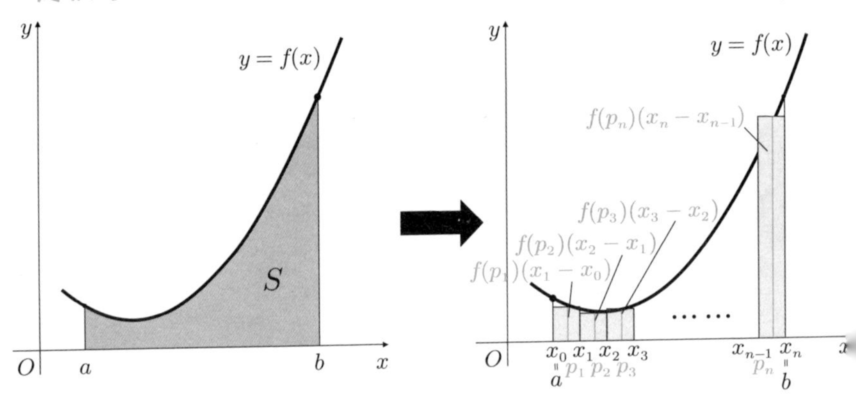

$$S\approx f(p_1)(x_1-x_0)+f(p_2)(x_2-x_1)+f(p_3)(x_3-x_2)+\cdots+f(p_n)(x_n-x_{n-1})$$

在前式中，令 $(x_1-x_0)=\Delta x_1$，$(x_2-x_1)=\Delta x_2$，$(x_3-x_2)=\Delta x_3$，…，$(x_n-x_{n-1})=\Delta x_n$，则前式可写成下页这种形式。

① 符号 $\int$ 读作积分或 integrals。

$$S \approx f(p_1)\Delta x_1 + f(p_2)\Delta x_2 + f(p_3)\Delta x_3 + \cdots + f(p_n)\Delta x_n = \sum_{i=1}^{n} f(x_i)\Delta x_i$$

其中，$\sum$（西格玛符号）表示**所有项相加**[①]。

当 n 接近于无穷大时，我们用下式来表示前述等式右侧部分的极限。

$$\sum_{i=1}^{n} f(x_i)\Delta x_i \underset{n\to\infty}{\longrightarrow} \int_a^b f(x)\mathrm{d}x$$

当 $n \to \infty$ 时，阴影部分的面积 S 和长方形面积之和之间的误差将无限接近于 0，即

$$S = \int_a^b f(x)\mathrm{d}x$$

我们称其为**函数 $f(x)$ 从 a 到 b 的定积分**（definite integral）[②]。此外，位于 $\int$ 右侧的 a 和 b 表示的是“在 $x=a$ 到 $x=b$ 的范围内，曲线 $y=f(x)$ 和 x 轴围起来的面积为 S”。

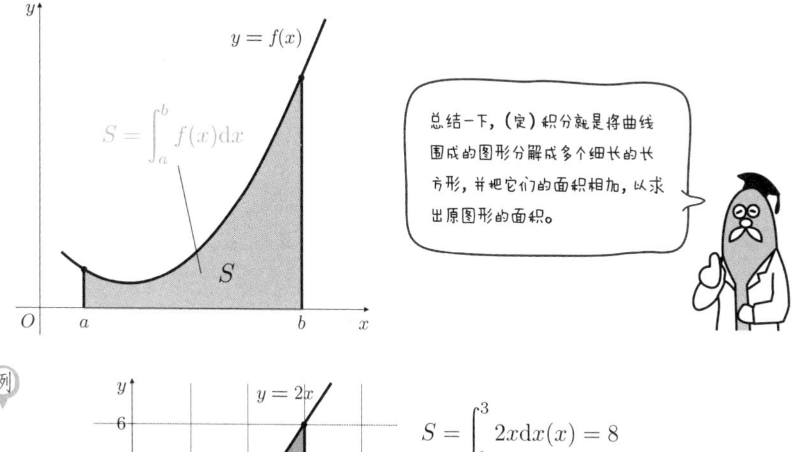

例

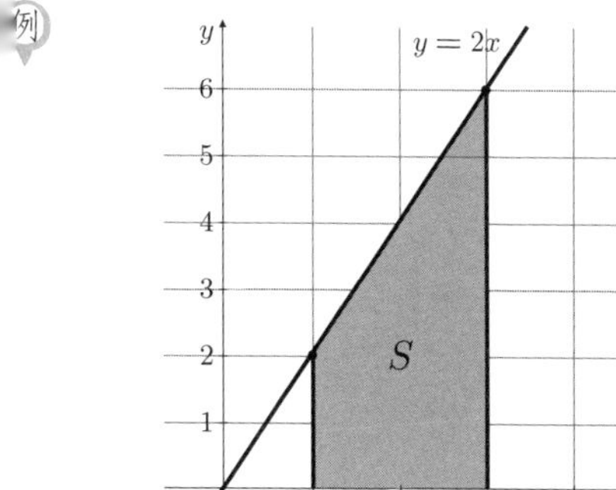

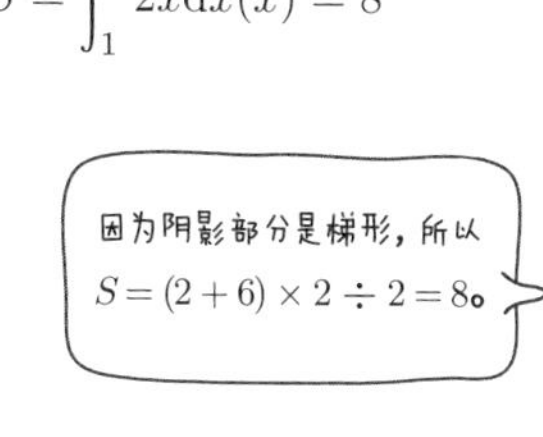

① 关于 $\sum$（西格玛符号）的详细说明参见第 107 页的内容。
② 加上“定”字是为了与“不定积分”相区分。

微积分基本定理

设 $f(x)$ 的其中一个原函数为 $F(x)$，即 $F'(x)=f(x)$，根据中值定理（参见第88页），存在一个 p_i 满足如下公式[①]。

$$\frac{F(x_i)-F(x_{i-1})}{x_i-x_{i-1}}=F'(p_i)=f(p_i), \quad x_{i-1}<p_i<x_i \quad (i=1,2,3,\cdots,n)$$

由前式可得

$$F(x_i)-F(x_{i-1})=f(p_i)(x_i-x_{i-1})$$

往 i 中代入 $1,2,3,\cdots,n$ 并求和。

$$\begin{aligned}
F(x_1)-F(x_0)&=f(x_1)(x_1-x_0)\\
F(x_2)-F(x_1)&=f(x_2)(x_2-x_1)\\
F(x_3)-F(x_2)&=f(x_3)(x_3-x_2)\\
&\vdots\\
+)\ F(x_n)-F(x_{n-1})&=f(x_n)(x_n-x_{n-1})\\
\hline
F(x_n)-F(x_0)&=\sum_{i=1}^{i=n}f(p_i)\Delta x_i
\end{aligned}$$

$x_0=a$, $x_n=b$ ↓ $n\to\infty$

$$F(b)-F(a)=\int_a^b f(x)\mathrm{d}x$$

（注）$S\approx\sum_{i=1}^{i=n}f(p_i)\Delta x_1=f(x_1)(x_1-x_0)+f(x_2)(x_2-x_1)+f(x_3)(x_3-x_2)+\cdots+f(x_n)(x_n-x_{n-1}$

综上所述，**函数 $f(x)$ 从 a 到 b 的定积分**（参见第90页图中的面积 S），**与原函数 $F(x)$ 将 b 代入 x 所得的值减去将 a 代入 x 所得的值相等**。我们把这称为微积分基本定理（fundamental theorem of calculus）。

① 因为 $F'(x)=f(x)$，所以 $F(x)$ 是可微函数，即“光滑且连续的函数”。

各种函数的不定积分

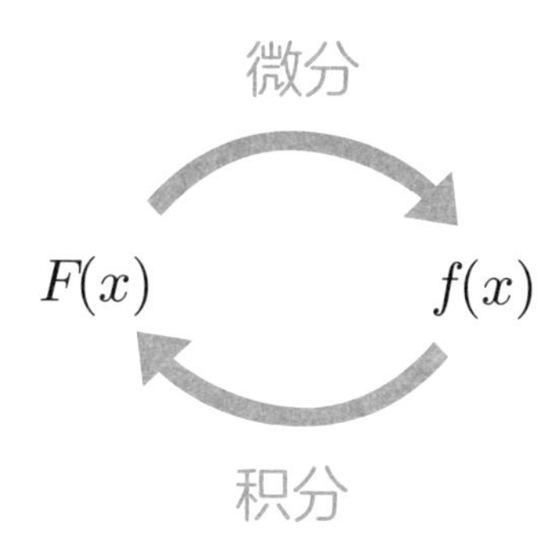

利用积分是微分的逆运算这一特点，可以求出各种函数的不定积分。

(i) $\left(\frac{1}{n+1}x^{n+1}\right)' = x^n \Rightarrow \int \boldsymbol{x^n \mathrm{d}x = \frac{1}{n+1}x^{n+1} + C} \quad (n \neq -1)$

(ii) $(\sin x)' = \cos x \Rightarrow \int \boldsymbol{\cos x\, \mathrm{d}x = \sin x + C}$

(iii) $(\cos x)' = -\sin x \Rightarrow \int \boldsymbol{\sin x\, \mathrm{d}x = -\cos x + C}$

(iv) $(\tan x)' = \frac{1}{\cos^2 x} \Rightarrow \int \boldsymbol{\frac{1}{\cos^2 x}\mathrm{d}x = \tan x + C}$

(v) $(\mathrm{e}^x)' = \mathrm{e}^x \Rightarrow \int \boldsymbol{\mathrm{e}^x \mathrm{d}x = \mathrm{e}^x + C}$

(vi) $(a^x)' = a^x \cdot \ln a \Rightarrow \int \boldsymbol{a^x \mathrm{d}x = \frac{1}{\ln a}a^x + C} \quad (a > 0 \text{ 且 } a \neq 1)$

(vii) $(\ln x)' = \frac{1}{x} \Rightarrow \int \boldsymbol{\frac{1}{x}\mathrm{d}x = \ln|x| + C}$

（C 是积分常数）

微分只需要根据定义就可以很简单地算出来，而积分的计算则相对困难一些。为此，我们有必要学习各种积分运算技巧，下一节开始学习的“换元积分法”和“分部积分法”就是其中的代表。

拓展 $\frac{1}{x}$ 的不定积分是 $\ln|x|$ 而非 $\ln x$ 的原因

在学习对数函数时我们了解到，对数的真数（$\ln x$ 中的 x）必须是正数。但是，$\frac{1}{x}$中的 x 可能为负数。我们按照以下的思路来思考。

当 $x>0$ 时（参见第 85 页），

$$(\ln x)' = \frac{1}{x}$$

当 $x<0$ 时，利用复合函数的微分公式进行如下计算。

$$\{\ln(-x)\}' = \frac{1}{-x} \cdot (-x)' = \frac{1}{-x} \cdot (-1) = \frac{1}{x}$$

外部微分　　内部微分

因为积分是微分的逆运算，所以可得如下结果。

$$\int \frac{1}{x}\mathrm{d}x = \begin{cases} \ln x + C & (x>0) \\ \ln(-x) + C & (x<0) \end{cases} \quad \cdots①$$

此外，绝对值指的是

$$|x| = \begin{cases} x & (x>0) \\ -x & (x<0) \end{cases}$$

根据绝对值的定义和 ① 式可得下式成立。

$$\int \frac{1}{x}\mathrm{d}x = \ln|x| + C$$

换元积分法

对于函数 $f(x)$ 的不定积分 $\int f(x)\mathrm{d}x$，设 $g(t)$ 是关于 t 的可微函数，$\boldsymbol{x=g(t)}$，则可进行如下变形[①]。

$$\frac{\mathrm{d}x}{\mathrm{d}t}=g'(t)\ \rightarrow\ \mathrm{d}x=g'(t)\mathrm{d}t$$

根据上式，$\int f(x)\mathrm{d}x$ 可以写成如下形式。

$$\int f(x)\mathrm{d}x=\int f(g(t))g'(t)\mathrm{d}t$$

$x=g(t)$

$\mathrm{d}x=g'(t)\mathrm{d}t$

通过这种变形来求积分的方法称为换元积分法（integration by substitution）。

例

$$\int x\sqrt{2x+3}\,\mathrm{d}x \qquad \cdots①$$

设 $\sqrt{2x+3}=t$，则

$$2x+3=t^2 \Rightarrow x=\frac{t^2-3}{2} \Rightarrow \frac{\mathrm{d}x}{\mathrm{d}t}=\frac{2t}{2}=t \Rightarrow \mathrm{d}x=t\mathrm{d}t$$

将其代入 ①，可得下式成立。

$$\int x\sqrt{2x+3}\,\mathrm{d}x=\int\frac{t^2-3}{2}\cdot t\cdot t\mathrm{d}t=\int\frac{t^4-3t^2}{2}\mathrm{d}t=\frac{1}{2}\left(\frac{1}{5}t^5-3\cdot\frac{1}{3}t^3\right)+C=\frac{1}{10}t^5-\frac{1}{2}t^3+C$$

$$=\left(\frac{1}{10}t^2-\frac{1}{2}\right)t^3+C=\left\{\frac{1}{10}\left(\sqrt{2x+3}\right)^2-\frac{1}{2}\right\}\left(\sqrt{2x+3}\right)^3+C$$

$$=\left(\frac{2x+3}{10}-\frac{1}{2}\right)(2x+3)\sqrt{2x+3}+C=\frac{x-1}{5}(2x+3)\sqrt{2x+3}+C$$

① 该变形的依据需要验证，但本书限于篇幅省略了该内容。

拓展 换元积分法的常见类型

式中含有 $\sqrt[n]{ax+b}$ ⇒ 设 $\sqrt[n]{\boldsymbol{ax+b}}=\boldsymbol{t}$

式中含有 $\sqrt{x^2+A}$ ⇒ 设 $\boldsymbol{x+\sqrt{x^2+A}=t}$

积分为 $\int f(ax+b)\,\mathrm{d}x$ 的形态 ⇒ 设 $\boldsymbol{ax+b=t}$

积分为 $\int f(g(x))g'(x)\,\mathrm{d}x$ 的形态 ⇒ 设 $\boldsymbol{g(x)=t}$

仅用于定积分

式中含有 $\sqrt{a^2-x^2}$ ⇒ 设 $\boldsymbol{x=a\sin\theta}$

式中含有 $\dfrac{1}{x^2+a^2}$ ⇒ 设 $\boldsymbol{x=a\tan\theta}$

分部积分

我们把积的求导公式（参见第 77 页）进行以下变形。

$$\{f(x)g(x)\}'=f'(x)g(x)+f(x)g'(x)\ \Rightarrow\ f'(x)g(x)=\{f(x)g(x)\}'-f(x)g'(x)$$

思考等式两侧的不定积分，可得如下公式。

$$\int f'(x)g(x)\mathrm{d}x=f(x)g(x)-\int f(x)g'(x)\mathrm{d}x$$

通过这种变形来求积分的方法称为分部积分法（integration by parts）。根据积的求导公式可得下式成立。

$$f(x)g'(x)=\{f(x)g(x)\}'-f'(x)g(x)$$

同理可得如下公式[①]。

$$\int f(x)g'(x)\mathrm{d}x=f(x)g(x)-\int f'(x)g(x)\mathrm{d}x$$

例

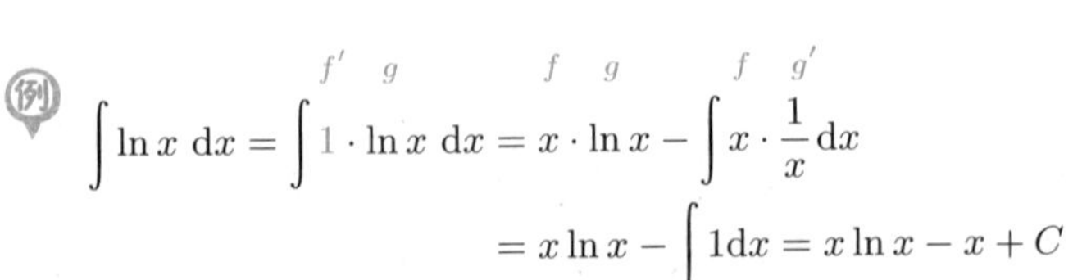

$$\int \ln x\,\mathrm{d}x=\int \overset{f'}{1}\cdot\overset{g}{\ln x}\,\mathrm{d}x=\overset{f}{x}\cdot\overset{g}{\ln x}-\int \overset{f}{x}\cdot\overset{g'}{\frac{1}{x}}\mathrm{d}x$$

$$=x\ln x-\int 1\mathrm{d}x=x\ln x-x+C$$

① 数学学者间流传着这样一句话：如果求不出积分，就先用分部积分法试一试。可见分部积分法能发挥很大的作用。

积分法的应用

我们已经知道，定积分表示的是面积。运用定积分“无穷细分，累计求和”的思路，还能够求出酒桶这种由曲面围成的几何体的体积。

体积

早在公元前，人们就发现，将曲线围成的图形分割成若干细长的长方形，再把这些长方形的面积全部相加，就能得到原图形的近似面积[1]。作为一种计算面积的方法，积分的历史比微分还要长久。

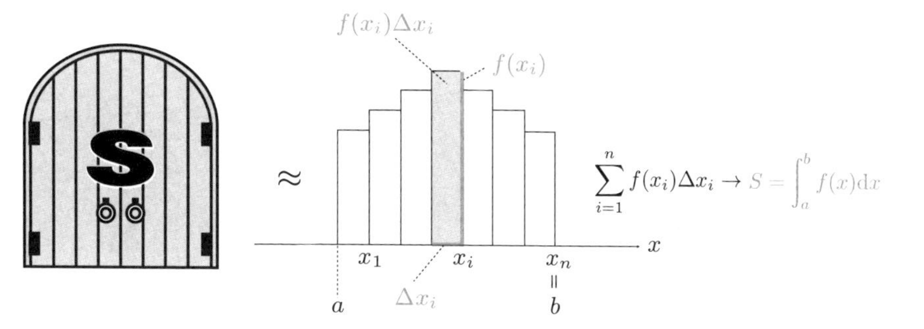

同样，像酒桶这样的由曲面围成的几何体，我们只要将它分割成若干薄片，再把这些薄片的体积相加，就能得到原几何体的近似体积。由此可知，定积分也可以用来计算几何体的体积。

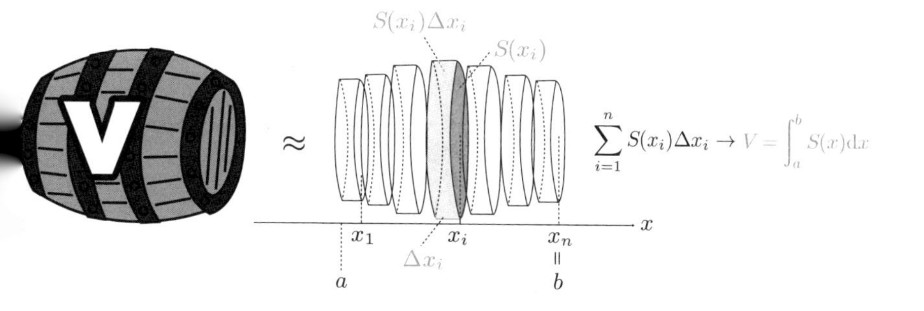

① 据说，作为现代积分的雏形的求积法是由阿基米德想到的。

曲线的长度

将曲线分割成多条线段，那么所有线段的长度之和就相当于曲线的近似长度！

$$\Delta l_i = \sqrt{(\Delta x_i)^2 + (\Delta y_i)^2} = \sqrt{1 + \left(\frac{\Delta y_i}{\Delta x}\right)^2} \cdot \Delta x_i$$

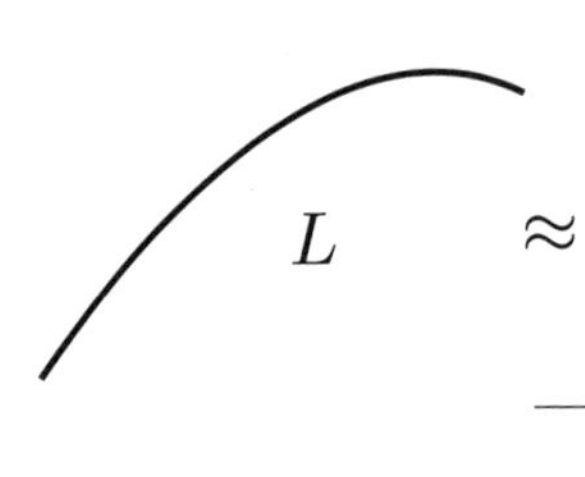

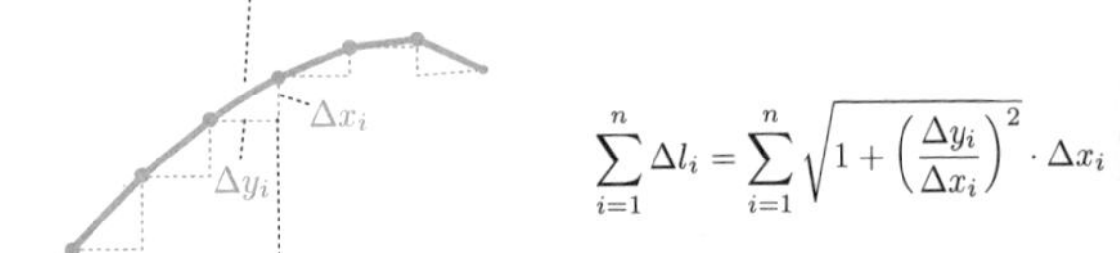

$$\sum_{i=1}^{n} \Delta l_i = \sum_{i=1}^{n} \sqrt{1 + \left(\frac{\Delta y_i}{\Delta x_i}\right)^2} \cdot \Delta x_i$$

$$\to L = \int_a^b \sqrt{1 + \left(\frac{\mathrm{d}y}{\mathrm{d}x}\right)^2} \mathrm{d}x$$

正是如此！顺便一提，计算各线段的长度需要用到勾股定理。

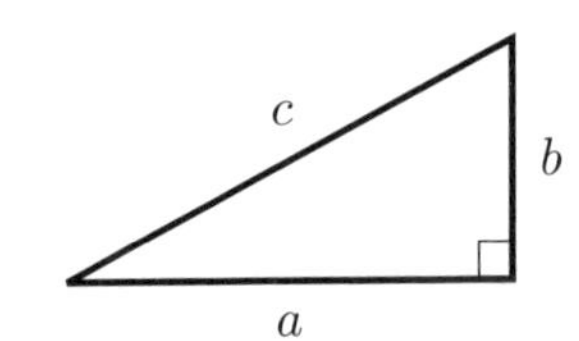

$$\Rightarrow a^2 + b^2 = c^2$$

$$\Rightarrow c = \sqrt{a^2 + b^2}$$

拓展

一般，设 F 关于 x 的函数有近似 $\Delta F \approx f(x)\Delta x$，那么可进行以下推导。

$$\frac{\Delta F}{\Delta x} \approx f(x) \to \frac{\mathrm{d}F}{\mathrm{d}x} = f(x) \to F(b) - F(a) = \int_a^b f(x)\mathrm{d}x$$

神赐予的常数

到 2016 年 12 月为止，**圆周率 π** 已被算至小数点后 22 459 157 718 361 位，往后的计算是无穷无尽的。这是因为圆周率是无限不循环小数，即圆周率是无理数（不能用分数来表示的数）。换言之，我们永远都无法知道圆周率的准确数值是多少。

与 π 相同，自然对数的底 e 也是无理数。此外，π 和 e 还同属于**超越数（transcendental number）**的范畴。超越数是指不能成为任何有理系数代数方程之解的数，我们可以把它简单理解为不能用加减乘除运算得到的数。

假设 x 是超越数，那么 x 就不可能成为仅由自然数和 $+$、$-$、$\times$、$\div$ 构成的方程的解。例如 $\sqrt{2}$ 是无理数，但它能够作为方程 $x \times x = 2$ 的解，因此 $\sqrt{2}$ 不是超越数。

若要证明某个数不是超越数，只要找到一个以其为解的仅由自然数和 $+$、$-$、$\times$、$\div$ 构成的方程即可。但要证明某个数是超越数，则要困难得多。

令人惊讶的是，代表了如此复杂的数的字母 π 和 e，在我们学习自然科学时却时常出现。其中最为特别的例子，便是将 π 代入欧拉公式 $\mathbf{e^{i\theta} = \cos\theta + i\sin\theta}$ 中的 θ，可以得到下面这样的式子。

$$e^{i\pi} + 1 = 0$$

这个式子由 π、e、i（虚数单位）、1（乘法单位元）和 0（加法单位元）这五个数学中最重要的数构成，它被称为**“世界上最美丽的公式”**。

IT 公司谷歌（Google）的名字来源于计数单位古戈尔（googol，1 古戈尔等于 10 的 100 次方），而发明古戈尔的美国数学家爱德华·卡斯纳（Edward Kasner）对于由欧拉公式引申出的这个式子有过如下评价：

“我们无须停下脚步去挖掘它的深意，只要把它摘抄下来便可。无论是对于神秘主义者、科学家、哲学家还是数学家，该式子都同样具有吸引力。”[1]

事实上，也有许多人将 π 和 e 称为**“神赐予的常数”**。

---

[1] 英文原文为：“Elegant, concise and full of meaning, we can only reproduce it and not stop to inquire into its implications. It appeals equally to the mystic, the scientist, the philosopher, the mathematician.” —— 译者注

In the sign of “sigma”

第5章　数列

等差数列

按照一定的规律排成的数列具有许多特殊的性质。让我们重新徜徉于数列的海洋，感受这种特殊的乐趣。

什么是数列

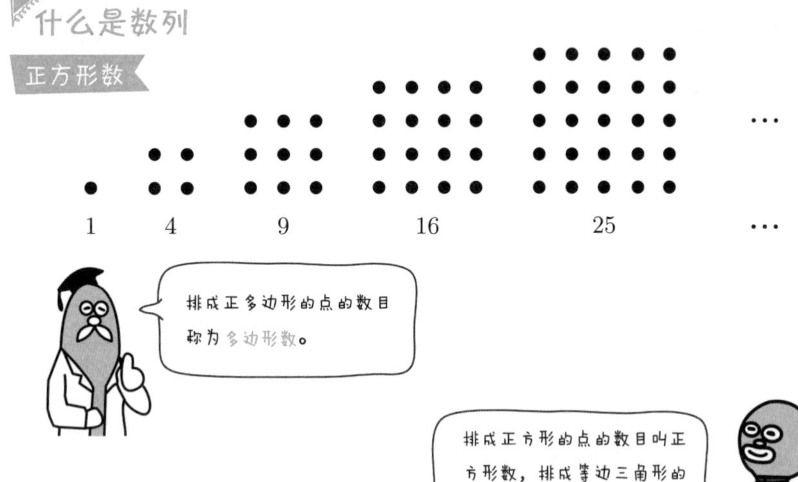

三角形数

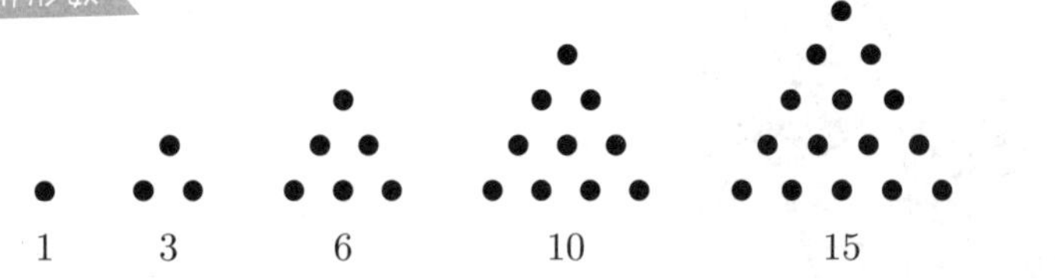

将正方形数由小至大排列，就是如下形式。

$$1, 4, 9, 16, 25, \cdots$$

同理，三角形数会排列成如下形式。

$$1, 3, 6, 10, 15, \cdots$$

我们把像这样排成一列的数称为数列（progression）[①]，数列中的每一个数称为这个数列的项（term）。数列中排在第 1 位的数称为第 1 项（也叫首项），往后依次

① 数列的另一种英文说法是 sequence。

为第 2 项、第 3 项……排在第 n 位的数称为第 n 项。我们把有穷数列中的最后一项称为末项。

数列的一般形式可用字母如下表示。

$$a_1, a_2, a_3, \cdots, a_n, \cdots$$

该式可简记为 $\{a_n\}$。如果数列 $\{a_n\}$ 的第 n 项与序号 n 之间的关系可以用一个公式来表示，我们就称这个公式为通项公式。

正方形数的通项公式：$a_n = n^2$

三角形数的通项公式[1]：$a_n = \dfrac{n(n+1)}{2}$

等差数列

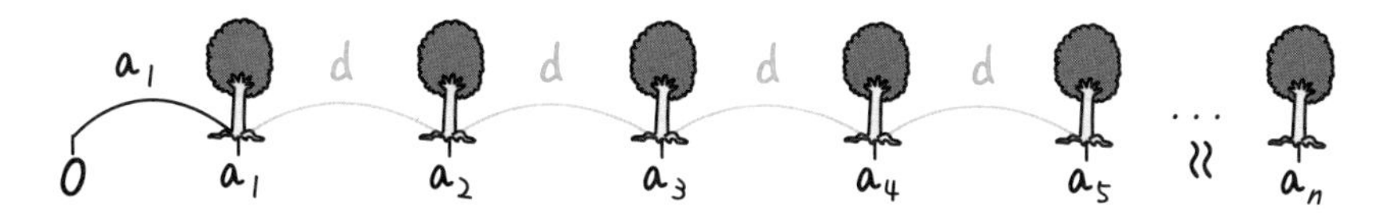

如上图所示，有一排等距种植的树，相邻两棵树间的距离为 d。设从起点到第 1 棵树的距离为 a_1，到第 2 棵树的距离为 a_2，到第 3 棵树的距离为 a_3，到第 4 棵树的距离为 a_4，到第 5 棵树的距离为 a_5……则 $a_1, a_2, a_3, a_4, a_5, \cdots$ 是以 d 为间距的数列。

$$a_1 \xrightarrow{+d} a_2 \xrightarrow{+d} a_3 \xrightarrow{+d} a_4 \xrightarrow{+d} a_5$$

像这样**从第 2 项起每一项与前一项的差为同一常数的数列**称为等差数列（arithmetic progression），常数 d 称为**公差（common difference）**。

设 $\{a_n\}$ 为等差数列，则下列公式成立。

$$a_2 = a_1 + d, \quad a_3 = a_1 + 2d, \quad a_4 = a_1 + 3d, \quad a_5 = a_1 + 4d, \cdots$$

由此可知**等差数列的通项公式 a_n** 如下所示。

$$a_n = a_1 + (n-1)d$$

① 后面会具体解说三角形数的通项公式。

等差数列之和

将三角形数由小至大排列，其中第 n 项的值是从 1 到 n 的所有自然数之和 “$1+2+3+\cdots+n$”。我们不妨按照下图内容进行理解。

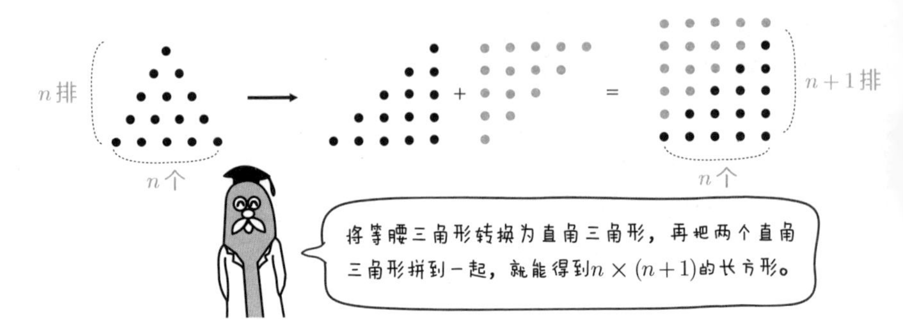

由上图可知，三角形数第 n 项的值为 $\frac{n(n+1)}{2}$。

把从 1 到 n 的自然数按顺序排成一列，形成“首项为 1、末项为 n、项数为 n”的等差数列，该等差数列之和为“$1+2+3+\cdots+n$”。

首项为 a_1、末项为 a_n、项数为 n 的等差数列之和也可以用同样的方法计算。

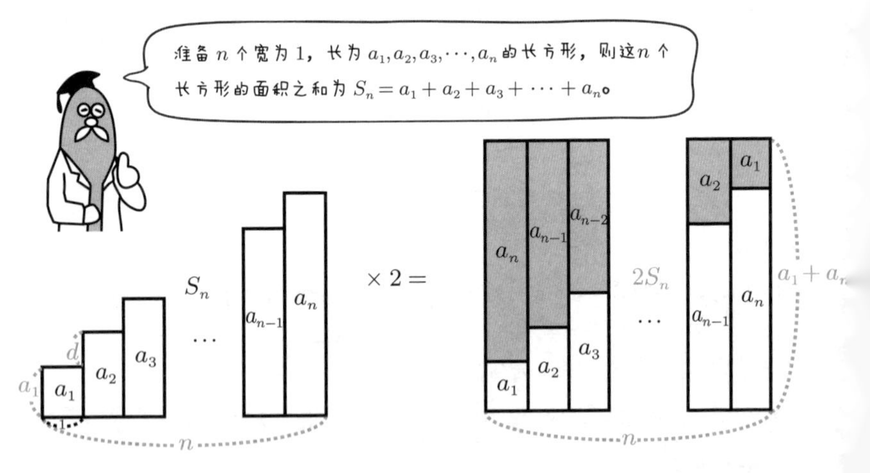

设 $\{a_n\}$ 为等差数列，$S_n=a_1+a_2+a_3+\cdots+a_n$，由上图可得如下公式。

$$S_n=\frac{n(a_1+a_n)}{2} \qquad \left[\frac{\text{项数}\times(\text{首项}+\text{末项})}{2}\right]$$

5-2

等比数列

个人认为等比数列之和公式可以列入高中生最容易忘记的公式前三名。这个公式确实复杂，但只要理解它为什么成立，就能够记住它。

等比数列

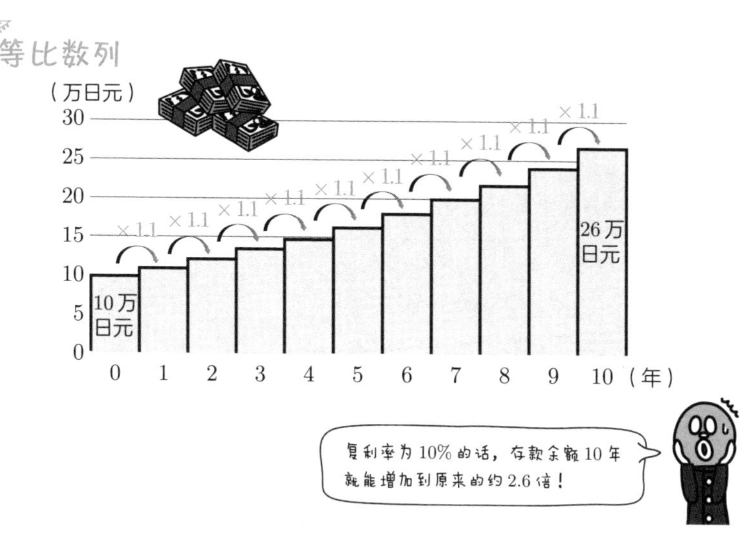

假设复利率[1]为 10%[2]，最初存款额为 10 万日元，则每年的存款余额将以如下方式增加。

$$10, 10\times1.1, 10\times1.1^2, 10\times1.1^3, \cdots$$

10 年后的存款余额为 $10\times1.1^{10}\approx25.9$ 万日元。

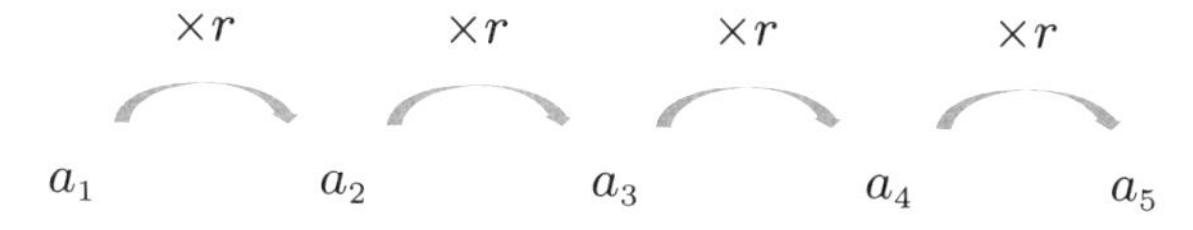

一般来说，**从第 2 项起每一项与前一项之比为同一常数 r 的数列**称为等比数列（geometric progression），常数 r 称为公比（**common ratio**）。

设 $\{a_n\}$ 为等比数列，则下列公式成立。

$$a_2=a_1r, a_3=a_1r^2, a_4=a_1r^3, a_5=a_1r^4, \cdots$$

由此可得等比数列的通项公式 a_n 如下所示。

$$a_n=a_1r^{n-1}$$

① 复利是指把当年的本金和利息一起作为下一年的本金。
② 1970 年—1980 年日本邮政储蓄 10 年定期存款的年利率曾一度超过 10%。

等比数列之和

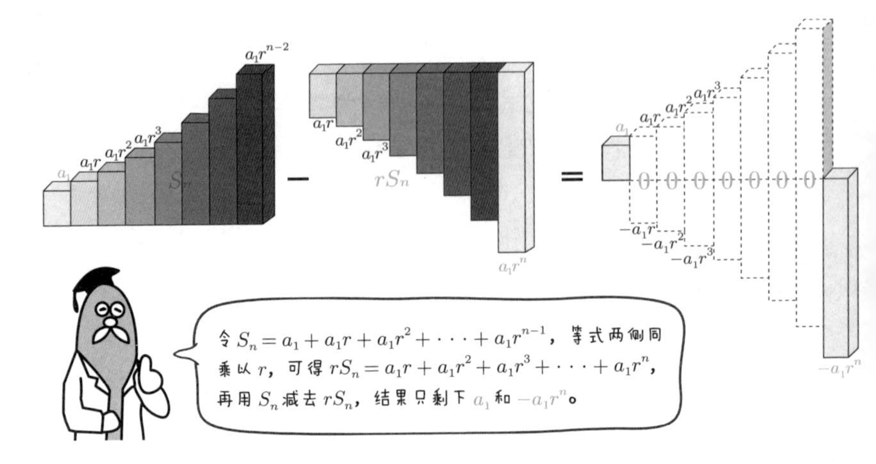

我们来尝试求出公比不为 1 的等比数列之和。设

$$S_n=a_1+a_1r+a_1r^2+\cdots+a_1r^{n-2}+a_1r^{n-1}\quad(r\neq 1)$$

计算 S_n-rS_n，可得下式。

$$\begin{array}{rcl} S_n & = & a_1+a_1r+a_1r^2+\cdots+a_1r^{n-2}+a_1r^{n-1} \\ -)\ rS_n & = & \qquad\ \ a_1r+a_1r^2+\cdots+a_1r^{n-2}+a_1r^{n-1}+a_1r^n \\ \hline S_n-rS_n & = & a_1 \qquad\qquad\qquad\qquad\qquad\qquad\qquad\quad -\ a_1r^n \end{array}$$

由前式可得

$$(1-r)S_n=a_1-a_1r^n=a_1(1-r^n)$$

因为 $r\neq 1$，所以等式两侧同时除以 $(1-r)$ 后可得下式。

$$S_n=\frac{a_1(1-r^n)}{1-r}\quad(r\neq 1)\qquad\left[\frac{首项\times(1-公比^{项数})}{1-公比}\right]$$

此外，当 $r=1$ 时，S_n 等于 n 个 a_1 相加，即下式成立。

$$\boldsymbol{S_n=na_1}$$

Σ 符号

有的文科生可能会害怕看到Σ（西格玛符号）。其实只要习惯了就会发现，天下没有比这个符号更方便的东西了。

$$\sum_{k=1}^{n} a_k = a_1 + a_2 + a_3 + \cdots + a_n$$

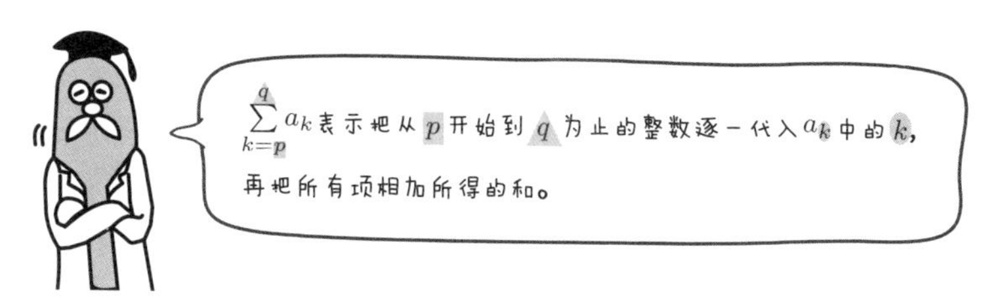

数列 $\{a_n\}$ 从首项到第 n 项的和可以用符号 $\sum$ 表示为 $\sum_{k=1}^{n} a_k$。从以下例子可以看出，首项的序号不是非得从 1 开始的，前式中的 k 也可以用其他字母来替代。

$$\sum_{k=1}^{5} a_k = a_1 + a_2 + a_3 + a_4 + a_5$$

$$\sum_{k=3}^{10} k^2 = 3^2 + 4^2 + 5^2 + 6^2 + 7^2 + 8^2 + 9^2 + 10^2$$

$$\sum_{l=1}^{5} (2l + 1) = (2\times1 + 1) + (2\times2 + 1) + (2\times3 + 1) + (2\times4 + 1) + (2\times5 + 1)$$

$\sum$的计算公式

(i)

$$\sum_{k=1}^{n} c = nc \quad (c\text{是与}k\text{无关的常数})$$

(ii)

$$\sum_{k=1}^{n} k = \frac{n(n+1)}{2}$$

(iii)

$$\sum_{k=1}^{n} k^2 = \frac{n(n+1)(2n+1)}{6}$$

(iv)

$$\sum_{k=1}^{n} k^3 = \left\{\frac{n(n+1)}{2}\right\}^2$$

把这些公式记牢，以后会大有用处！

解说

(i) 请想象 c 的后面有一个隐藏的 1^k。

$$\sum_{k=1}^{n} c = \sum_{k=1}^{n} c \cdot 1^k$$

$$= c \cdot 1^1 + c \cdot 1^2 + c \cdot 1^3 + \cdots + c \cdot 1^n$$

$$= \underbrace{c + c + c + \cdots + c}_{n\text{个}} = \boldsymbol{nc}$$

(ii) 运用我们已经学过的等差数列之和公式（参见第 104 页）可以很快得出下式。

$$\sum_{k=1}^{n} k = 1 + 2 + 3 + \cdots + n = \frac{n(1+n)}{2} = \frac{\boldsymbol{n(n+1)}}{\boldsymbol{2}}$$

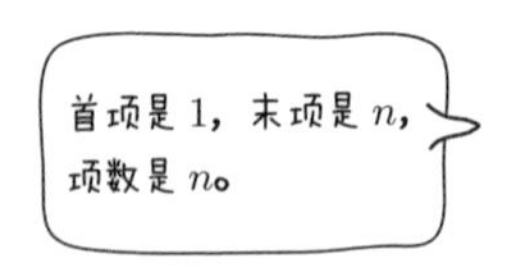

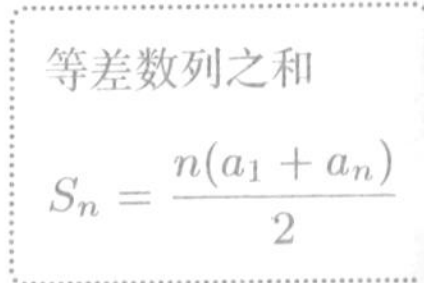

(iii) 和 (iv) 的证明太过复杂，因此我们采用图解的方式进行。

图解 $\sum_{k=1}^{n} k^2$ 的公式

把 1 个 1 kg 的球、2 个 2 kg 的球和 3 个 3 kg 的球摆成如下图所示的三角形。随后再拿同样的 6 个球，改变它的排列方式，共排 3 次，最后叠成如下图所示的三组球。

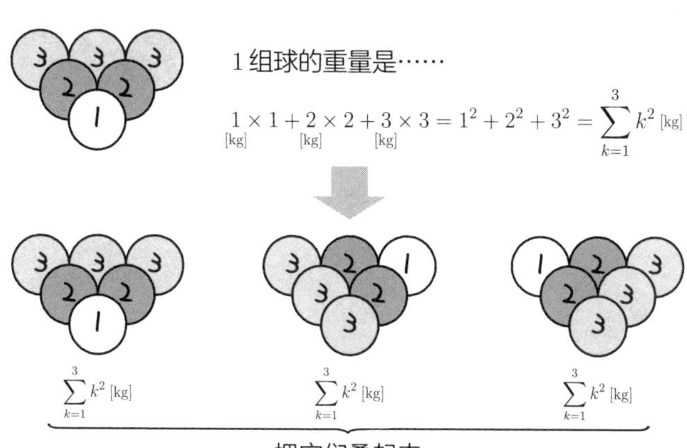

1 组球的重量是 $\sum_{k=1}^{3} k^2$ [kg]，那么 3 组球（共 18 个）的重量共计 $3 \times \sum_{k=1}^{3} k^2$ [kg]。

将球的重量纵向相加，每一列都是 7 [kg]

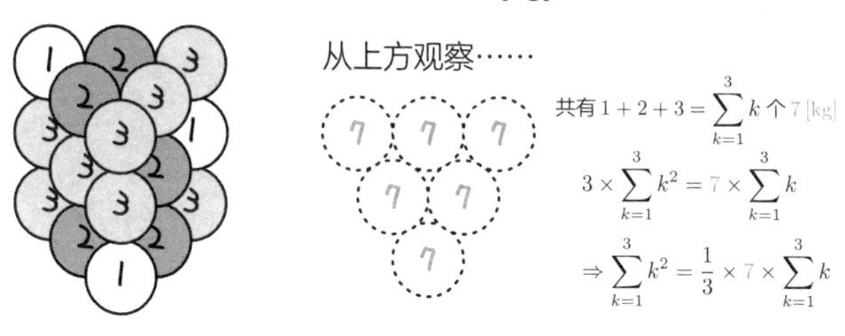

根据上述内容，我们可以推出如下图的情况，并得出相关公式。

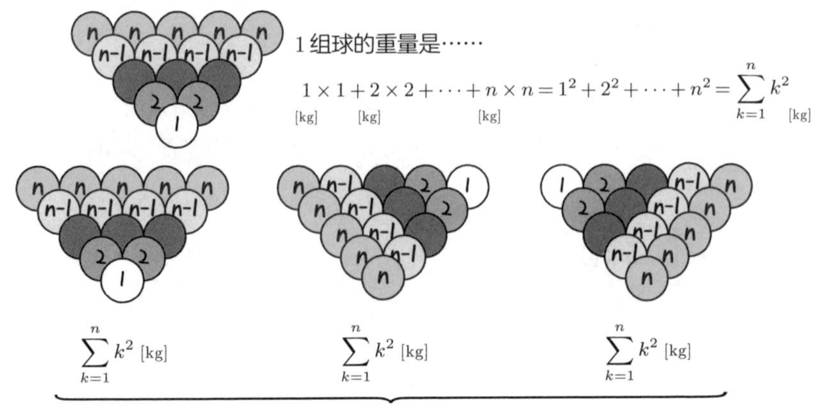

将球的重量纵向相加，每一列都是 $(2n+1)$ [kg]　从上方观察……

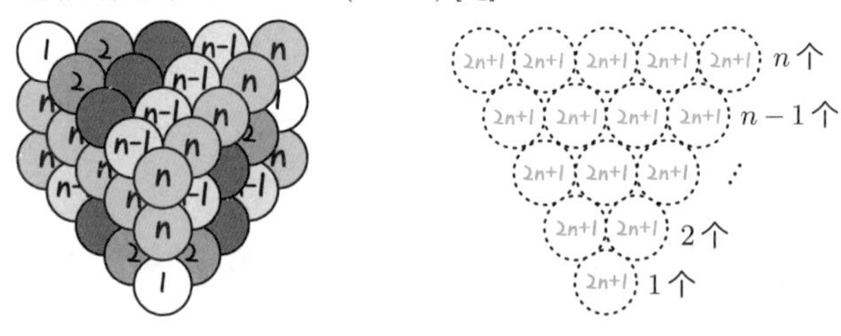

$$\text{共有 } 1+2+\cdots+(n-1)+n=\sum_{k=1}^{n}k \text{ 个 } 2n+1\ [\mathrm{kg}]$$

$$\Longrightarrow\ 3\times\sum_{k=1}^{n}k^2=(2n+1)\times\sum_{k=1}^{n}k$$

3 组球的重量

$$=(2n+1)\times\frac{1}{2}n(n+1)$$

$$=\frac{1}{2}n(n+1)(2n+1)\ [\mathrm{kg}]$$

等式两侧同除以 3……

$$\sum_{k=1}^{n}k^2=\frac{1}{6}n(n+1)(2n+1)$$

图解 $\sum_{k=1}^{n} k^3$ 的公式

如下图所示，想象一个边长为 $1+2+3$ 的正方形，该正方形的面积可以表示为 $1^3+2^3+3^3$。

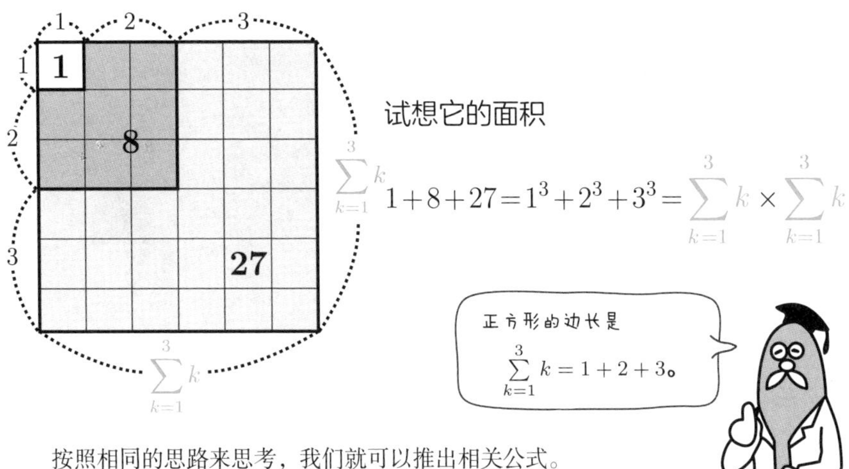

按照相同的思路来思考，我们就可以推出相关公式。

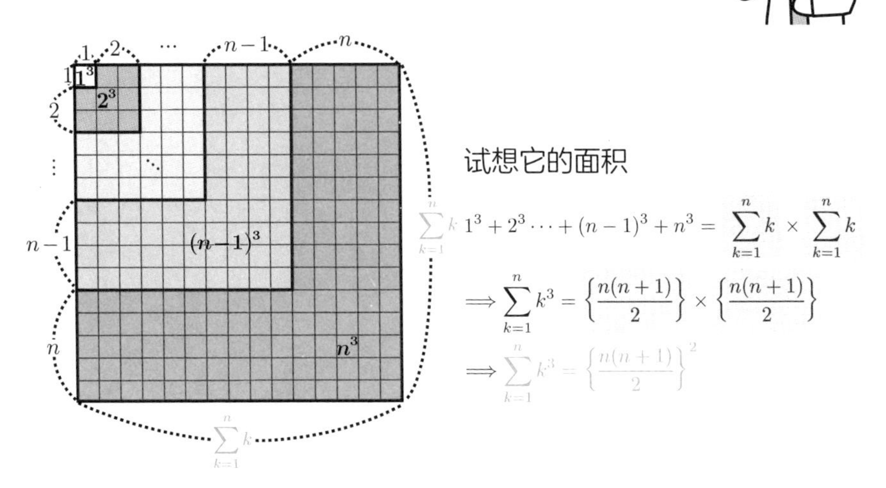

上图中反 L 部分（即深绿色部分）的面积为 n^3，这一点我们可以根据下图来理解。

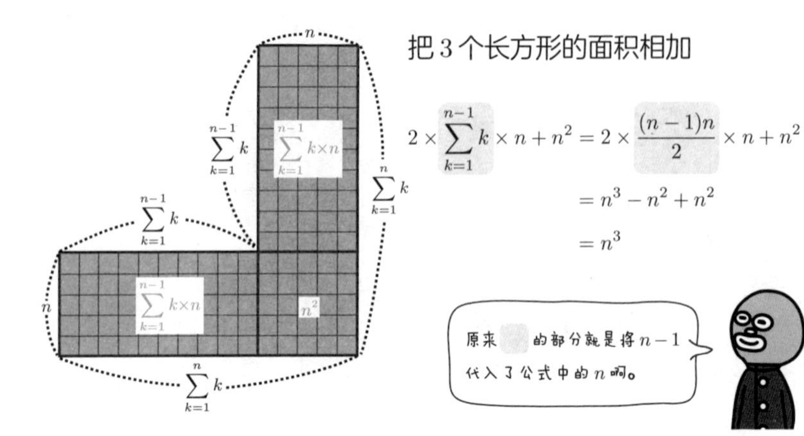

Σ的性质

$\sum$符号之所以使用起来很方便，是因为它具有以下类似分配律的性质。

$$(2a_1+4b_1)+(2a_2+4b_2)+(2a_3+4b_3)=2(a_1+a_2+a_3)+4(b_1+b_2+b_3)$$

$$\Longrightarrow\sum_{k=1}^{3}(2a_k+4b_k)=2\sum_{k=1}^{3}a_k+4\sum_{k=1}^{3}b_k$$

一般来说

$$\Longrightarrow\sum_{k=1}^{n}(pa_k+qb_k)=p\sum_{k=1}^{n}a_k+q\sum_{k=1}^{n}b_k$$

（p、q 是与 k 无关的常数）

$$\sum_{k=1}^{n}(3k^2-2k+5)=3\sum_{k=1}^{n}k^2-2\sum_{k=1}^{n}k+\sum_{k=1}^{n}5$$
$$=3\cdot\frac{n(n+1)(2n+1)}{6}-2\cdot\frac{n(n+1)}{2}+5n$$
$$=\frac{2n^3+3n^2+n-2n^2-2n+10n}{2}$$
$$=\frac{2n^3+n^2+9n}{2}$$

$$\sum_{k=1}^{n}c=nc$$
$$\sum_{k=1}^{n}k=\frac{n(n+1)}{2}$$
$$\sum_{k=1}^{n}k^2=\frac{n(n+1)(2n+1)}{6}$$

差分数列

一般来说，对于数列 $\{a_n\}$，由其相邻两项之差所构成的数列称为 $\{a_n\}$ 的差分数列（progression of differences）。也就是说，当以下公式成立时，$\{b_n\}$ 为 $\{a_n\}$ 的差分数列。

$$b_n = a_{n+1} - a_n \quad (n = 1, 2, 3, \cdots)$$

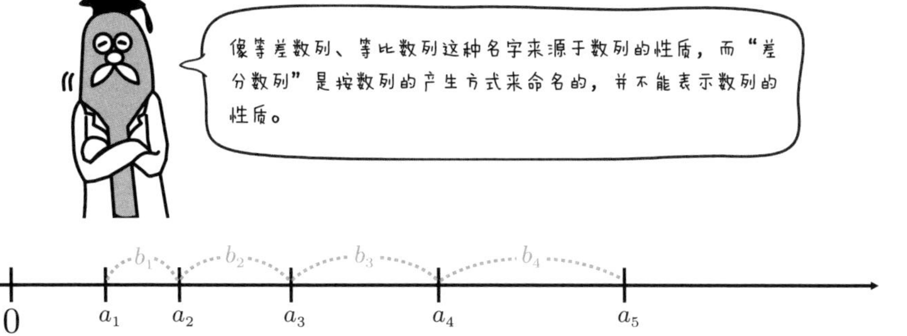

显然，根据上图，我们可以得到以下公式。

$$a_5 = a_1 + b_1 + b_2 + b_3 + b_4 = a_1 + \sum_{k=1}^{4} b_k$$

同理，可得以下公式。

$$a_{10} = a_1 + \sum_{k=1}^{9} b_k, \quad a_{100} = a_1 + \sum_{k=1}^{99} b_k$$

也就是说，若对于数列 $\{a_n\}$ 有 $b_n = a_{n+1} - a_n$ 成立，则 $\{a_n\}$ 的通项公式可以如下表示。

$$a_n = a_1 + \sum_{k=1}^{n-1} b_k \quad (\text{其中 } n \geqslant 2)^{①}$$

① $n \geqslant 2$ 是因为 $\sum$ 的范围是从 $k = 1$ 到 $k = n - 1$。实际上，当 $n = 1$ 时，$\sum_{k=1}^{0} b_k$ 是无意义的。

递推公式

在一个数列中，由相邻几项构成的关系式叫作递推公式。

递推公式

像 $a_{n+1}=3a_n+2$ 和 $a_{n+2}=a_{n+1}+a_n$ $(n=1,2,3,\cdots)$ 这样由数列中相邻的几项所构成的关系式称为递推公式（recurrence formula）。

当 $a_1=1$，$a_2=1$，$a_{n+2}=a_{n+1}+a_n(n=1,2,3,\cdots)$ 时

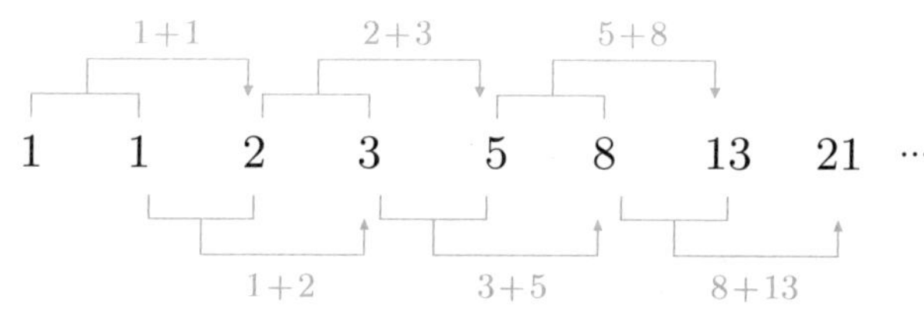

$a_3=a_2+a_1=1+1=\mathbf{2}$
$a_4=a_3+a_2=2+1=\mathbf{3}$
$a_5=a_4+a_3=3+2=\mathbf{5}$
$a_6=a_5+a_4=5+3=\mathbf{8}$
$a_7=a_6+a_5=8+5=\mathbf{13}$
$a_8=a_7+a_6=13+8=\mathbf{21}$
$\cdots$[①]

（其通项公式参见第 118 页）

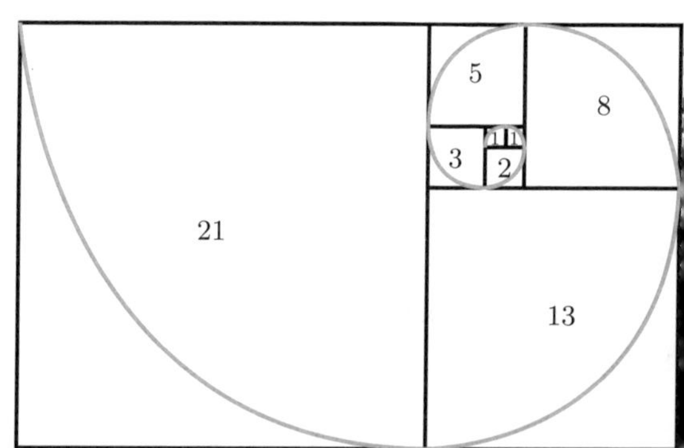

① 相邻两个斐波那契数的比值接近于黄金分割比。

解相邻两项间的递推公式

对于数列 $\{a_n\}$，若已知

$$a_{n+1} = pa_n + q$$

这种相邻两项间的递推公式，要求它的通项公式，可分为多种情况，具体整理如下。

(i) 当 $p = 1$，q 为常数时

$\Rightarrow a_{n+1} = a_n + q$　　$\{a_n\}$ 是等差数列（参见第 103 页）

$\Rightarrow \boldsymbol{a_n = a_1 + (n-1)q}$

(ii) 当 p 为常数，$q = 0$ 时

$\Rightarrow a_{n+1} = pa_n$　　$\{a_n\}$ 是等比数列（参见第 105 页）

$\Rightarrow \boldsymbol{a_n = a_1 p^{n-1}}$

(iii) 当 $p = 1$，$q = f(n)$ 时[1]

$\Rightarrow a_{n+1} - a_n = f(n)$　　$f(n)$ 是 $\{a_n\}$ 的差分数列（参见第 113 页）

$$\Rightarrow \boldsymbol{a_n = a_1 + \sum_{k=1}^{n-1} f(k)}$$

(iv) 当 p 为除 1 外的常数，q 为常数时

$$\begin{aligned} a_{n+1} &= pa_n + q \\ -)\quad \alpha &= p\alpha + q \quad \text{（特征方程）} \\ \hline a_{n+1} - \alpha &= p(a_n - \alpha) \end{aligned}$$

下一页就为大家介绍特征方程的作用啦♪

$\Rightarrow \{a_n - \alpha\}$ 是公比为 p 的等比数列

$\Rightarrow a_n - \alpha = (a_1 - \alpha)p^{n-1}$

$$\Rightarrow \boldsymbol{a_n = \left(a_1 - \frac{q}{1-p}\right)p^{n-1} + \frac{q}{1-p}} \quad (p \neq 1)$$

$\alpha = p\alpha + q$

$\Rightarrow \alpha = \dfrac{q}{1-p}$

(v) 当 p 为除 1 外的常数，$q = kn + l$ 时（k、l 为常数）

$$\begin{aligned} a_{n+2} &= pa_{n+1} + k(n+1) + l \\ -)\quad a_{n+1} &= pa_n + kn + l \\ \hline a_{n+2} - a_{n+1} &= p(a_{n+1} - a_n) + k \end{aligned}$$

$\Rightarrow$ 当 $b_n = a_{n+1} - a_n$ 时，$\{b_n\}$ 遵循 (iv) 中的递推公式。

[1] $q = f(n)$ 和 $q = 2n + 1$ 一样，都是用 n 来表示 q 的式子。

(vi) 当 p 为除 1 外的常数，$q=r^n$ 时（r 为常数）

$$\Rightarrow a_{n+1}=pa_n+r^n$$

$$\Rightarrow \frac{a_{n+1}}{r^{n+1}}=\frac{p}{r}\cdot\frac{a_n}{r^n}+\frac{1}{r}$$

等式两侧同除以 r^{n+1}

$\Rightarrow$ 当 $b_n=\dfrac{a_n}{r^n}$ 时，$\{b_n\}$ 遵循 (iv) 中的递推公式。

拓展 特征方程的作用

举个例子，设有递推公式 $a_{n+1}=2a_n-1$，$a_1=2$。该递推公式的特征方程是 $\alpha=2\alpha-1$，解为 $\alpha=1$。

如下图所示，由 $\{a_n\}$ 各项减去 α 得到数列 $\{a_n-\alpha\}$，该数列是一个首项为 $a_1-1=1$，公比为 2 的等比数列。

$a_1=2$ $\qquad$ $a_{n+1}=2a_n-1$

（特征方程）$\qquad$ $\alpha=2\alpha-1\Rightarrow\alpha=1$

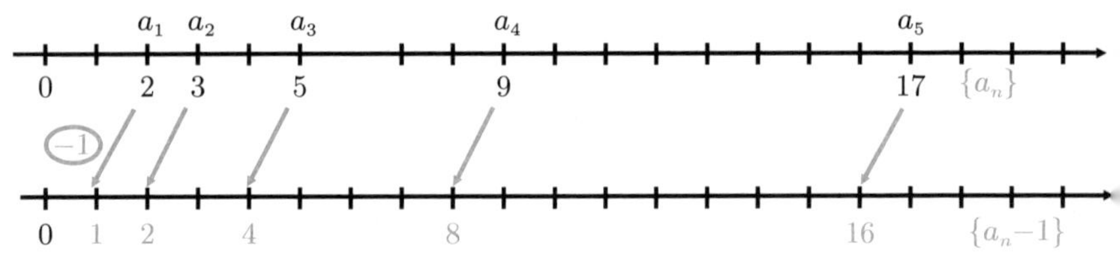

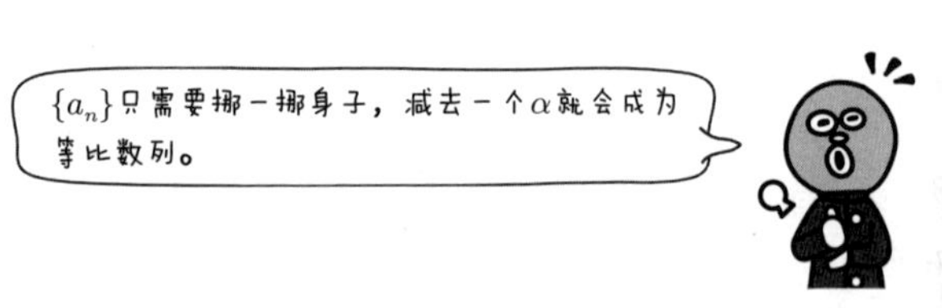

总结一下，在解递推公式的过程中，特征方程的作用就是找出由递推公式得到的数列需要减去一个什么样的数才能化成等比数列。

解相邻三项间的递推公式

$$a_{n+2}=pa_{n+1}+qa_n$$

这里，我们来学习一下如上所示的相邻三项间的递推公式的解法步骤。

步骤①

找到满足下列式子的 α 和 β 的值。

$$p=\alpha+\beta,\ q=-\alpha\beta$$

步骤②

将步骤 ① 中的 α 和 β 代入已知递推公式，得到以下变形后的内容。

$$a_{n+2}=pa_{n+1}+qa_n \Rightarrow a_{n+2}=(\alpha+\beta)a_{n+1}-\alpha\beta a_n$$

步骤③

令步骤 ② 中的公式按下列两种方式变形。

$$a_{n+2}=(\alpha+\beta)a_{n+1}-\alpha\beta a_n \Rightarrow a_{n+2}-\alpha a_{n+1}=\beta(a_{n+1}-\alpha a_n) \quad \cdots(\mathrm{A})$$

$$a_{n+2}=(\alpha+\beta)a_{n+1}-\alpha\beta a_n \Rightarrow a_{n+2}-\beta a_{n+1}=\alpha(a_{n+1}-\beta a_n) \quad \cdots(\mathrm{B})$$

步骤④

由步骤 ③ 中的 (A)(B) 可知，数列 $\{a_{n+1}-\alpha a_n\}$ 和 $\{a_{n+1}-\beta a_n\}$ 是公比分别为 β 和 α 的等比数列，于是我们接着求出数列 $\{a_{n+1}-\alpha a_n\}$ 和 $\{a_{n+1}-\beta a_n\}$ 的通项公式。

$$a_{n+2}-\alpha a_{n+1}=\beta(a_{n+1}-\alpha a_n) \Rightarrow a_{n+1}-\alpha a_n=(a_2-\alpha a_1)\beta^{n-1} \quad \cdots(\mathrm{C})$$

$$a_{n+2}-\beta a_{n+1}=\alpha(a_{n+1}-\beta a_n) \Rightarrow a_{n+1}-\beta a_n=(a_2-\beta a_1)\alpha^{n-1} \quad \cdots(\mathrm{D})$$

步骤⑤ [1]

令 (C) − (D)。

$$(\mathrm{C})-(\mathrm{D}) \quad \Rightarrow \quad (\beta-\alpha)a_n=(a_2-\alpha a_1)\beta^{n-1}-(a_2-\beta a_1)\alpha^{n-1}$$

$$\Rightarrow \quad a_n=\frac{(a_2-\alpha a_1)\beta^{n-1}-(a_2-\beta a_1)\alpha^{n-1}}{\beta-\alpha}$$

[1] 当 $\alpha=\beta$，即 (C)(D) 两式为同一式子时，根据相邻两项间的递推公式的 (vi) 就可以求出通项公式。

拓展 一元二次方程中根与系数的关系和三项递推公式的特征方程

设一元二次方程 $ax^2+bx+c=0$（$a \neq 0$）的两个根分别为 α 和 β（$\alpha \leqslant \beta$），由一元二次方程的求根公式可得

$$\alpha = \frac{-b-\sqrt{b^2-4ac}}{2a}、\beta = \frac{-b+\sqrt{b^2-4ac}}{2a}$$

$$\Rightarrow \begin{cases} \alpha+\beta = \dfrac{-b-\sqrt{b^2-4ac}}{2a} + \dfrac{-b+\sqrt{b^2-4ac}}{2a} = \dfrac{-2b}{2a} = -\dfrac{b}{a} \\ \alpha\beta = \dfrac{-b-\sqrt{b^2-4ac}}{2a} \cdot \dfrac{-b+\sqrt{b^2-4ac}}{2a} = \dfrac{b^2-\left(b^2-4ac\right)}{4a^2} = \dfrac{c}{a} \end{cases}$$

由此可知，关于一元二次方程 $ax^2+bx+c=0$（$a \neq 0$）的两个根 α 和 β 有如下公式成立。

$$\alpha+\beta = -\frac{b}{a}、\alpha\beta = \frac{c}{a}$$

这就是一元二次方程根与系数的关系。

回头看上一页提到的 α 和 β，它们满足以下公式。

$$\boldsymbol{p = \alpha+\beta、q = -\alpha\beta \quad \Rightarrow \quad \alpha+\beta = p、\alpha\beta = -q}$$

于是我们知道，α 和 β 是一元二次方程

$$x^2-px-q=0 \quad \cdots ※$$

$$\alpha+\beta = -\frac{-p}{1}、\alpha\beta = \frac{-q}{1}$$

的两个根。

此外，该一元二次方程的系数与三项递推公式按以下方式变形后的系数相同。

$$a_{n+2} = pa_{n+1}+qa_n \quad \Rightarrow \quad a_{n+2}-pa_{n+1}-qa_n = 0$$

※ 的一元二次方程式称为**三项递推关系式 $a_{n+2} = pa_{n+1}+qa_n$ 的特征方程**。

求斐波那契数列的通项公式。

$$a_{n+2} = a_{n+1}+a_n \quad \Rightarrow \quad a_{n+2}-a_{n+1}-a_n = 0$$

其特征方程为 $x^2-x-1=0$。解得

$$\alpha = \frac{1-\sqrt{5}}{2}、\beta = \frac{1+\sqrt{5}}{2}$$

因为 $a_1=1$，$a_2=1$，根据前面的解法步骤可得以下通项公式。

$$a_n = \frac{\left(\dfrac{1+\sqrt{5}}{2}\right)^n - \left(\dfrac{1-\sqrt{5}}{2}\right)^n}{\sqrt{5}}$$

数学归纳法

与自然数有关的命题都可以用数学归纳法来尝试证明。这并没有夸大其词，数学归纳法就是如此强大的一种证明方法。

数学归纳法的步骤

数学归纳法（mathematical induction）的步骤如下所示。

（i）证明原式在 $n=1$ 时成立。

（ii）假设原式在 $n=k$ 时成立，证明其在 $n=k+1$ 时亦成立。

我们来思考一下多米诺骨牌能被成功推倒的条件。首先，我们需要确认第 1 枚多诺骨牌能被推倒（比如检查底面有没有胶水）。接着，我们要确认第 2 枚及之后的米诺骨牌能随着前一枚倒下而倒下。

数学归纳法的步骤和推倒多米诺骨牌相似，在步骤 (i) 中同样需要证明当 $n=1$ 原式成立。因为多米诺骨牌的数量是有限的，所以我们可以逐一检查各枚牌是否符条件，但是对于与自然数有关的命题，我们不可能将它们从头至尾都检查一遍。因，需要用到步骤 (ii) 中的字母 k 和 $k+1$ 来概括它们。

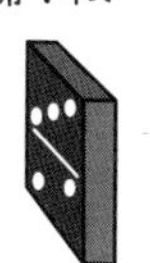

…

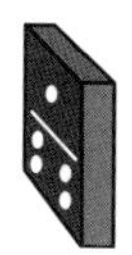

…

The vector of love

第6章 向量和矩阵

向量基础

在日本高中的数学教科书中与数列平分秋色的知识点就是向量。向量用来表示像移动或力那样具有方向和大小的量。

有向线段

如上图所示，从地点 A 向地点 B 移动可以用箭头来表示。像箭头那样可以指示方向的线段称为有向线段（oriented segment）。对**有向线段 AB 来说，A 为起点，B 为终点**。

什么是向量

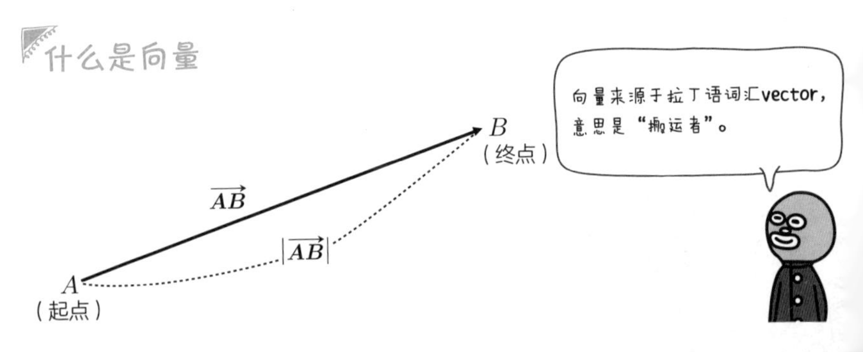

一条确定的有向线段由它的位置、方向和大小共同决定。不考虑位置，**只由方向和大小（长度）决定的量**称为向量（vector）。如上图所示，**一条以 A 为起点，以 B 为终点的有向线段所表示的向量**写作 $\overrightarrow{AB}$。我们有时也用一个字母加箭头来表示向量，如

另外，为向量添加像绝对值那样的符号可以表示它的大小，如 $|\overrightarrow{AB}|$ 表示的 $\overrightarrow{AB}$ 的大小。如果线段 AB 的长度为 3，那么 $|\overrightarrow{AB}|=3$。我们把大小为 1 的向量为单位向量（unit vector）。

相等的向量

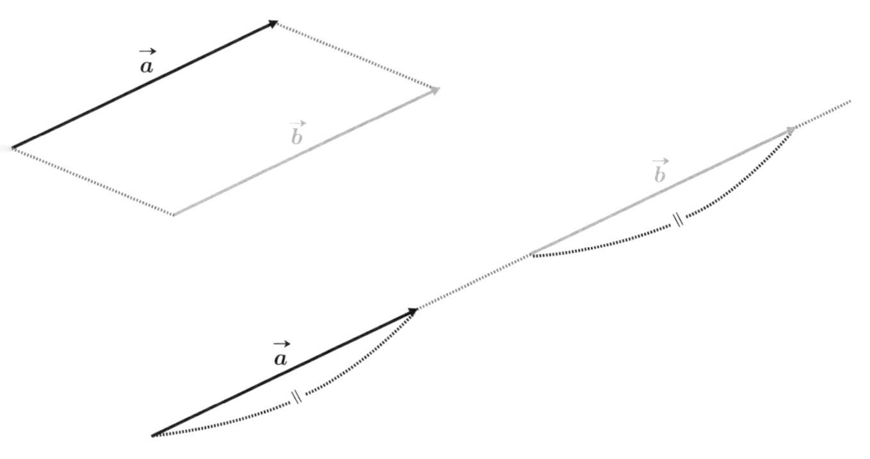

向量与位置无关，因此当上图的 $\vec{a}$ 和 $\vec{b}$ 通过平移能够完全重合（即 $\vec{a}$、$\vec{b}$ 的方向和大小都相同）的时候，我们称这两个向量**相等**，写作如下形式。

$$\vec{a} = \vec{b}$$

向量的加减法

我们通过图片来理解同时具有方向和大小的向量是如何进行运算的吧。

相反向量和零向量

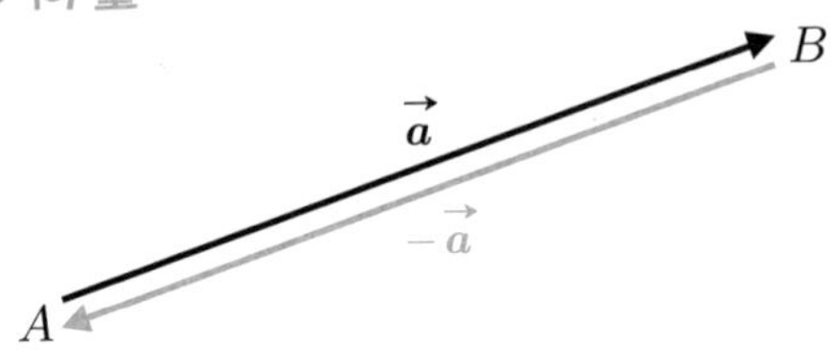

与 $\vec{a}$ 大小相等但**方向相反的向量**称为 $\vec{a}$ 的相反向量（inverse vector），写作 $-\vec{a}$。若 $\vec{a}=\overrightarrow{AB}$，则 $-\vec{a}=\overrightarrow{BA}$。此外，起点和终点为同一点的向量，**大小为 0**，称为零向量（zero vector），写作 $\mathbf{0}$。如 $\overrightarrow{AA}=\mathbf{0}$。

向量的加法

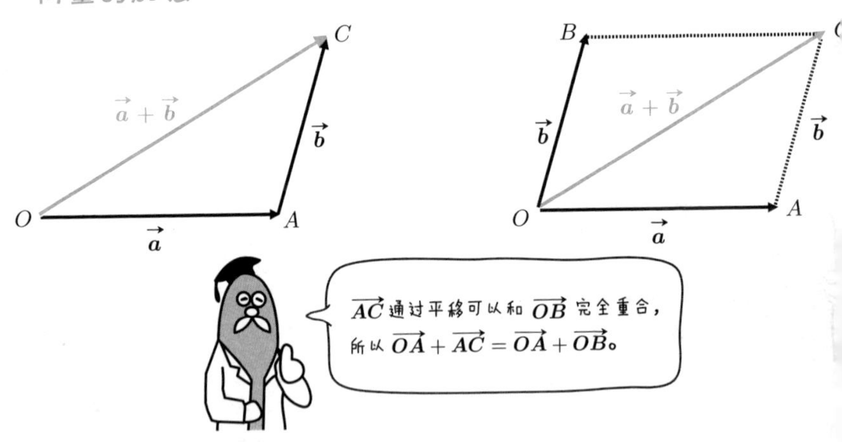

设 $\vec{a}=\overrightarrow{OA}$，$\vec{b}=\overrightarrow{AC}$，我们定义 $\vec{a}$ 与 $\vec{b}$ 的和 $\vec{a}+\vec{b}=\overrightarrow{OC}$，即

$$\overrightarrow{OA}+\overrightarrow{AC}=\overrightarrow{OC}$$

$\vec{a}$ 与 $\vec{b}$ 的和还可以通过聚拢 $\vec{a}$、$\vec{b}$ 的起点，构建以 $\vec{a}$、$\vec{b}$ 为边的平行四边形而后其对角线来确定。

向量的减法

设 $\vec{a}=\overrightarrow{OA}$，$\vec{b}=\overrightarrow{OB}$，点 B 关于 O 对称的点为 B'，那么根据相反向量的定义，$-\vec{b}=\overrightarrow{OB'}$。因为 $\vec{a}-\vec{b}=\vec{a}+(-\vec{b})$，所以我们可以将 $\vec{a}$ **和** $\vec{b}$ **的差定义为** $\vec{a}-\vec{b}=\overrightarrow{BA}$，即下式成立。

$$\overrightarrow{OA}-\overrightarrow{OB}=\overrightarrow{BA}$$

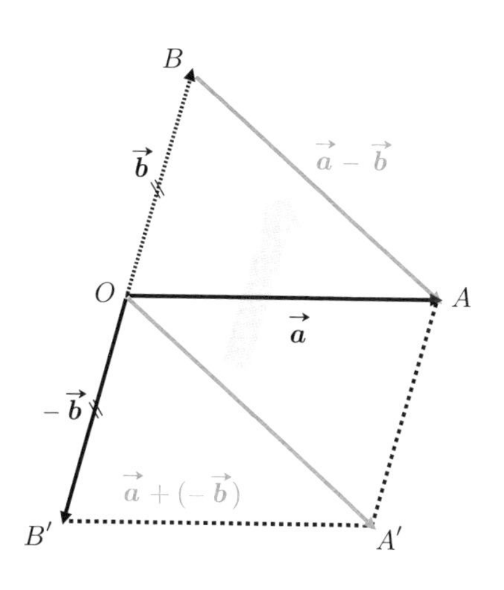

换起点公式

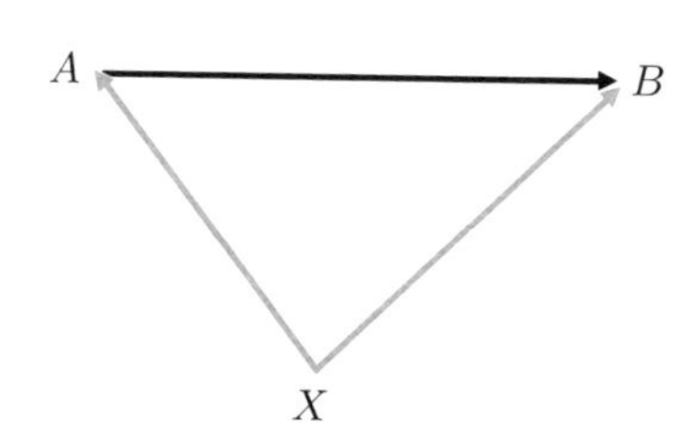

根据 $\overrightarrow{OA}-\overrightarrow{OB}=\overrightarrow{BA}$ 可以得到以下式子[1]。

$$\overrightarrow{AB}=\overrightarrow{XB}-\overrightarrow{XA}$$

只要利用这个公式，就能将向量起点转换为任意字母（X）。

[1] 把式子中的 A 和 B 互换，再将 O 替换为 X，之后将等式两侧互换。

向量的实数倍

对于不为零的向量 $\vec{a}$ 和实数 k，$\vec{a}$ 的 k 倍，即 $k\vec{a}$ 的结果可分为以下几种情况。

(i) $k>0$ 的情况

方向与 $\vec{a}$ 相同，大小是 $|\vec{a}|$ 的 k 倍的向量

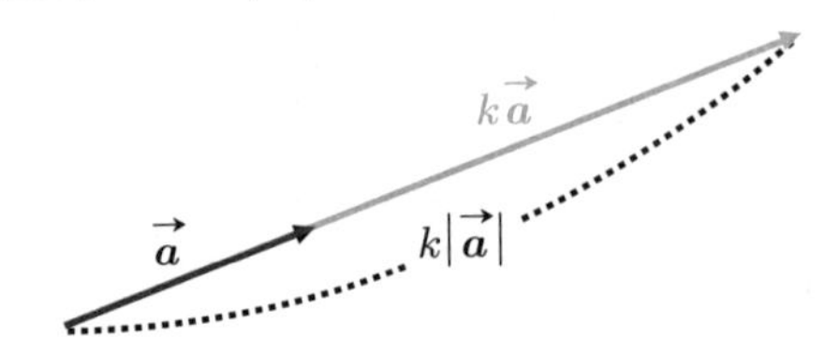

(ii) $k<0$ 的情况

方向与 $\vec{a}$ 相反，大小是 $|\vec{a}|$ 的 $|k|$ 倍的向量

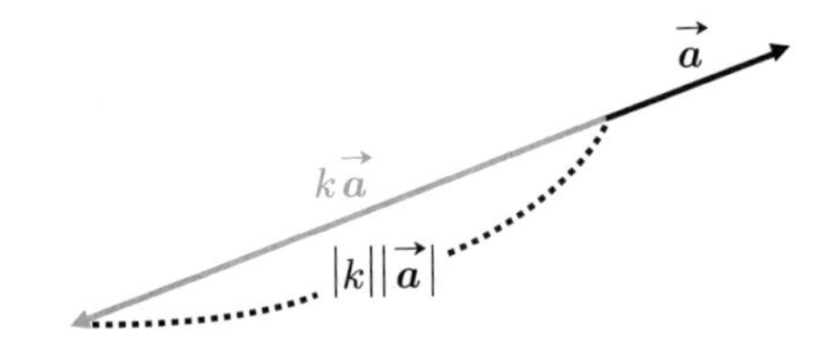

(iii) $k=0$ 的情况

零向量

$$0\vec{a}=\mathbf{0}$$

向量平行的条件

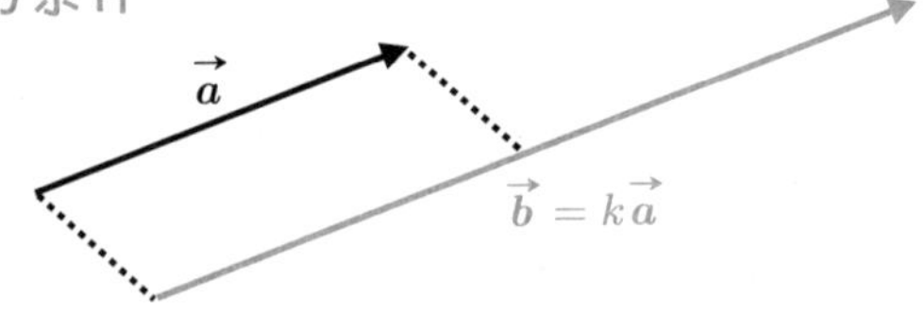

若 $\vec{a}$ 与 $\vec{b}$ 的向量方向相同或相反，则称 $\vec{a}$ 与 $\vec{b}$ 平行，写作 $\vec{a}/\!/\vec{b}$。根据上“向量的实数倍”的定义，当 $\vec{a}\neq\mathbf{0}$ 且 $\vec{b}\neq\mathbf{0}$ 时，以下内容成立。

$$\text{存在一个实数 } k \text{ 使得 } \vec{b}=k\vec{a} \quad \Leftrightarrow \quad \vec{a}/\!/\vec{b}$$

向量的分解

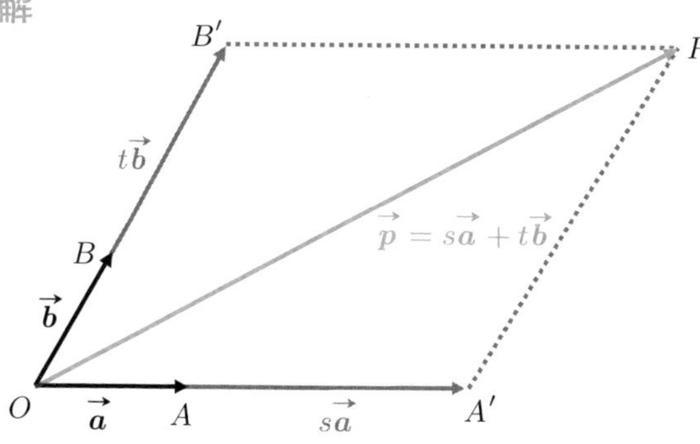

选定3个可以连成三角形的点O、A、B，同一平面上的所有向量都能通过 $\overrightarrow{OA}$ 和 $\overrightarrow{OB}$ 以一个公式来表示。

设 $\vec{a}$、$\vec{b}$ 是不为零且不平行的向量（当 $\vec{a}=\overrightarrow{OA}$，$\vec{b}=\overrightarrow{OB}$ 时，点 O、A、B 能连成一个三角形），那么平面上的任意向量 $\vec{p}$ 可以用实数 s、t 表示为下面这样一个公式。

$$\vec{p} = s\vec{a} + t\vec{b}$$

例

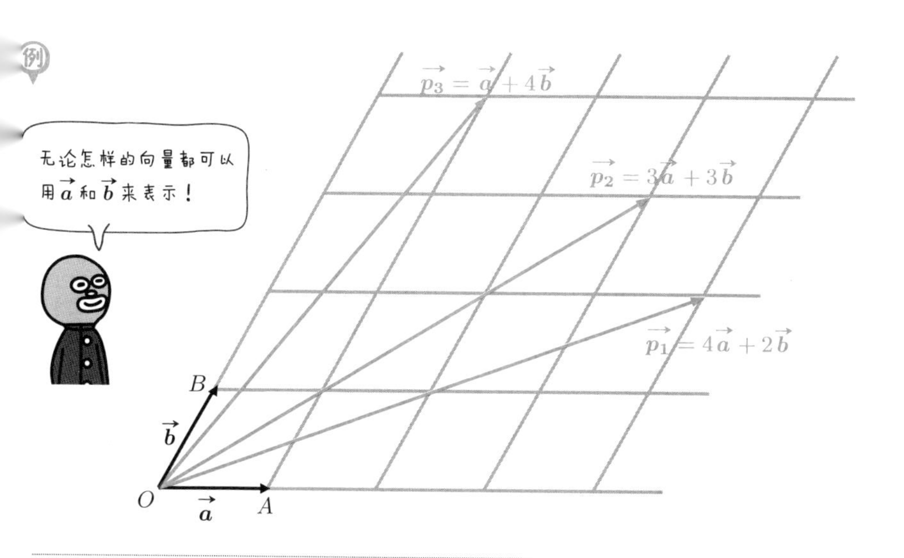

向量的坐标表示

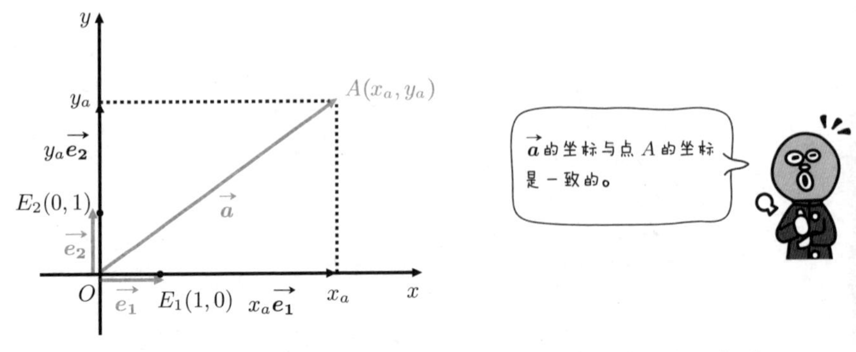

如上图所示，设坐标系的原点为 O，坐标系中任意一点 A 的坐标为 (x_a, y_a)，$\vec{a}=\overrightarrow{OA}$。取 x 轴上的点 $E_1(1,0)$，y 轴上的点 $E_2(0,1)$，$\overrightarrow{e_1}=\overrightarrow{OE_1}$，$\overrightarrow{e_2}=\overrightarrow{OE_2}$ ①。根据前面的公式，我们可以将 $\vec{a}$ 分解，用 $\overrightarrow{e_1}$ 和 $\overrightarrow{e_2}$ 表示成下面这样。

$$\vec{a}=x_a\overrightarrow{e_1}+y_a\overrightarrow{e_2}$$

此时，我们称 x_a 为 $\vec{a}$ 的 $\overrightarrow{e_1}$ 分量（x 分量），y_a 为 $\vec{a}$ 的 $\overrightarrow{e_2}$ 分量（y 分量），将

$$\vec{a}=(x_a, y_a)$$

称为向量的坐标表示（representation by components）。

基于分量的运算

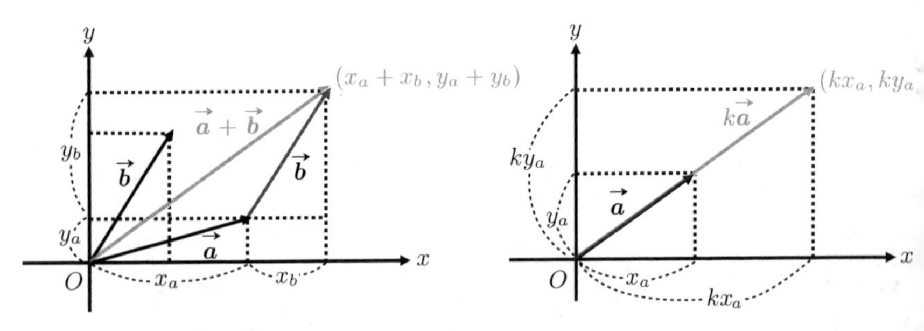

$$\vec{a}+\vec{b}=(x_a, y_a)+(x_b, y_b)=(x_a+x_b, y_a+y_b)$$
$$k\vec{a}=k(x_a, y_a)=(kx_a, ky_a)$$

根据以上两个式子可知，关于实数 k、l 有如下公式成立。

$$k\vec{a}+l\vec{b}=k(x_a, y_a)+l(x_b, y_b)=(kx_a+lx_b, ky_a+ly_b)$$

① $\overrightarrow{e_1}$、$\overrightarrow{e_2}$ 称为单位向量。

向量的分量和大小

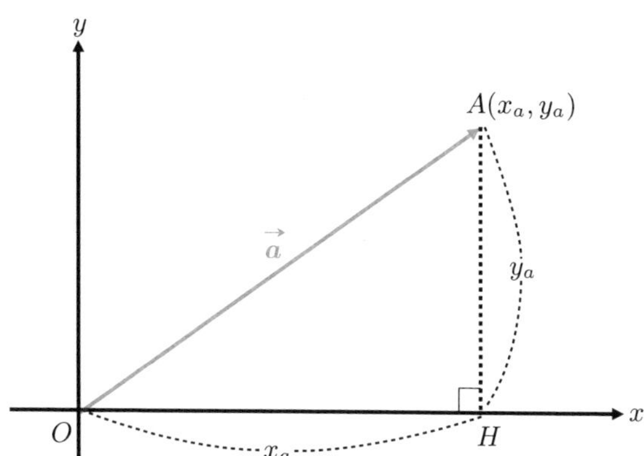

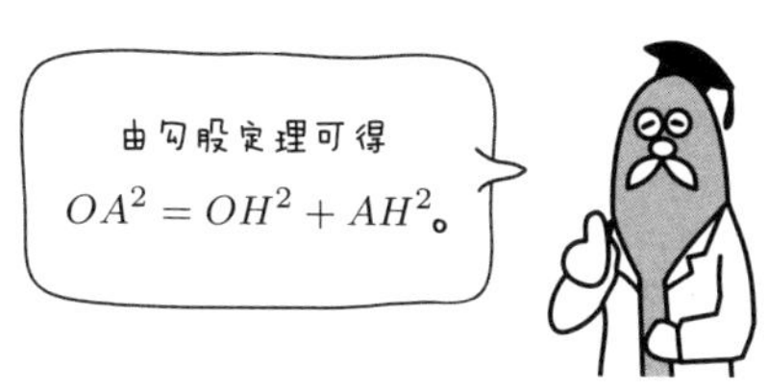

设 $\vec{a} = (x_a, y_a)$，由上图可知，$|\vec{a}| = OA$，所以

$$|\vec{a}| = \sqrt{{x_a}^2 + {y_a}^2}$$

设 $A(x_a, y_a)$，$B(x_b, y_b)$，则

$$\overrightarrow{AB} = \overrightarrow{OB} - \overrightarrow{OA} = (x_b, y_b) - (x_a, y_a) = (x_b - x_a, y_b - y_a)$$

根据前述结论，$|\overrightarrow{AB}|$ 可以用以下式子表示。

$$|\overrightarrow{AB}| = \sqrt{(x_b - x_a)^2 + (y_b - y_a)^2}$$

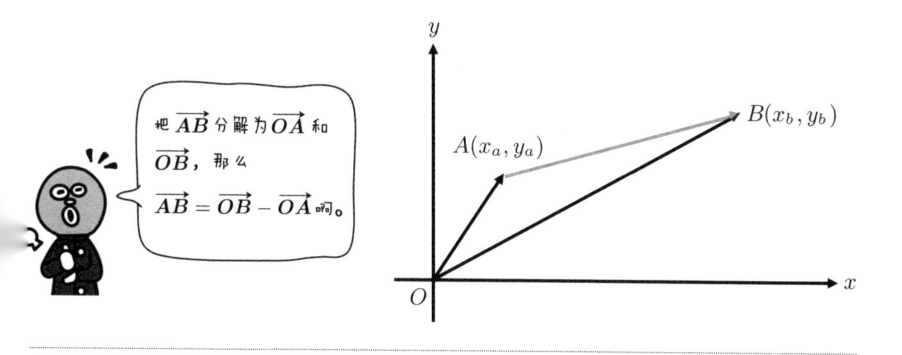

向量的内积和外积

在高中的向量学习中，最让人感到不可思议的或许就是内积的定义了。我们通过本节内容来回顾一下内积的定义及它所代表的几何含义吧。

内积的定义

设 $\vec{a}=(x_a, y_a)$，$\vec{b}=(x_b, y_b)$，它们各分量的乘积之和，即

$$x_a x_b + y_a y_b$$

称为 $\vec{a}$ 和 $\vec{b}$ 的内积（inner product），也称数量积，可表示为如下形式[①]。

$$\vec{a}\cdot\vec{b}$$

内积的几何含义

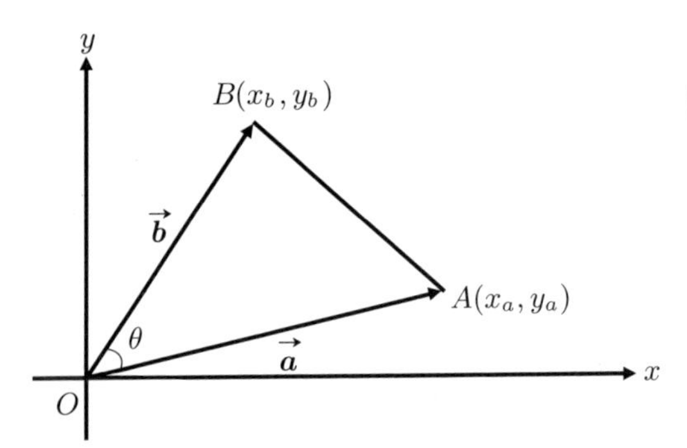

如上图所示，在 $\triangle OAB$ 中，$\angle AOB=\theta$，根据余弦定理可得如下变形。

$$|\overrightarrow{AB}|^2=|\overrightarrow{OA}|^2+|\overrightarrow{OB}|^2-2|\overrightarrow{OA}||\overrightarrow{OB}|\cos\theta$$

$$\Rightarrow (x_b-x_a)^2+(y_b-y_a)^2=({x_a}^2+{y_a}^2)+({x_b}^2+{y_b}^2)-2\sqrt{{x_a}^2+{y_a}^2}\sqrt{{x_b}^2+{y_b}^2}\cos\theta$$

$$\Rightarrow {x_b}^2-2x_bx_a+{x_a}^2+{y_b}^2-2y_by_a+{y_a}^2$$

$$={x_a}^2+{y_a}^2+{x_b}^2+{y_b}^2-2\sqrt{{x_a}^2+{y_a}^2}\sqrt{{x_b}^2+{y_b}^2}\cos\theta$$

$$\Rightarrow -2x_ax_b-2y_ay_b=-2\sqrt{{x_a}^2+{y_a}^2}\sqrt{{x_b}^2+{y_b}^2}\cos\theta$$

$$\Rightarrow x_ax_b+y_ay_b=\sqrt{{x_a}^2+{y_a}^2}\sqrt{{x_b}^2+{y_b}^2}\cos\theta$$

$$\Rightarrow \vec{a}\cdot\vec{b}=|\vec{a}||\vec{b}|\cos\theta$$

---

① 在这里，“·”并非“×”的省略写法。后面会介绍 $\vec{a}\times\vec{b}$ 所表示的另一种类型的运算，即外积。

该式表示 $\vec{a}$ 与 $\vec{b}$ 的内积是 $\vec{a}$ 的长度（$|\vec{a}|$）乘以 $\vec{b}$ 在 $\vec{a}$ 方向上的正射影[①]的长度（$|\vec{b}|\cos\theta$）。

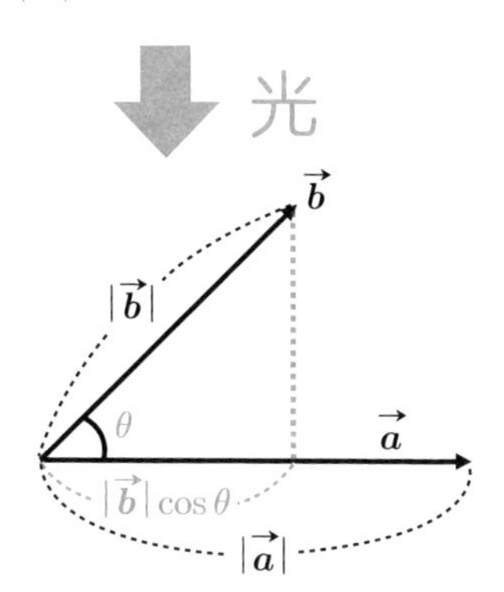

拓展 余弦定理

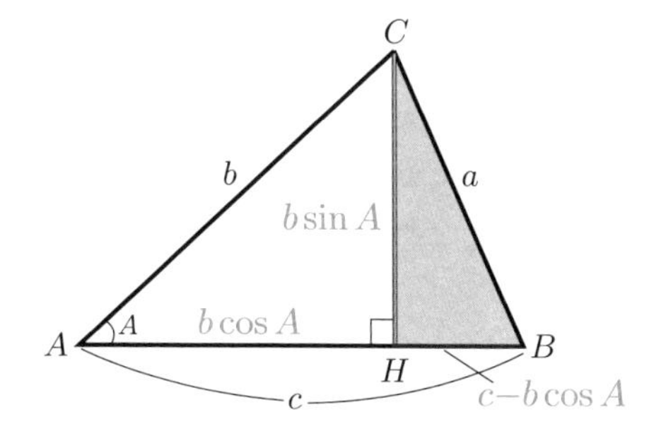

【余弦定理】

关于 $\triangle ABC$，有以下式子成立。

$$a^2 = b^2 + c^2 - 2bc\cos A$$
$$b^2 = c^2 + a^2 - 2ca\cos B$$
$$c^2 = a^2 + b^2 - 2ab\cos C$$

证明 如上图所示，过点 C 作 AB 的垂线 CH，$\triangle AHC$ 是斜边为 b 的直角三角形，所以 $CH = b\sin A$，$AH = b\cos A$。关于 $\triangle CHB$，根据勾股定理可得下式成立。

$$\begin{aligned} a^2 &= (c - b\cos A)^2 + (b\sin A)^2 \\ &= c^2 - 2\cdot c\cdot b\cos A + b^2\cos^2 A + b^2\sin^2 A \\ &= c^2 - 2bc\cos A + b^2\left(\cos^2 A + \sin^2 A\right) \\ &= c^2 - 2bc\cos A + b^2\cdot 1 \end{aligned}$$

$$\therefore \quad a^2 = b^2 + c^2 - 2bc\cos A$$

同理可得

$$b^2 = c^2 + a^2 - 2ca\cos B、c^2 = a^2 + b^2 - 2ab\cos C \qquad （证毕）$$

我们把这 3 个公式合称为余弦定理（cosine theorem）。

① 物体通过光的照射产生的投影称为射影，通过垂直光线照射产生的投影称为**正射影**。

向量垂直的条件

当 $\vec{a}$ 和 $\vec{b}$ 的夹角 θ 为 90° 时，我们称 $\vec{a}$ 与 $\vec{b}$ 垂直，写作如下形式。

$$\vec{a} \perp \vec{b}$$

若 $\vec{a}$ 与 $\vec{b}$ 垂直，则有

$$\vec{a} \perp \vec{b} \Rightarrow \vec{a} \cdot \vec{b} = |\vec{a}||\vec{b}|\cos 90^\circ = |\vec{a}| \times |\vec{b}| \times 0 = 0$$

另外，若 $|\vec{a}| \neq 0$，$|\vec{b}| \neq 0$，则有

$$\vec{a} \cdot \vec{b} = 0 \Rightarrow |\vec{a}||\vec{b}|\cos\theta = 0 \Rightarrow \cos\theta = 0 \Rightarrow \theta = 90^\circ$$

综上所述，可得以下结论。

$$\vec{a} \perp \vec{b} \Leftrightarrow \vec{a} \cdot \vec{b} = 0$$

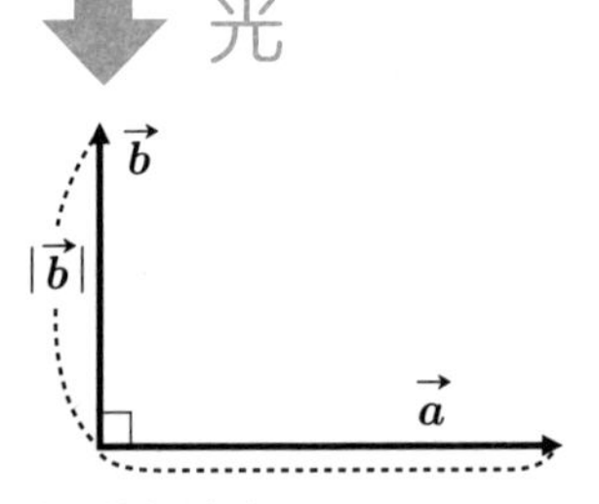

射影的长度为0

当 $\vec{a} \perp \vec{b}$ 时，$\vec{b}$ 在 $\vec{a}$ 方向上的投影（正射影）的长度为 0，由此我们也可以知道向量垂直的条件是内积 $=0$。

内积的性质

关于向量的内积，已知以下公式成立。

(i) $\vec{a} \cdot \vec{b} = \vec{b} \cdot \vec{a}$

(ii) $(\vec{a} + \vec{b}) \cdot \vec{c} = \vec{a} \cdot \vec{c} + \vec{b} \cdot \vec{c}$

(iii) $(k\vec{a}) \cdot \vec{b} = \vec{a} \cdot (k\vec{b}) = k(\vec{a} \cdot \vec{b})$ （k 为实数）

(iv) $\vec{a} \cdot \vec{a} = |\vec{a}|^2$

设 $\vec{a} = (x_a, y_a)$，$\vec{b} = (x_b, y_b)$，$\vec{c} = (x_c, y_c)$，根据内积的定义进行分量计算就可以得到上述式子。

外积的定义

除了内积，向量之间还有一种和乘法相似的运算——外积（exterior product），也称向量积。外积基本上是三维向量（拥有 3 个方向分量的向量，即空间向量）之间的运算。

设 $\vec{a}=(a_1,a_2,a_3)$，$\vec{b}=(b_1,b_2,b_3)$，我们把外积“$\vec{a}\times\vec{b}$”定义为如下形式。

$$\vec{a}\times\vec{b}=(a_2b_3-a_3b_2,a_3b_1-a_1b_3,a_1b_2-a_2b_1)$$

记忆方法 首先，分别将 2 个向量的分量纵向书写。

$$\vec{a}=\begin{pmatrix}a_1\\a_2\\a_3\end{pmatrix},\ \vec{b}=\begin{pmatrix}b_1\\b_2\\b_3\end{pmatrix}$$

接着，把最上面一行复制到最下方，再依次进行“十字相乘”。

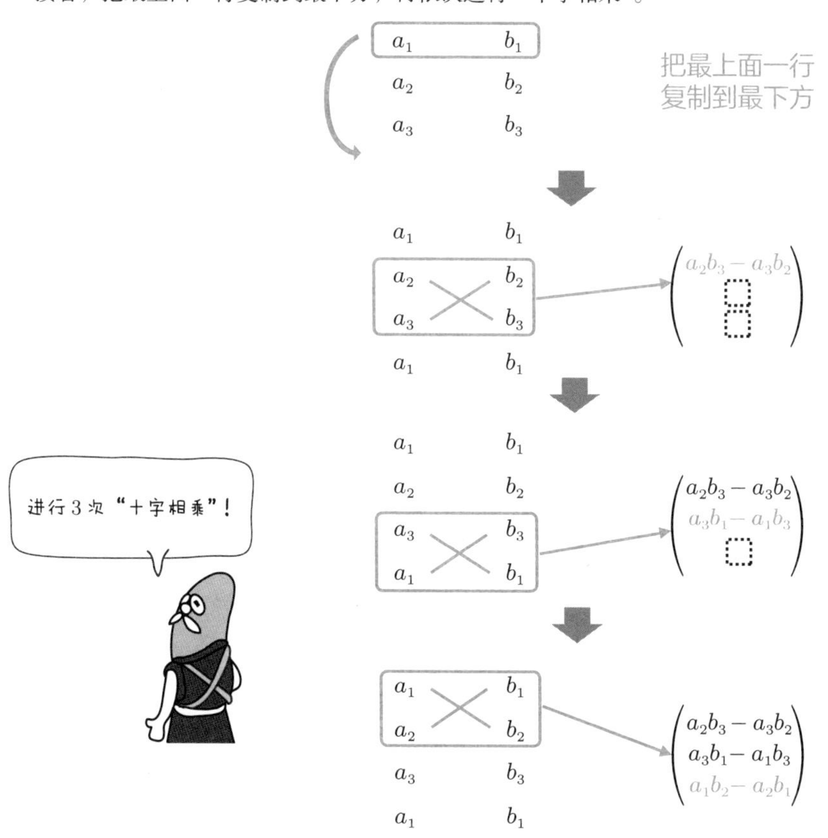

例 设 $\vec{a}=\begin{pmatrix}1\\2\\3\end{pmatrix}$，$\vec{b}=\begin{pmatrix}3\\2\\1\end{pmatrix}$，由

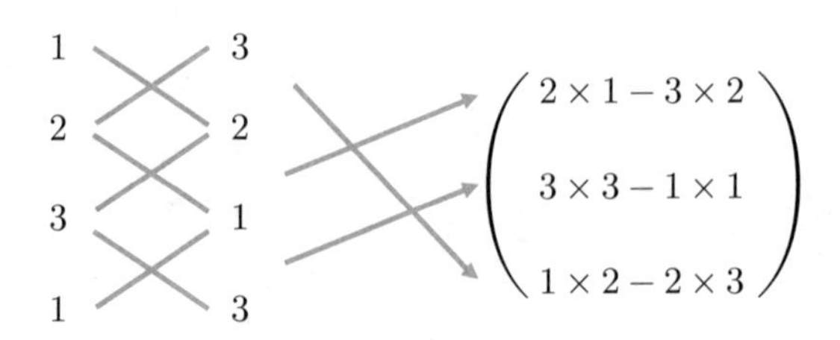

可得下式成立。

$$\vec{a}\times\vec{b}=\begin{pmatrix}2\times1-3\times2\\3\times3-1\times1\\1\times2-2\times3\end{pmatrix}=\begin{pmatrix}-4\\8\\-4\end{pmatrix}$$

外积的几何含义

外积 $\vec{a}\times\vec{b}$ 的计算结果也是向量，其方向和大小如下所示[①]。

(i) $\vec{a}\times\vec{b}$ 的方向：右旋螺纹的螺丝由 $\vec{a}$ 向 $\vec{b}$ 旋转时螺纹的前进方向。

(ii) $\vec{a}\times\vec{b}$ 的大小：以 $\vec{a}$、$\vec{b}$ 为边的平行四边形的面积。

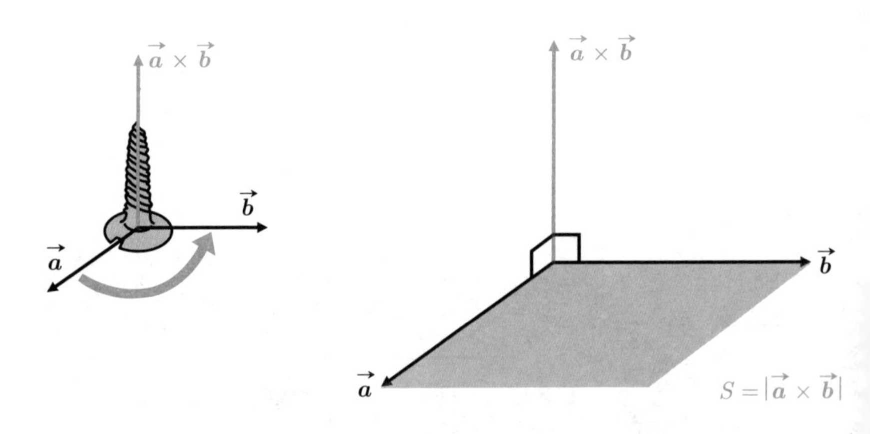

① 内积的计算结果仅包括大小，不包括方向。

位置向量

借助位置向量能够将几何问题用向量的方式来思考。

什么是位置向量

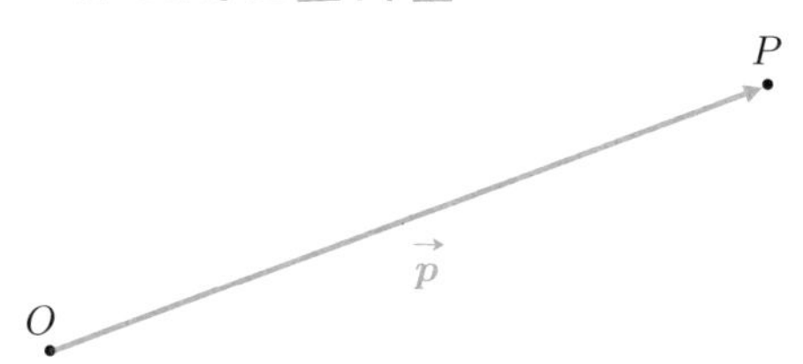

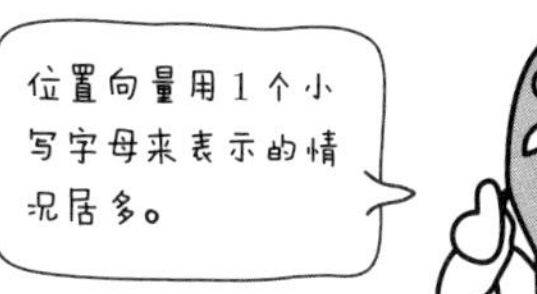

我们把以原点 O 为起点、以点 P 为终点的有向线段所表示的向量

$$\vec{p} = \overrightarrow{OP}$$

称为 P 的位置向量（position vector）[①]。

此外，我们用 $P(\vec{p})$ 来表示位置向量为 $\vec{p}$ 的点 P。

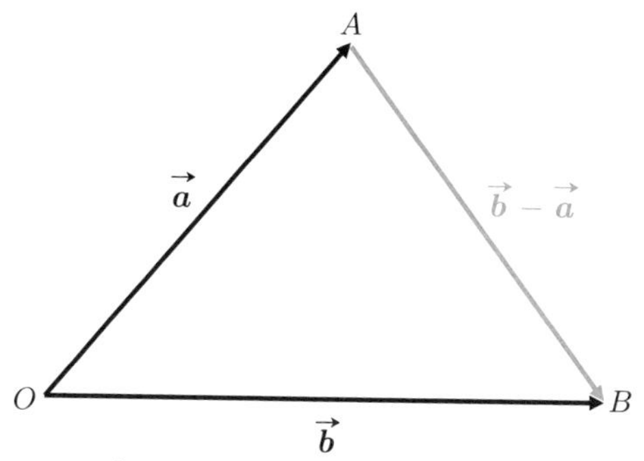

如上图所示，对于 $A(\vec{a})$、$B(\vec{b})$ 两个点，我们可以用以下式子来表示 $\overrightarrow{AB}$[②]。

$$\overrightarrow{AB} = \overrightarrow{OB} - \overrightarrow{OA}$$
$$\Rightarrow \quad \overrightarrow{AB} = \vec{b} - \vec{a}$$

特别是当 $\vec{a} = \vec{b}$ 时，A 和 B 为同一点。

① 位置向量的原点 O 可以是平面上的任意一点。
② 换起点公式：$\overrightarrow{AB} = \overrightarrow{XB} - \overrightarrow{XA}$（参见第 125 页）。

线段内分点的位置向量

$A(\vec{a})$与$B(\vec{b})$连成线段AB，设$\boldsymbol{P}(\vec{p})$以$\boldsymbol{m:n}$的比例内分线段$\boldsymbol{AB}$，则

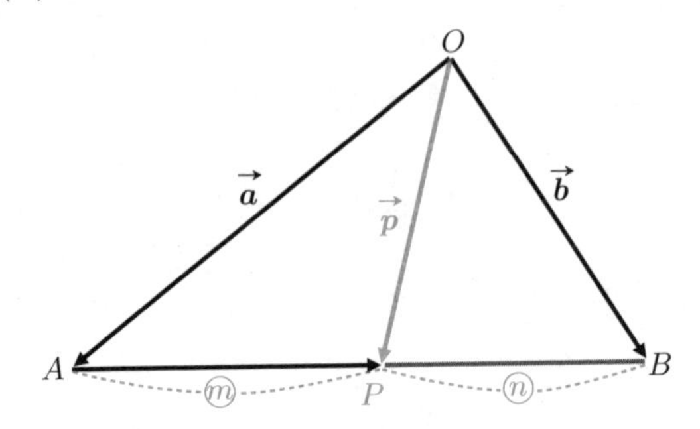

$$\vec{p}=\vec{a}+\overrightarrow{AP}=\vec{a}+\frac{m}{m+n}\overrightarrow{AB}=\vec{a}+\frac{m}{m+n}(\vec{b}-\vec{a})=\frac{(m+n)\vec{a}+m(\vec{b}-\vec{a})}{m+n}$$

$$\Rightarrow\quad \vec{p}=\frac{n\vec{a}+m\vec{b}}{m+n}$$

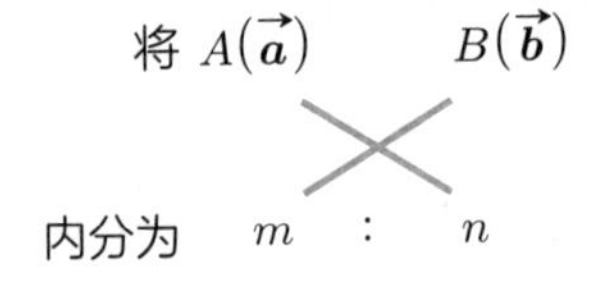

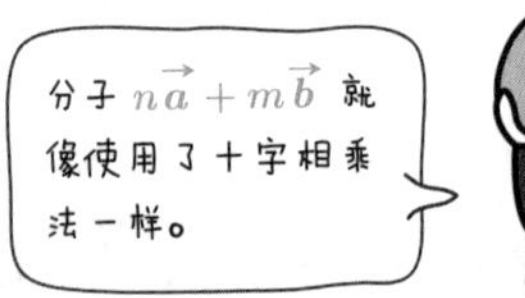

线段外分点的位置向量

$A(\vec{a})$与$B(\vec{b})$连成线段AB，设$\boldsymbol{Q}(\vec{q})$以$\boldsymbol{m:n}$的比例外分线段$\boldsymbol{AB}$，则

(i) 当$m>n$时

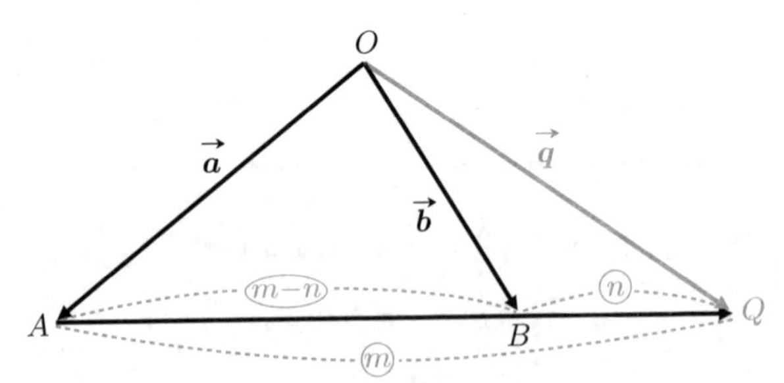

$$\vec{q}=\vec{a}+\overrightarrow{AQ}=\vec{a}+\frac{m}{m-n}\overrightarrow{AB}=\vec{a}+\frac{m}{m-n}(\vec{b}-\vec{a})=\frac{(m-n)\vec{a}+m(\vec{b}-\vec{a})}{m-n}$$

$$\Rightarrow\quad \vec{q}=\frac{-n\vec{a}+m\vec{b}}{m-n}$$

(ii) 当 $m<n$ 时

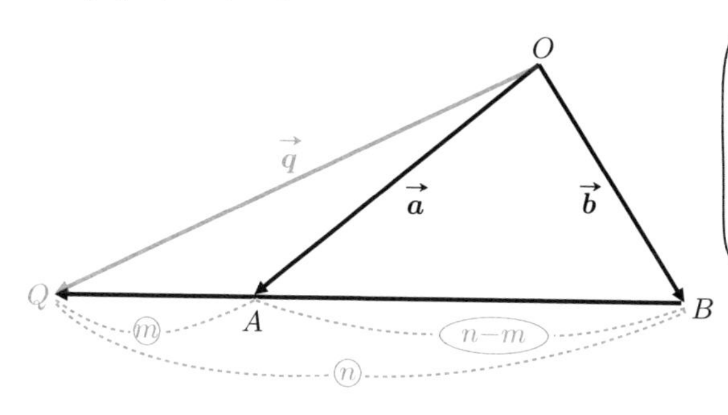

$$\vec{q}=\vec{a}+\overrightarrow{AQ}=\vec{a}+\frac{n}{n-m}\overrightarrow{BA}=\vec{a}+\frac{n}{n-m}(\vec{a}-\vec{b})=\frac{(n-m)\vec{a}+m(\vec{a}-\vec{b})}{n-m}$$

$$\Rightarrow\quad \vec{q}=\frac{n\vec{a}-m\vec{b}}{n-m}=\frac{-n\vec{a}+m\vec{b}}{m-n}$$

综上所述，无论前提是 (i) 还是 (ii)，都有如下公式成立。

$$\vec{q}=\frac{-n\vec{a}+m\vec{b}}{m-n}$$

以 $m:n$ 的比例内分	以 $m:n$ 的比例外分
$\dfrac{n\vec{a}+m\vec{b}}{m+n}$	$\dfrac{-n\vec{a}+m\vec{b}}{m+(-n)}$

如果把"以 $m:n$ 的比例外分"看作"以 $m:-n$ 的比例内分"，似乎就没有必要再去记忆外分的公式了！

向量方程

学到向量方程后，很多人就开始摸不着头脑了。其实，向量方程就是当图中存在点 $P(\vec{p})$ 时，满足 $\vec{p}$ 的一个向量公式。

直线的向量方程（其一）

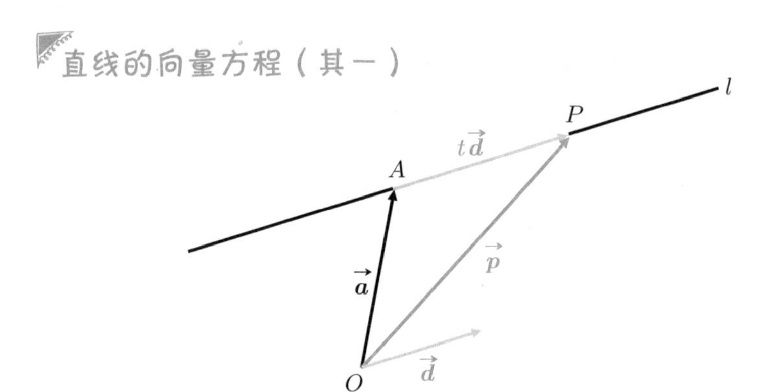

设经过点 $A(\vec{a})$ 且平行于非零向量 $\vec{d}$ 的直线为 l，点 $P(\vec{p})$ 位于直线 l 上。

由 $\overrightarrow{AP} /\!/ \vec{d}$ 或 $\overrightarrow{AP} = \mathbf{0} \Leftrightarrow \overrightarrow{AP} = t\vec{d}$ 可知，存在一个实数 t 满足 $\overrightarrow{AP} = t\vec{d}$。

$$\Leftrightarrow \quad \vec{p} - \vec{a} = t\vec{d}$$

$$\Leftrightarrow \quad \vec{p} = \vec{a} + t\vec{d} \qquad \cdots ①$$

由 ① 式可知，**点 P 在直线 l 上的位置会随 t 值的变化而变化**。这里，我们将 ① 式称为**直线 l 的**向量方程（vector equation）。① 式中的 **t 称为**参数（parameter），**$\vec{d}$ 称为直线 l 的**方向向量（direction vector）。

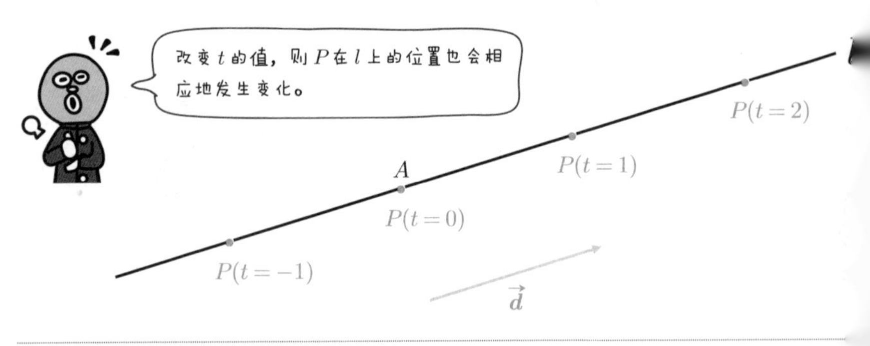

直线的向量方程（其二）

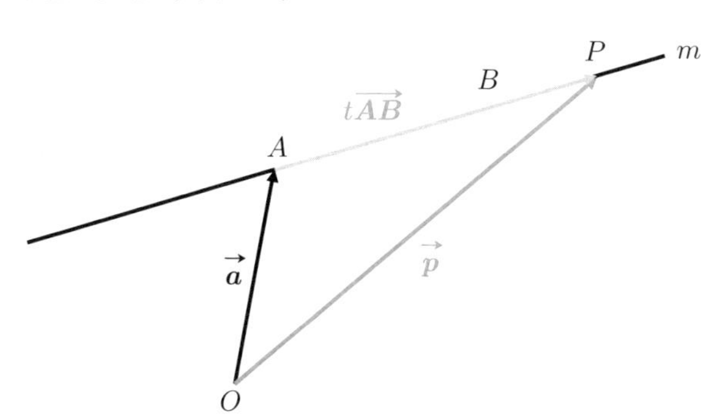

设直线 m 经过点 $A(\vec{a})$ 和 $B(\vec{b})$，点 $P(\vec{p})$ 位于直线 m 上。

由 $\overrightarrow{AP} /\!/ \overrightarrow{AB}$ 或 $\overrightarrow{AP}=\mathbf{0} \Leftrightarrow \overrightarrow{AP}=t\overrightarrow{AB}$ 可知，存在一个实数 t 满足 $\overrightarrow{AP}=t\overrightarrow{AB}$。

$$\Leftrightarrow \quad \vec{p}-\vec{a}=t(\vec{b}-\vec{a})$$

$$\Leftrightarrow \quad \vec{p}=(1-t)\vec{a}+t\vec{b} \qquad \cdots②$$

由②式可知，**点 P 在直线 m 上的位置随着 t 值的变化而变化**。这里，我们将②式称为**直线 m 的向量方程**。此外，由②式可知，当 $0 \leqslant t \leqslant 1$ 时，**②式表示线段 AB**。

令几个点位于同一直线上的条件称为共线条件（collinearity condition）。
设 $\overrightarrow{AP}=t\overrightarrow{AB}$，将其用位置向量表示为

$$\vec{p}=(1-t)\vec{a}+t\vec{b},$$

这就是点 P 存在于直线 AB 上的共线条件。

$$\overrightarrow{AP}=\overrightarrow{OP}-\overrightarrow{OA}=\vec{p}-\vec{a}$$

这里实际上用到了换起点公式（参见第125页）。

直线的向量方程（其三）

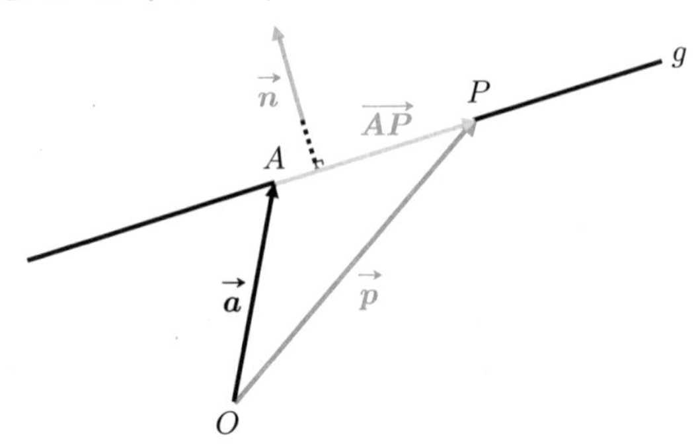

设经过点 $A(\vec{a})$ 且垂直于非零向量 $\vec{n}$ 的直线为 g，点 $P(\vec{p})$ 位于直线 g 上。

$$\overrightarrow{AP} \perp \vec{n} \text{ 或 } \overrightarrow{AP} = \mathbf{0} \Leftrightarrow \vec{n} \cdot \overrightarrow{AP} = 0$$ ①

$$\Leftrightarrow \quad \vec{n} \cdot (\vec{p} - \vec{a}) = 0 \qquad \cdots③$$

当 P 位于直线 g 上时 ③ 式总是成立，所以 ③ 式是**直线 g 的**向量方程。

此外，我们将垂直于直线 g 的向量 $\vec{n}$ 称为**直线 g 的**法向量（normal vector）。

① 向量垂直的条件：$\vec{a} \perp \vec{b} \Leftrightarrow \vec{a} \cdot \vec{b} = 0$（参见第 132 页）。

圆的向量方程（其一）

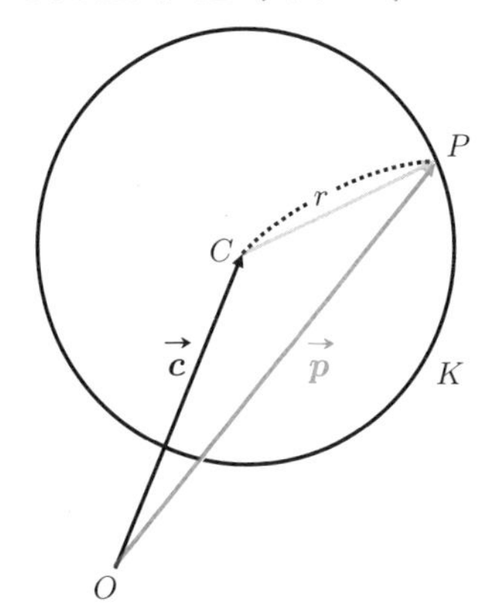

以点 $C(\vec{c})$ 为圆心，以 r 为半径作圆 K，点 $P(\vec{p})$ 位于圆 K 上。因为线段 CP 的长度总为 r，所以以下公式成立。

$$|\overrightarrow{CP}|=r \Leftrightarrow |\vec{p}-\vec{c}|=r \quad \cdots④$$

当 P 位于圆 K 上时 ④ 式总是成立，所以 ④ 式是**圆 K 的向量方程**。

圆的向量方程（其二）

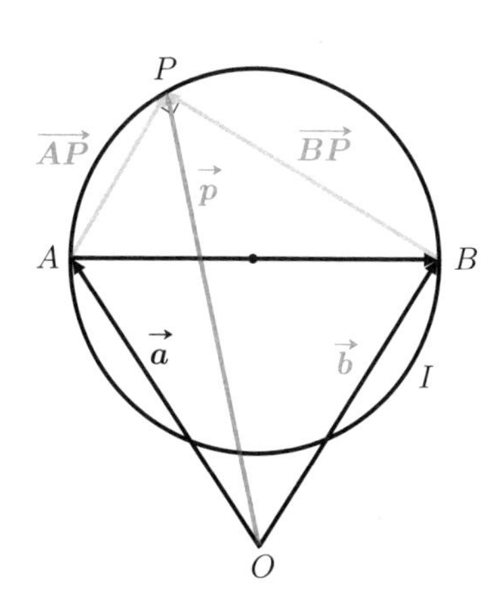

设以线段 AB 为直径的圆为 I，点 $P(\vec{p})$ 位于圆 I 上。因为直径所对圆周角为 90°，所以下式成立。

$$\overrightarrow{AP} \perp \overrightarrow{BP} \Leftrightarrow \overrightarrow{AP} \cdot \overrightarrow{BP}=0$$

$$\Leftrightarrow (\vec{p}-\vec{a}) \cdot (\vec{p}-\vec{b})=0 \quad \cdots⑤$$

当 P 位于圆 I 上时 ⑤ 式总是成立，所以 ⑤ 式是**圆 I 的向量方程**。

矩阵基础和运算

目前，矩阵的内容已经从日本高中数学的教学大纲中删去了，但在大学阶段，矩阵是线性代数的基础。为此，本书依然整理出了矩阵相关的内容。

什么是矩阵

$$\overbrace{\begin{pmatrix} a_{11} & a_{12} & \cdots & a_{1n} \\ a_{21} & a_{22} & \cdots & a_{2n} \\ \vdots & \vdots & \cdots & \vdots \\ a_{m1} & a_{m2} & \cdots & a_{mn} \end{pmatrix}}^{n\text{列}} \quad m\text{行} \qquad m \times n\text{矩阵}$$

把数字或字母像上图那样排成长方形的形状，这种式子称为矩阵（matrix）。一个 m 行 n 列的矩阵称为 $\boldsymbol{m \times n}$ **矩阵**（m、n 为自然数）[1]。

例 $\begin{pmatrix} 1 & 2 \\ 3 & 4 \end{pmatrix}$：$2\times2$ 矩阵。$\begin{pmatrix} 1 & 2 & 3 \\ 4 & 5 & 6 \\ 7 & 8 & 9 \end{pmatrix}$：$3\times3$ 矩阵。

拥有 m 个分量并将其纵向书写的向量称为 $m \times 1$ 矩阵，拥有 n 个分量并横向书写的向量称为 $1 \times n$ 矩阵。

例 $\vec{a} = \begin{pmatrix} 1 \\ 2 \\ 3 \end{pmatrix}$：$3 \times 1$ 矩阵。$\vec{b} = (5 \;\; 6)$：1×2 矩阵。

矩阵一般用大写的英文字母来表示，如 $\boldsymbol{A} = \begin{pmatrix} 1 & 2 \\ 3 & 4 \end{pmatrix}$。

① 也可以说“m 行 n 列矩阵”或“(m, n) 型矩阵”。

矩阵中的数称为该矩阵的元素（component），简称元。位于第 i 行第 j 列的元素称为该矩阵的 (i, j) 元。

例 设有矩阵 $\begin{pmatrix} a & b \\ c & d \end{pmatrix}$，则其元素如下所示。

$$a\text{: }(1,\ 1)\text{ 元}\quad b\text{: }(1,\ 2)\text{ 元}$$
$$c\text{: }(2,\ 1)\text{ 元}\quad d\text{: }(2,\ 2)\text{ 元}$$

矩阵和向量的积

$\boldsymbol{A} = \begin{pmatrix} a & b \\ c & d \end{pmatrix}$ 和 $\vec{\boldsymbol{x}} = \begin{pmatrix} x \\ y \end{pmatrix}$ 的积如下所示。

$$\boldsymbol{A}\vec{\boldsymbol{x}} = \begin{pmatrix} a & b \\ c & d \end{pmatrix}\begin{pmatrix} x \\ y \end{pmatrix} = \begin{pmatrix} ax + by \\ cx + dy \end{pmatrix}$$

当 $\vec{a} = (x_a, y_a)$，$\vec{b} = (x_b, y_b)$ 时，
$\vec{a} \cdot \vec{b} = x_a x_b + y_a y_b$。

$\vec{u} = (a, b)$ $\vec{x} = (x, y)$ $\vec{u} \cdot \vec{x} = ax + by$

$$\begin{pmatrix} a & b \\ c & d \end{pmatrix} = \begin{pmatrix} x \\ y \end{pmatrix} = \begin{pmatrix} ax + by \\ cx + dy \end{pmatrix} \qquad \begin{pmatrix} a & b \\ c & d \end{pmatrix} = \begin{pmatrix} x \\ y \end{pmatrix} = \begin{pmatrix} ax + by \\ cx + dy \end{pmatrix}$$

$\vec{v} = (c, d)$ $\vec{x} = (x, y)$ $\vec{v} \cdot \vec{x} = cx + dy$

设 $\vec{\boldsymbol{u}} = (a, b)$，$\vec{\boldsymbol{v}} = (c, d)$，那么 $\boldsymbol{A}\vec{\boldsymbol{x}}$ 就是纵向表示内积 $\vec{\boldsymbol{u}} \cdot \vec{\boldsymbol{x}}$ 和 $\vec{\boldsymbol{v}} \cdot \vec{\boldsymbol{x}}$ 的形式。

根据上述内容，我们可以将二元一次方程组用如下形式表示。

$$\begin{cases} x + 2y = 5 \\ 3x + 4y = 6 \end{cases} \Rightarrow \begin{pmatrix} 1 & 2 \\ 3 & 4 \end{pmatrix}\begin{pmatrix} x \\ y \end{pmatrix} = \begin{pmatrix} 5 \\ 6 \end{pmatrix}$$

矩阵之和与实数倍

设 $\boldsymbol{A}=\begin{pmatrix} a & b \\ c & d \end{pmatrix}$，$\boldsymbol{B}=\begin{pmatrix} p & q \\ r & s \end{pmatrix}$，我们将矩阵 $\boldsymbol{A}$、$\boldsymbol{B}$ 之和与矩阵 $\boldsymbol{A}$ 的实数倍分别定义如下。

$$A+B=\begin{pmatrix} a & b \\ c & d \end{pmatrix}+\begin{pmatrix} p & q \\ r & s \end{pmatrix}=\begin{pmatrix} a+p & b+q \\ c+r & d+s \end{pmatrix}$$

$$kA=k\begin{pmatrix} a & b \\ c & d \end{pmatrix}=\begin{pmatrix} ka & kb \\ kc & kd \end{pmatrix} \quad (k \text{ 为实数})$$

据前述定义可知，对于实数 k、l 及 $\boldsymbol{A}=\begin{pmatrix} a & b \\ c & d \end{pmatrix}$、$\boldsymbol{B}=\begin{pmatrix} p & q \\ r & s \end{pmatrix}$、$\vec{\boldsymbol{x}}=\begin{pmatrix} x \\ y \end{pmatrix}$，有如下公式成立。

$$(kA+lB)\vec{x}=kA\vec{x}+lB\vec{x}$$

矩阵的积

设 $\boldsymbol{A}=\begin{pmatrix} a & b \\ c & d \end{pmatrix}$，$\boldsymbol{B}=\begin{pmatrix} p & q \\ r & s \end{pmatrix}$，我们将矩阵 $\boldsymbol{A}$、$\boldsymbol{B}$ 的积定义如下。

$$AB=\begin{pmatrix} a & b \\ c & d \end{pmatrix}\begin{pmatrix} p & q \\ r & s \end{pmatrix}=\begin{pmatrix} ap+br & aq+bs \\ cp+dr & cq+ds \end{pmatrix}$$

$$\underset{A}{\begin{pmatrix} a & b \\ c & d \end{pmatrix}}\begin{pmatrix} \overset{\vec{p}}{p} & \overset{\vec{q}}{q} \\ r & s \end{pmatrix}=\begin{pmatrix} \overset{A\vec{p}}{ap+br} & \overset{A\vec{q}}{aq+bs} \\ cp+dr & cq+ds \end{pmatrix}$$

设 $\vec{p}=\begin{pmatrix} p \\ r \end{pmatrix}$，$\vec{q}=\begin{pmatrix} q \\ s \end{pmatrix}$，那么 AB 就是横向表示 $A\vec{p}$ 和 $A\vec{q}$[①] 的形式。

① $\boldsymbol{A}\vec{\boldsymbol{p}}=\begin{pmatrix} a & b \\ c & d \end{pmatrix}\begin{pmatrix} p \\ r \end{pmatrix}=\begin{pmatrix} ap+br \\ cp+dr \end{pmatrix}$、$\boldsymbol{A}\vec{\boldsymbol{q}}=\begin{pmatrix} a & b \\ c & d \end{pmatrix}\begin{pmatrix} q \\ s \end{pmatrix}=\begin{pmatrix} aq+bs \\ cq+ds \end{pmatrix}$。

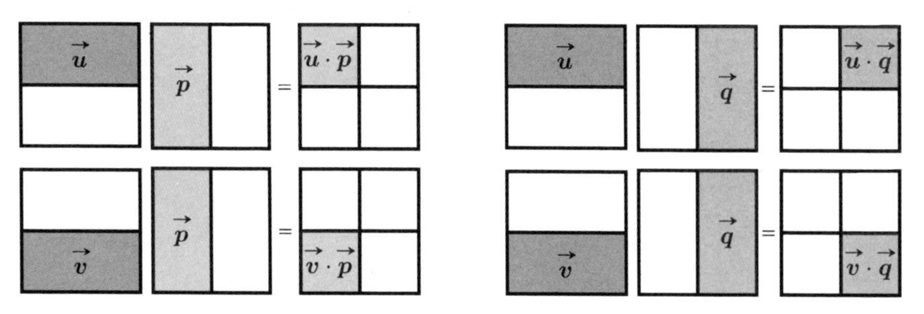

例 设 $A=\begin{pmatrix}1&2\\3&4\end{pmatrix}$，$B=\begin{pmatrix}4&3\\2&1\end{pmatrix}$，则

$$AB=\begin{pmatrix}1&2\\3&4\end{pmatrix}\begin{pmatrix}4&3\\2&1\end{pmatrix}=\begin{pmatrix}1\times4+2\times2&1\times3+2\times1\\3\times4+4\times2&3\times3+4\times1\end{pmatrix}=\begin{pmatrix}8&5\\20&13\end{pmatrix}$$

$$BA=\begin{pmatrix}4&3\\2&1\end{pmatrix}\begin{pmatrix}1&2\\3&4\end{pmatrix}=\begin{pmatrix}4\times1+3\times3&4\times2+3\times4\\2\times1+1\times3&2\times2+1\times4\end{pmatrix}=\begin{pmatrix}13&20\\5&8\end{pmatrix}$$

由上述例子可知，一般来说，对于矩阵的积，下述内容成立。

$$AB\neq BA$$

我们把这称为**矩阵乘法的不可交换性**。

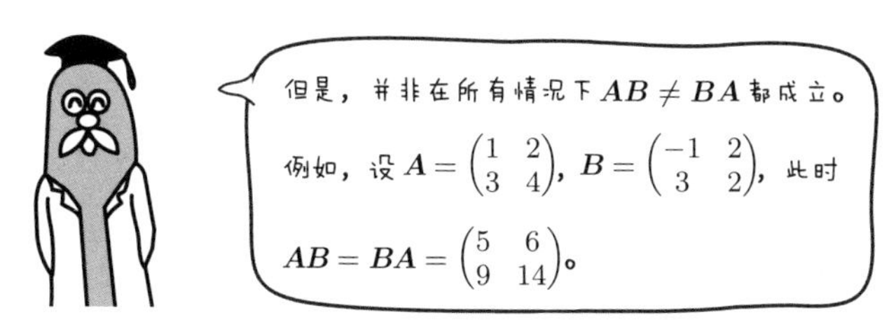

此外，我们这样定义矩阵的乘法运算法则是为了使 $A(B\vec{x})=(AB)\vec{x}$ 成立。

单位矩阵与零矩阵

我们将左上至右下的对角线上的元素全为 1，其他元素全为 0 的矩阵

$$\boldsymbol{E}=\begin{pmatrix}1 & 0\\ 0 & 1\end{pmatrix}$$

称为单位矩阵（unit matrix），所有元素皆为 0 的矩阵

$$\boldsymbol{O}=\begin{pmatrix}0 & 0\\ 0 & 0\end{pmatrix}$$

称为零矩阵（zero matrix）①。

通过计算可知，对于任意矩阵 $\boldsymbol{A}$ 都有以下性质成立。

$$\text{(i)}\ \boldsymbol{AO}=\boldsymbol{OA}=\boldsymbol{O}$$

$$\text{(ii)}\ \boldsymbol{AE}=\boldsymbol{EA}=\boldsymbol{A}$$

单位矩阵和零矩阵在运算过程中所起的作用就像数 1 和 0 一样。

此外，当 $\boldsymbol{A}=\begin{pmatrix}1 & 2\\ 2 & 4\end{pmatrix}$，$\boldsymbol{B}=\begin{pmatrix}-2 & -2\\ 1 & 1\end{pmatrix}$时，

$$\boldsymbol{AB}=\begin{pmatrix}1 & 2\\ 2 & 4\end{pmatrix}\begin{pmatrix}-2 & -2\\ 1 & 1\end{pmatrix}=\begin{pmatrix}1\times(-2)+2\times1 & 1\times(-2)+2\times1\\ 2\times(-2)+4\times1 & 2\times(-2)+4\times1\end{pmatrix}=\begin{pmatrix}0 & 0\\ 0 & 0\end{pmatrix}$$

像这样，当 $\boldsymbol{A}\neq\boldsymbol{O}$，$\boldsymbol{B}\neq\boldsymbol{O}$，$\boldsymbol{AB}=\boldsymbol{O}$时，我们称矩阵 $\boldsymbol{A}$、$\boldsymbol{B}$ 为零因子（zero divisor）。

① 我国的高中数学教科书中用加粗的数字 **0** 表示零矩阵。——译者注

矩阵和方程

矩阵的历史要从二元一次方程组的解法开始说起。通过“逆矩阵”求解方程组是矩阵应用中最精彩的部分。

逆矩阵

一般来说，当矩阵 $\boldsymbol{A}$、$\boldsymbol{X}$ 满足

$$AX = XA = E$$

时，我们称 $\boldsymbol{X}$ 是 $\boldsymbol{A}$ 的逆矩阵（inverse matrix）。$\boldsymbol{A}$ 的逆矩阵用 $\boldsymbol{A}^{-1}$ 来表示。设 $\boldsymbol{A}=\begin{pmatrix} a & b \\ c & d \end{pmatrix}$，当 $ad-bc\neq 0$ 时，$\boldsymbol{A}^{-1}$ 如下所示。

$$A^{-1}=\frac{1}{ad-bc}\begin{pmatrix} d & -b \\ -c & a \end{pmatrix}$$

此外，当 $ad-bc=0$ 时，A^{-1} 不存在。

$$A=\begin{pmatrix} a & b \\ c & d \end{pmatrix} \text{ 取相反数 } \Rightarrow A^{-1}=\frac{1}{ad-bc}\begin{pmatrix} d & -b \\ -c & a \end{pmatrix}$$

●×● − ■×■

十字相乘

拓展 验证

设 $\boldsymbol{A}=\begin{pmatrix} a & b \\ c & d \end{pmatrix}$ 且 $ad-bc\neq 0$，$\boldsymbol{X}=\dfrac{1}{ad-bc}\begin{pmatrix} d & -b \\ -c & a \end{pmatrix}$，则

$$\boldsymbol{AX}=\begin{pmatrix} a & b \\ c & d \end{pmatrix}\left\{\frac{1}{ad-bc}\begin{pmatrix} d & -b \\ -c & a \end{pmatrix}\right\}=\frac{1}{ad-bc}\begin{pmatrix} a & b \\ c & d \end{pmatrix}\begin{pmatrix} d & -b \\ -c & a \end{pmatrix}$$

$$=\frac{1}{ad-bc}\begin{pmatrix} ad-bc & -ab+ab \\ cd-cd & -bc+ad \end{pmatrix}=\begin{pmatrix} 1 & 0 \\ 0 & 1 \end{pmatrix}=\boldsymbol{E}$$

$$\boldsymbol{XA}=\frac{1}{ad-bc}\begin{pmatrix} d & -b \\ -c & a \end{pmatrix}\begin{pmatrix} a & b \\ c & d \end{pmatrix}=\frac{1}{ad-bc}\begin{pmatrix} ad-bc & bd-bd \\ -ac+ac & -bc+ad \end{pmatrix}$$

$$=\begin{pmatrix} 1 & 0 \\ 0 & 1 \end{pmatrix}=\boldsymbol{E}$$

利用逆矩阵解二元一次方程组

下面，我们尝试利用逆矩阵来解二元一次方程组。

$$\begin{cases} ax+by=m \\ cx+dy=n \end{cases} \quad （其中\ ad-bc\neq 0）。$$

（i）用矩阵的形式表示这个方程组。

$$\begin{pmatrix} a & b \\ c & d \end{pmatrix}\begin{pmatrix} x \\ y \end{pmatrix}=\begin{pmatrix} m \\ n \end{pmatrix} \qquad \cdots ①$$

（ii）在 ① 式的等号两侧同时左乘 $\boldsymbol{A}=\begin{pmatrix} a & b \\ c & d \end{pmatrix}$ 的逆矩阵

$$\boldsymbol{A}^{-1}=\frac{1}{ad-bc}\begin{pmatrix} d & -b \\ -c & a \end{pmatrix}。$$

$$\frac{1}{ad-bc}\begin{pmatrix} d & -b \\ -c & a \end{pmatrix}\begin{pmatrix} a & b \\ c & d \end{pmatrix}\begin{pmatrix} x \\ y \end{pmatrix}=\frac{1}{ad-bc}\begin{pmatrix} d & -b \\ -c & a \end{pmatrix}\begin{pmatrix} m \\ n \end{pmatrix}$$

$$\Rightarrow \begin{pmatrix} 1 & 0 \\ 0 & 1 \end{pmatrix}\begin{pmatrix} x \\ y \end{pmatrix}=\frac{1}{ad-bc}\begin{pmatrix} dm-bn \\ -cm+an \end{pmatrix}$$

$$\Rightarrow \begin{pmatrix} x \\ y \end{pmatrix}=\frac{1}{ad-bc}\begin{pmatrix} dm-bn \\ -cm+an \end{pmatrix}$$

$$A^{-1}A=E$$

$$\begin{pmatrix} a & b \\ c & d \end{pmatrix}\begin{pmatrix} x \\ y \end{pmatrix}=\begin{pmatrix} ax+by \\ cx+dy \end{pmatrix}$$

行列式

设 $\boldsymbol{A}=\begin{pmatrix} a & b \\ c & d \end{pmatrix}$，则 $\boldsymbol{ad-bc}$ **称为矩阵** $\boldsymbol{A}$ **的**行列式（determinant），**写作** $\det \boldsymbol{A}$ 或 $|\boldsymbol{A}|$。也就是说，下式成立。

$$\det \boldsymbol{A}=|\boldsymbol{A}|=ad-bc$$

此外，下述关系亦成立。

$$\boldsymbol{A}^{-1}\text{不存在} \quad \Leftrightarrow \quad \det \boldsymbol{A}=0$$

行列式为 0 时的二元一次方程组

对于二元一次方程组

$$\begin{cases} ax+by=m \\ cx+dy=n \end{cases}$$

当 $ad-bc=0$ 时，

$$ad-bc=0 \quad \Leftrightarrow \quad ad=bc \quad \Leftrightarrow \quad a:b=c:d$$ [1]

这意味着**直线 $ax+by=m$ 与直线 $cx+dy=n$ 相互平行**。

当方程组所表示的两条直线相互平行的时候，它们在坐标系中或是没有交点，或是有无数个交点的。也就是说，该方程组没有唯一解。

$$\begin{cases} x+2y=2 \\ 2x+4y=8 \end{cases}$$

$$\begin{cases} x+2y=2 \\ 2x+4y=4 \end{cases}$$

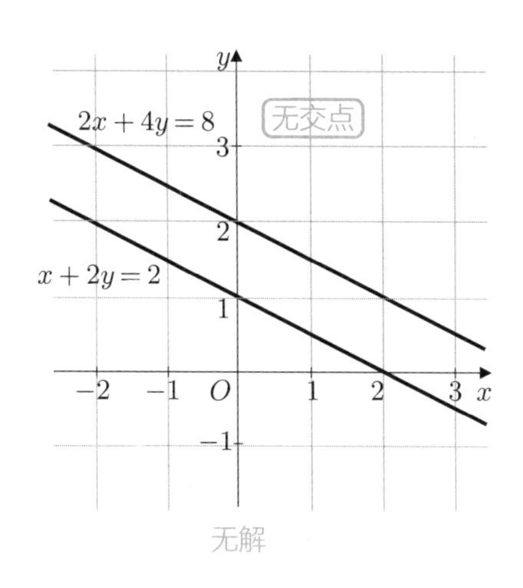

无解

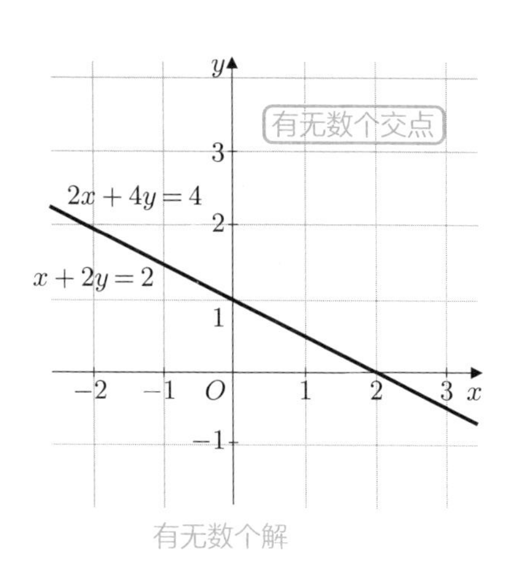

有无数个解

总结一下，当 $ad-bc=0$，也就是 A^{-1} 不存在的时候，方程组不存在唯一解。

[1] 把 $ad=bc$ 看作“外项积 = 内项积”即可知 $a:b=c:d$。

特征向量和特征值

一般来说，对于一个矩阵 $\boldsymbol{A}$，若存在某个实数 λ 能使向量 $\overrightarrow{\boldsymbol{x}}$ 满足以下条件，

$$\begin{cases} \boldsymbol{A}\overrightarrow{\boldsymbol{x}} = \lambda\overrightarrow{\boldsymbol{x}} \\ \overrightarrow{\boldsymbol{x}} \neq \boldsymbol{0} \end{cases}$$

则称**向量 $\overrightarrow{\boldsymbol{x}}$** 为矩阵 $\boldsymbol{A}$ 的特征向量（characteristic vector），称 λ 为 $\boldsymbol{A}$ 的特征值（characteristic value）。

当 $\overrightarrow{x}=0$ 时，无论 λ 为何值，$\boldsymbol{A}\overrightarrow{\boldsymbol{x}} = \lambda\overrightarrow{\boldsymbol{x}}$ 都成立。
另外，对于特殊的 $\overrightarrow{x}$ 与特殊的 λ，即使 $\overrightarrow{x} \neq 0$，
$\boldsymbol{A}\overrightarrow{\boldsymbol{x}} = \lambda\overrightarrow{\boldsymbol{x}}$ 亦成立。

特征向量和特征值的求法

由 $\boldsymbol{A}\overrightarrow{\boldsymbol{x}} = \lambda\overrightarrow{\boldsymbol{x}}\ (\overrightarrow{\boldsymbol{x}} \neq \boldsymbol{0})$ 可得

$$\boldsymbol{A}\overrightarrow{\boldsymbol{x}} = \lambda\overrightarrow{\boldsymbol{x}} \ \Rightarrow\ \boldsymbol{A}\overrightarrow{\boldsymbol{x}} - \lambda\overrightarrow{\boldsymbol{x}} = \boldsymbol{0} \ \Rightarrow\ \boldsymbol{A}\overrightarrow{\boldsymbol{x}} - \lambda\boldsymbol{E}\overrightarrow{\boldsymbol{x}} = \boldsymbol{0} \ \Rightarrow\ (\boldsymbol{A} - \lambda\boldsymbol{E})\overrightarrow{\boldsymbol{x}} = \boldsymbol{0}$$

此时，设 $(\boldsymbol{A} - \lambda\boldsymbol{E})^{-1}$ 存在，则有

$$(\boldsymbol{A} - \lambda\boldsymbol{E})\overrightarrow{\boldsymbol{x}} = \boldsymbol{0} \ \Rightarrow\ (\boldsymbol{A} - \lambda\boldsymbol{E})^{-1}(\boldsymbol{A} - \lambda\boldsymbol{E})\overrightarrow{\boldsymbol{x}} = (\boldsymbol{A} - \lambda\boldsymbol{E})^{-1}\boldsymbol{0} \ \Rightarrow\ \overrightarrow{\boldsymbol{x}} = \boldsymbol{0}$$

与 $\overrightarrow{\boldsymbol{x}} \neq \boldsymbol{0}$ 矛盾。

因此 $(\boldsymbol{A} - \lambda\boldsymbol{E})^{-1}$ 不存在，也就是说 $\det(\boldsymbol{A} - \lambda \boldsymbol{E}) = \boldsymbol{0}$。

设 $\boldsymbol{A} = \begin{pmatrix} a & b \\ c & d \end{pmatrix}$，则有

$$\boldsymbol{A} - \lambda\boldsymbol{E} = \begin{pmatrix} a & b \\ c & d \end{pmatrix} - \lambda\begin{pmatrix} 1 & 0 \\ 0 & 1 \end{pmatrix} = \begin{pmatrix} a-\lambda & b \\ c & d-\lambda \end{pmatrix}$$

由行列式 $=0$ 可以
得到一个二次方程
……

所以下式成立。

$$\begin{aligned} &\det(\boldsymbol{A} - \lambda\boldsymbol{E}) = (a-\lambda)(d-\lambda) - bc = 0 \\ &\Rightarrow\ \boldsymbol{\lambda^2 - (a+d)\lambda + ad - bc = 0} \qquad \cdots② \end{aligned}$$

我们把关于 λ 的二次方程②称为 $\boldsymbol{A} = \begin{pmatrix} \boldsymbol{a} & \boldsymbol{b} \\ \boldsymbol{c} & \boldsymbol{d} \end{pmatrix}$ 的特征方程（characteristic equation），**特征方程的根即为特征值**。

求矩阵 $\boldsymbol{A}=\begin{pmatrix}1 & 2\\ -1 & 4\end{pmatrix}$ 的特征值和特征向量。

解特征方程可得

$$\begin{aligned}
&\lambda^2-(1+4)\lambda+1\cdot4-2\cdot(-1)=0\\
\Rightarrow\quad &\lambda^2-5\lambda+6=0\\
\Rightarrow\quad &(\lambda-2)(\lambda-3)=0\\
\Rightarrow\quad &\lambda=2,3
\end{aligned}$$

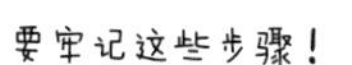

(i) 当 $\boldsymbol{\lambda=2}$ 时

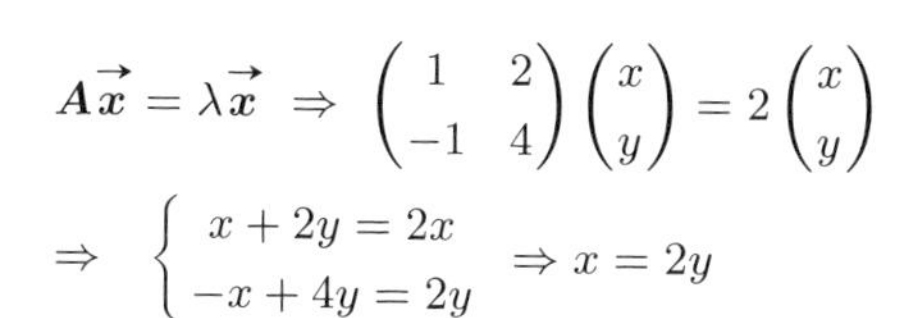

$$\boldsymbol{A}\vec{\boldsymbol{x}}=\lambda\vec{\boldsymbol{x}}\ \Rightarrow\ \begin{pmatrix}1 & 2\\ -1 & 4\end{pmatrix}\begin{pmatrix}x\\ y\end{pmatrix}=2\begin{pmatrix}x\\ y\end{pmatrix}$$

$$\Rightarrow\ \begin{cases}x+2y=2x\\ -x+4y=2y\end{cases}\ \Rightarrow x=2y$$

此时，**特征向量**可以通过实数 t 以如下方式表示。

$$\vec{x}=\begin{pmatrix}\boldsymbol{2t}\\ \boldsymbol{t}\end{pmatrix}\text{ 且 }\boldsymbol{t\neq0}$$

(ii) 当 $\boldsymbol{\lambda=3}$ 时

$$\boldsymbol{A}\vec{\boldsymbol{x}}=\lambda\vec{\boldsymbol{x}}\ \Rightarrow\ \begin{pmatrix}1 & 2\\ -1 & 4\end{pmatrix}\begin{pmatrix}x\\ y\end{pmatrix}=3\begin{pmatrix}x\\ y\end{pmatrix}$$

$$\Rightarrow\ \begin{cases}x+2y=3x\\ -x+4y=3y\end{cases}\ \Rightarrow\ x=y$$

与 (i) 同理，此时**特征向量**可以通过实数 s 以如下方式表示。

$$\vec{x}=\begin{pmatrix}s\\ s\end{pmatrix}\text{ 且 }\boldsymbol{s\neq0}$$

当矩阵存在特征值的时候，就会有无数个特征向量。

这是因为由 $\boldsymbol{A}\vec{\boldsymbol{x}}=\lambda\vec{\boldsymbol{x}}$ 得出的方程组所代表的两条直线一旦重合就会存在无数个交点。

矩阵的对角化

设矩阵 $\boldsymbol{A}$ 的特征向量为

$$\overrightarrow{\boldsymbol{x_1}}=\begin{pmatrix}x_1\\y_1\end{pmatrix},\ \overrightarrow{\boldsymbol{x_2}}=\begin{pmatrix}x_2\\y_2\end{pmatrix}$$

它们分别有对应的特征值 λ_1 和 λ_2，这时有

$$\boldsymbol{A}\overrightarrow{\boldsymbol{x_1}}=\lambda_1\overrightarrow{\boldsymbol{x_1}}\Rightarrow\boldsymbol{A}\begin{pmatrix}x_1\\y_1\end{pmatrix}=\lambda_1\begin{pmatrix}x_1\\y_1\end{pmatrix}=\begin{pmatrix}\lambda_1x_1\\\lambda_1y_1\end{pmatrix}$$

$$\boldsymbol{A}\overrightarrow{\boldsymbol{x_2}}=\lambda_2\overrightarrow{\boldsymbol{x_2}}\Rightarrow\boldsymbol{A}\begin{pmatrix}x_2\\y_2\end{pmatrix}=\lambda_2\begin{pmatrix}x_2\\y_2\end{pmatrix}=\begin{pmatrix}\lambda_2x_1\\\lambda_2y_1\end{pmatrix}$$

综上可得下式成立。

$$\boldsymbol{A}\begin{pmatrix}x_1&x_2\\y_1&y_2\end{pmatrix}=\begin{pmatrix}k_1x_1&k_2x_2\\k_1y_1&k_2y_2\end{pmatrix}$$

这里，我们把等式右侧拆分为两个矩阵乘积的形式，使等式左右两侧出现同样的矩阵。

$$\boldsymbol{A}\begin{pmatrix}x_1&x_2\\y_1&y_2\end{pmatrix}=\begin{pmatrix}x_1&x_2\\y_1&y_2\end{pmatrix}\begin{pmatrix}k_1&0\\0&k_2\end{pmatrix}$$

设

$$\boldsymbol{P}=\begin{pmatrix}x_1&x_2\\y_1&y_2\end{pmatrix}$$

$$\begin{pmatrix}a&b\\c&d\end{pmatrix}\begin{pmatrix}p&q\\r&s\end{pmatrix}=\begin{pmatrix}ap+br&aq+bs\\cp+dr&cq+ds\end{pmatrix}$$

将其代入原式可得

$$\boldsymbol{AP}=\boldsymbol{P}\begin{pmatrix}k_1&0\\0&k_2\end{pmatrix}$$

等式两侧同时左乘 $\boldsymbol{P}^{-1}$ 可得如下结果。

$$\boldsymbol{P}^{-1}\boldsymbol{AP}=\boldsymbol{P}^{-1}\boldsymbol{P}\begin{pmatrix}k_1&0\\0&k_2\end{pmatrix}$$

$$\Rightarrow\quad\boldsymbol{P}^{-1}\boldsymbol{AP}=\boldsymbol{E}\begin{pmatrix}k_1&0\\0&k_2\end{pmatrix}$$

$$\Rightarrow\quad\boldsymbol{P}^{-1}\boldsymbol{AP}=\begin{pmatrix}k_1&0\\0&k_2\end{pmatrix}$$

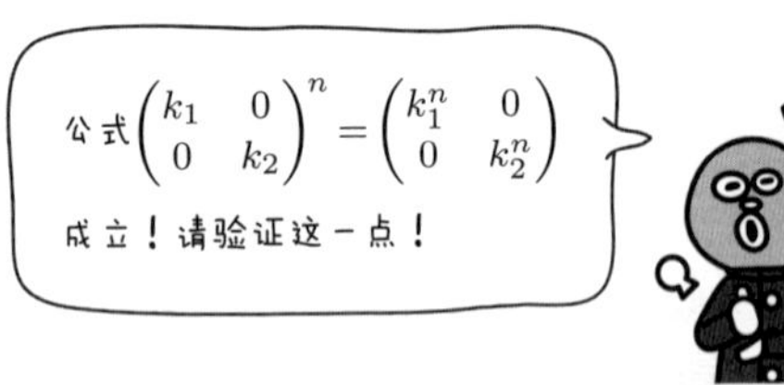

利用特征向量和特征值进行以上一系列操作的过程称为矩阵的对角（diagonalization）。

线性变换

用来表示平面上点的移动的“线性变换”是日本旧版高中数学教科书中关于矩阵应用方面相当重要的知识点。

什么是线性变换

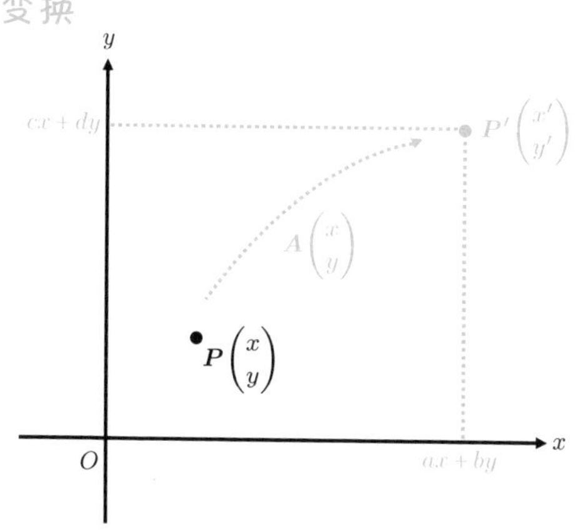

如上图所示，在平面直角坐标系中有一点 $\boldsymbol{P}\begin{pmatrix}x\\y\end{pmatrix}$，经移动到了点 $\boldsymbol{P}'\begin{pmatrix}x'\\y'\end{pmatrix}$，我们把点 $\boldsymbol{P}'$ 的坐标用矩阵 $\boldsymbol{A}=\begin{pmatrix}\boldsymbol{a}&\boldsymbol{b}\\\boldsymbol{c}&\boldsymbol{d}\end{pmatrix}$ 如下表示。

$$\begin{pmatrix}\boldsymbol{x'}\\\boldsymbol{y'}\end{pmatrix}=\boldsymbol{A}\begin{pmatrix}\boldsymbol{x}\\\boldsymbol{y}\end{pmatrix}$$

$$A\begin{pmatrix}x\\y\end{pmatrix}=\begin{pmatrix}a&b\\c&d\end{pmatrix}\begin{pmatrix}x\\y\end{pmatrix}=\begin{pmatrix}ax+by\\cx+dy\end{pmatrix}$$

也就是说，若

$$\begin{cases}x'=ax+by\\y'=cx+dy\end{cases}$$

成立，我们就把这个点的移动过程称为线性变换（linear transformation）。

在考虑线性变换的过程中，一般将点的坐标以纵向书写的向量形式来表示。早日习惯这种点坐标的表示方法有助于高中生进入大学后学习线性代数。

线性法则

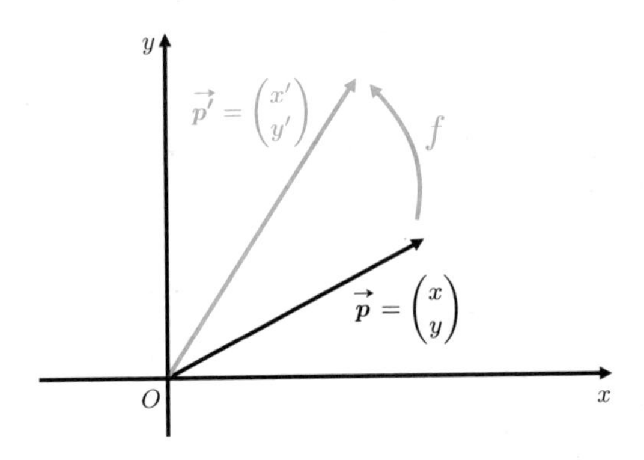

我们把 $\overrightarrow{p}$ 通过线性变换 f 变为 $\overrightarrow{p'}$ 的过程表示为 $\overrightarrow{p'} = f(\overrightarrow{p})$。对任意向量 $\overrightarrow{p}$、$\overrightarrow{q}$ 及任意实数 α、β，有以下公式成立。

$$f(\alpha\overrightarrow{p} + \beta\overrightarrow{q}) = \alpha f(\overrightarrow{p}) + \beta f(\overrightarrow{q})$$

我们把变换 f 的这种性质称为线性法则（linearity）。

重要的线性变换（其一）：缩放变换

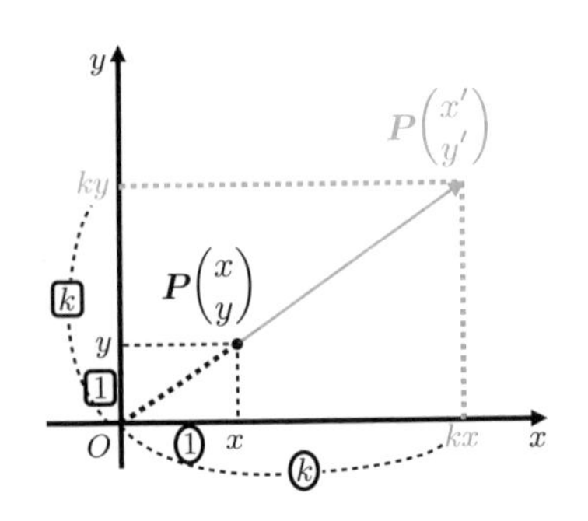

将平面上的任意一点 P 移动到点 P'，使其满足 $\overrightarrow{OP'} = k\overrightarrow{OP}$，这种变换我们称为以点 O 为中心缩放 k 倍。

将点 $\boldsymbol{P}\begin{pmatrix} x \\ y \end{pmatrix}$ 以原点 O 为中心缩放 k 倍至点 $\boldsymbol{P'}\begin{pmatrix} x' \\ y' \end{pmatrix}$，该过程用公式

$$\begin{pmatrix} x' \\ y' \end{pmatrix} = \begin{pmatrix} kx \\ ky \end{pmatrix} = \begin{pmatrix} k & 0 \\ 0 & k \end{pmatrix}\begin{pmatrix} x \\ y \end{pmatrix}$$

来表示。由此可知，通过左乘矩阵 $\begin{pmatrix} k & 0 \\ 0 & k \end{pmatrix} = kE$ 可以得到**以原点 O 为中心缩放倍的线性变换**。

重要的线性变换（其二）：旋转变换

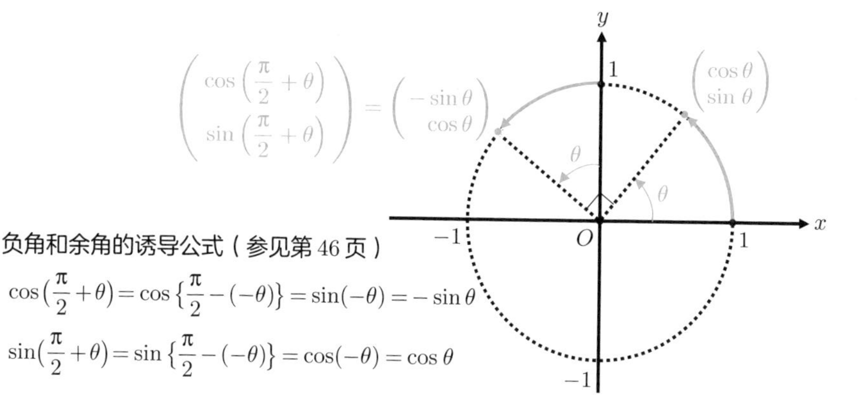

$(\cos(-\theta), \sin(-\theta)) = (\cos\theta, -\sin\theta)$（负角的诱导公式）

$\left(\cos\left(\frac{\pi}{2}-\theta\right), \sin\left(\frac{\pi}{2}-\theta\right)\right) = (\sin\theta, \cos\theta)$（余角的诱导公式）

设矩阵 $\boldsymbol{A}$ 表示上图中的点以原点 O 为中心逆时针旋转 θ 角的过程。其中点 $\begin{pmatrix}1\\0\end{pmatrix}$ 经由旋转移动至点 $\begin{pmatrix}\cos\theta\\\sin\theta\end{pmatrix}$，点 $\begin{pmatrix}0\\1\end{pmatrix}$ 经由旋转移动至点 $\begin{pmatrix}-\sin\theta\\\cos\theta\end{pmatrix}$。也就是说

$$\boldsymbol{A}\begin{pmatrix}1\\0\end{pmatrix}=\begin{pmatrix}\cos\theta\\\sin\theta\end{pmatrix}、\boldsymbol{A}\begin{pmatrix}0\\1\end{pmatrix}=\begin{pmatrix}-\sin\theta\\\cos\theta\end{pmatrix}$$

由此可得下式成立。

$$\boldsymbol{A}\begin{pmatrix}1&0\\0&1\end{pmatrix}=\begin{pmatrix}\cos\theta&-\sin\theta\\\sin\theta&\cos\theta\end{pmatrix} \Rightarrow \boldsymbol{A}=\begin{pmatrix}\cos\theta&-\sin\theta\\\sin\theta&\cos\theta\end{pmatrix}$$

综上所述，通过左乘矩阵 $\begin{pmatrix}\cos\theta&-\sin\theta\\\sin\theta&\cos\theta\end{pmatrix}$ 可以得到**以原点 O 为中心逆时针旋转 θ 角的线性变换**[1]。

[1] 利用这一点可以证明三角函数的两角和差公式。

重要的线性变换（其三）：对称变换

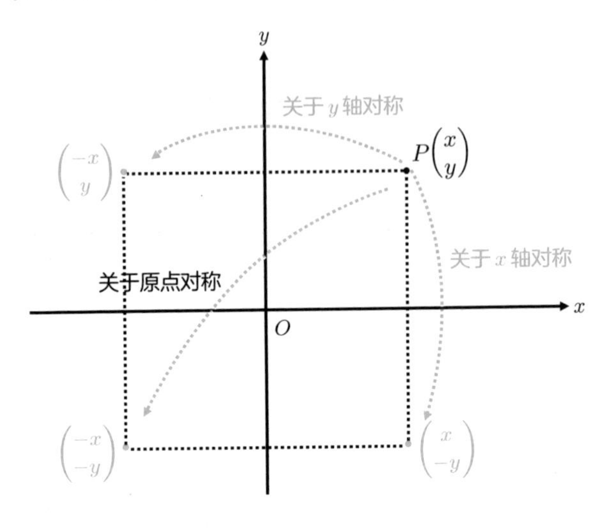

关于 x 轴的对称变换

设点 $P\begin{pmatrix}x\\y\end{pmatrix}$ 关于 x 轴对称的点为 $P'\begin{pmatrix}x'\\y'\end{pmatrix}$，则有

$$\begin{pmatrix}x'\\y'\end{pmatrix}=\begin{pmatrix}x\\-y\end{pmatrix}=\begin{pmatrix}\mathbf{1}&\mathbf{0}\\\mathbf{0}&\mathbf{-1}\end{pmatrix}\begin{pmatrix}x\\y\end{pmatrix}$$

由此可得，通过左乘矩阵 $\begin{pmatrix}1&0\\0&-1\end{pmatrix}$ 可以得到关于 $\boldsymbol{x}$ 轴的对称变换。

关于 y 轴的对称变换

设点 $P\begin{pmatrix}x\\y\end{pmatrix}$ 关于 y 轴对称的点为 $P'\begin{pmatrix}x'\\y'\end{pmatrix}$，则有

$$\begin{pmatrix}x'\\y'\end{pmatrix}=\begin{pmatrix}-x\\y\end{pmatrix}=\begin{pmatrix}\mathbf{-1}&\mathbf{0}\\\mathbf{0}&\mathbf{1}\end{pmatrix}\begin{pmatrix}x\\y\end{pmatrix}$$

由此可得，通过左乘矩阵 $\begin{pmatrix}-1&0\\0&1\end{pmatrix}$ 可以得到关于 $\boldsymbol{y}$ 轴的对称变换。

关于原点的对称变换

设点 $P\begin{pmatrix}x\\y\end{pmatrix}$ 关于原点对称的点为 $P'\begin{pmatrix}x'\\y'\end{pmatrix}$，则有

$$\begin{pmatrix}x'\\y'\end{pmatrix}=\begin{pmatrix}-x\\-y\end{pmatrix}=\begin{pmatrix}\mathbf{-1}&\mathbf{0}\\\mathbf{0}&\mathbf{-1}\end{pmatrix}\begin{pmatrix}x\\y\end{pmatrix}$$

由此可得，通过左乘矩阵 $\begin{pmatrix}-1&0\\0&-1\end{pmatrix}$ 可以得到关于原点的对称变换。

拓展 关于 $y = \tan\theta \cdot x$ 的对称变换

关于直线 $y = \tan\theta \cdot x$ 的对称变换分为以下 3 个阶段。

(i) 以原点为中心顺时针旋转 θ 角。

(ii) 进行关于 x 轴的对称变换。

(iii) 以原点为中心逆时针旋转 θ 角。

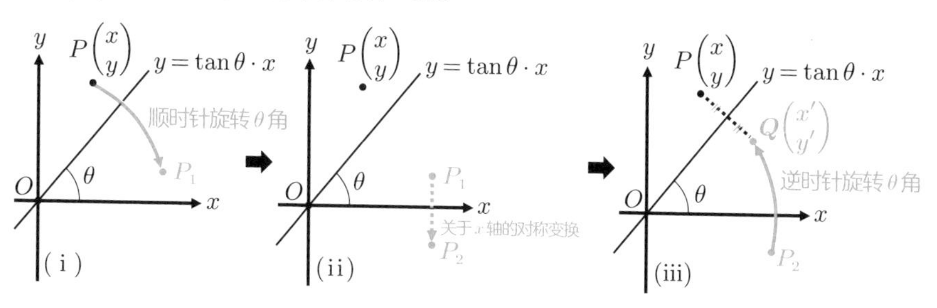

(i) 将点 $P\begin{pmatrix}x\\y\end{pmatrix}$ 以原点为中心顺时针旋转 θ 角至点 $P_1\begin{pmatrix}x_1\\y_1\end{pmatrix}$，则下式成立。

$$\begin{pmatrix}x_1\\y_1\end{pmatrix}=\begin{pmatrix}\cos(-\theta) & -\sin(-\theta)\\ \sin(-\theta) & \cos(-\theta)\end{pmatrix}\begin{pmatrix}x\\y\end{pmatrix}=\begin{pmatrix}\cos\theta & \sin\theta\\ -\sin\theta & \cos\theta\end{pmatrix}\begin{pmatrix}x\\y\end{pmatrix}$$

(ii) 将点 $P_1\begin{pmatrix}x_1\\y_1\end{pmatrix}$ 关于 x 轴对称的点设为 $P_2\begin{pmatrix}x_2\\y_2\end{pmatrix}$，则下式成立。

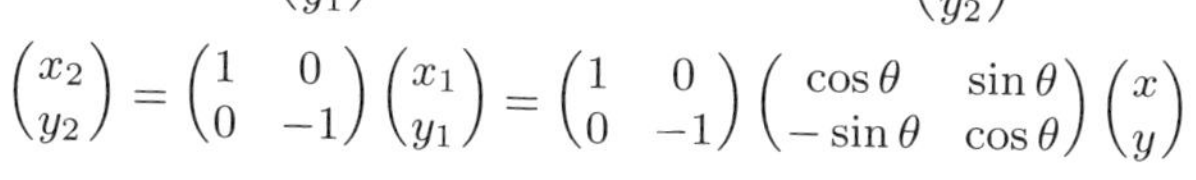

$$\begin{pmatrix}x_2\\y_2\end{pmatrix}=\begin{pmatrix}1 & 0\\ 0 & -1\end{pmatrix}\begin{pmatrix}x_1\\y_1\end{pmatrix}=\begin{pmatrix}1 & 0\\ 0 & -1\end{pmatrix}\begin{pmatrix}\cos\theta & \sin\theta\\ -\sin\theta & \cos\theta\end{pmatrix}\begin{pmatrix}x\\y\end{pmatrix}$$

(iii) 将点 $P_2\begin{pmatrix}x_2\\y_2\end{pmatrix}$ 以原点为中心逆时针旋转 θ 角至点 $Q\begin{pmatrix}x'\\y'\end{pmatrix}$，则下式成立。

$$\begin{pmatrix}x'\\y'\end{pmatrix}=\begin{pmatrix}\cos\theta & -\sin\theta\\ \sin\theta & \cos\theta\end{pmatrix}\begin{pmatrix}x_2\\y_2\end{pmatrix}=\begin{pmatrix}\cos\theta & -\sin\theta\\ \sin\theta & \cos\theta\end{pmatrix}\begin{pmatrix}1 & 0\\ 0 & -1\end{pmatrix}\begin{pmatrix}\cos\theta & \sin\theta\\ -\sin\theta & \cos\theta\end{pmatrix}\begin{pmatrix}x\\y\end{pmatrix}$$

$$=\begin{pmatrix}\cos\theta & \sin\theta\\ \sin\theta & -\cos\theta\end{pmatrix}\begin{pmatrix}\cos\theta & \sin\theta\\ -\sin\theta & \cos\theta\end{pmatrix}\begin{pmatrix}x\\y\end{pmatrix}$$

$$=\begin{pmatrix}\cos^2\theta-\sin^2\theta & 2\sin\theta\cos\theta\\ 2\sin\theta\cos\theta & \sin^2\theta-\cos^2\theta\end{pmatrix}\begin{pmatrix}x\\y\end{pmatrix}$$

$$=\begin{pmatrix}\cos 2\theta & \sin 2\theta\\ \sin 2\theta & -\cos 2\theta\end{pmatrix}\begin{pmatrix}x\\y\end{pmatrix}$$

> 根据两角和公式（参见第 47 页），下式成立。
>
> $\cos 2\theta = \cos(\theta+\theta)$
> $\quad = \cos^2\theta - \sin^2\theta$
>
> $\sin 2\theta = \sin(\theta+\theta)$
> $\quad = 2\sin\theta\cos\theta$

由此可得，通过左乘矩阵 $\begin{pmatrix}\cos 2\theta & \sin 2\theta\\ \sin 2\theta & -\cos 2\theta\end{pmatrix}$ 可以得到**关于直线 $y = \tan\theta \cdot x$ 的对称变换**。

Rotational movement

第7章　复平面（补充内容）

复平面基础

回顾日本高中教学大纲的变迁史，我们会发现“复平面”和“矩阵”的内容总是轮流被删，又轮流被加回来。二者的共通点是它们在处理旋转问题时非常方便。

虚数单位

我们把满足

$$i^2 = -1$$

的数，即

$$i = \sqrt{-1}$$

中的 i 称为虚数单位（imaginary unit）。

什么是复数

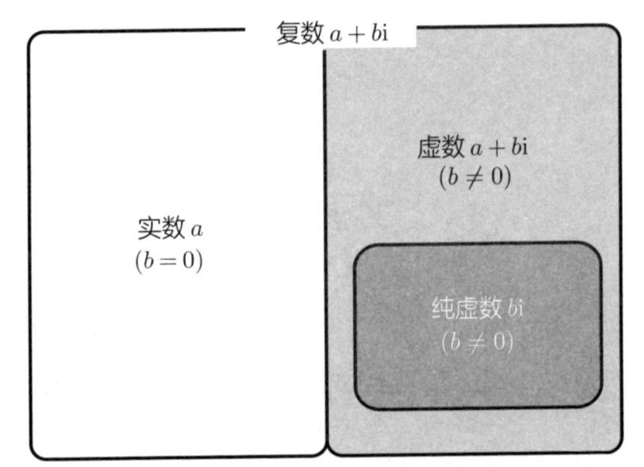

我们把通过实数 a、b 来表示的数

$$\boldsymbol{a + bi}$$

称为复数（complex number）。其中 $\boldsymbol{a}$ **称为实部，** $\boldsymbol{b}$ **称为虚部。**

关于复数 $a + bi$，有如下规定。

- 当 $b = 0$ 时 $\Rightarrow$ 复数 $a + 0i$ 等于**实数** $\boldsymbol{a}$
- 当 $b \neq 0$ 时 $\Rightarrow$ 复数 $a + bi$ 称为**虚数**
- 当 $a = 0$ 且 $b \neq 0$ 时 $\Rightarrow$ 复数 $0 + bi$ 称为**纯虚数**

什么是复平面

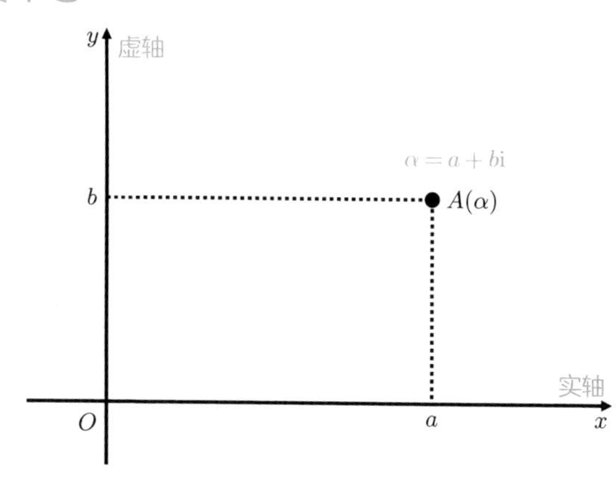

如上图所示，如果用坐标平面上的点 (a, b) 来表示复数 $\alpha = a + b\mathrm{i}$，则**任意一个复数都有平面上的点与其一一对应**。这时，我们把这个坐标平面称为复平面（complex plane）。

在复平面中，x 轴称为实轴（real axis），y 轴称为虚轴（imaginary axis）。位于实轴上的点为实数，位于虚轴上的点（原点除外）为纯虚数。另外，复平面上用来表示复数 α 的点 A 写作 $\boldsymbol{A(\alpha)}$。有时我们还将点 A 直接称为点 $\boldsymbol{\alpha}$。

共轭复数

对于复数 $\alpha = a + b\mathrm{i}$（a、b 为实数），我们把 $\boldsymbol{\overline{\alpha} = a - b\mathrm{i}}$ 称为 α 的共轭复数（conjugate complex number）。

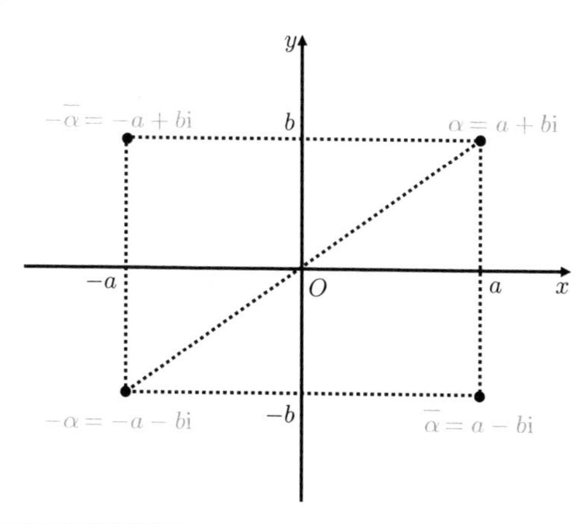

共轭复数的运算

关于共轭复数的运算，有如下公式成立[1]。

(i) $\overline{\alpha+\beta}=\overline{\alpha}+\overline{\beta}$

(ii) $\overline{\alpha-\beta}=\overline{\alpha}-\overline{\beta}$

(iii) $\overline{\alpha\beta}=\overline{\alpha}\cdot\overline{\beta}$

(iv) $\overline{\left(\dfrac{\beta}{\alpha}\right)}=\dfrac{\overline{\beta}}{\overline{\alpha}}$

复数的绝对值

对于复数 $\alpha=a+bi$，我们把

$$|\alpha|=\sqrt{\alpha\overline{\alpha}}=\sqrt{a^2+b^2}$$

称为**复数 $\boldsymbol{\alpha}$** 的绝对值（absolute value）。

我们可以像下面这样计算。

$$\alpha\overline{\alpha}=(a+bi)(a-bi)$$
$$=a^2-(bi)^2=a^2-b^2i^2=a^2+b^2$$

如下图所示，复数 α 的绝对值表示的是原点 O 到点 α 之间的距离。

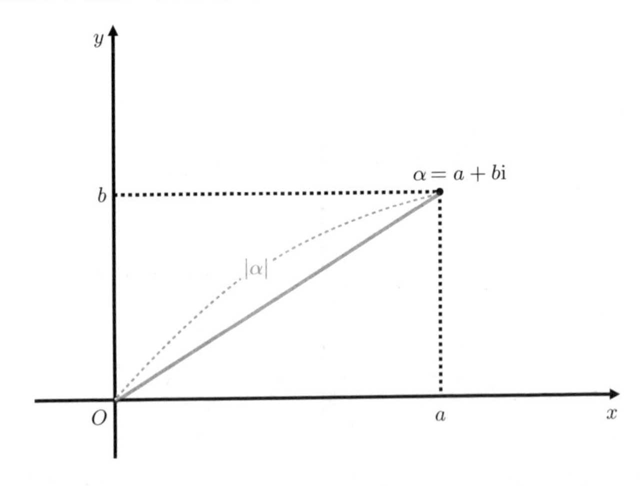

① 用 $\alpha=a+bi$，$\beta=c+di$ 代入计算一下即可验证。

复数的极形式

极形式是用复平面原点到复数的距离，以及复向量与实轴之间的夹角来表示复数的一种形式，利用极形式可以方便地进行复数间的乘除运算。

什么是极形式

对于复数 $\alpha = a + bi$，当 $\alpha \neq 0$ 时，设

$$r = |\alpha| = \sqrt{a^2 + b^2}$$

那么就可以用点 A 与原点之间的距离 r，以及复向量与 x 轴（实轴）正方向之间的夹角 θ 来表示 α。

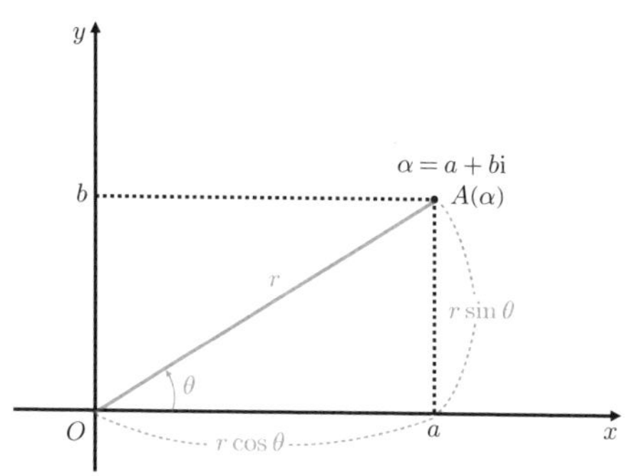

这时，$a = r\cos\theta$，$b = r\sin\theta$，因此下式成立。

$$\alpha = r(\cos\theta + i\sin\theta)$$

我们把上面这个公式称为复数 α 的极坐标形式（polar form），简称极形式。角 θ 称为辐角（argument），复数 α 的辐角用 $\arg\alpha$ 来表示。

当 $\alpha = \sqrt{3} + i$ 时

$r = |\alpha| = \sqrt{(\sqrt{3})^2 + 1^2} = \sqrt{4} = 2$

$\arg\alpha = \dfrac{\pi}{6}$

$\Rightarrow \quad \alpha = 2\left(\cos\dfrac{\pi}{6} + i\sin\dfrac{\pi}{6}\right)$

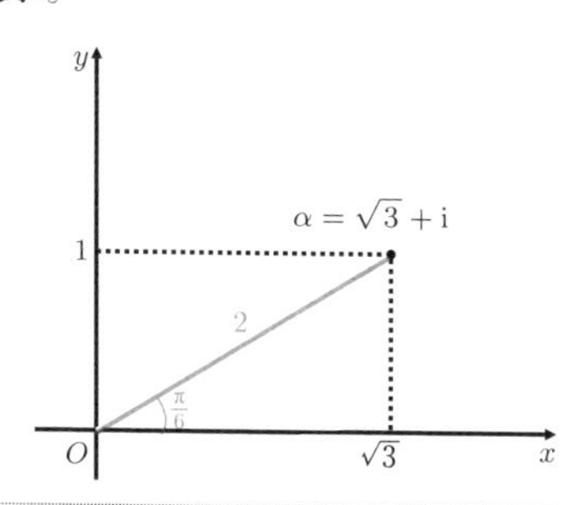

复数的乘法和除法

设 $z_1 = r_1(\cos\theta_1 + \mathrm{i}\sin\theta_1)$，$z_2 = r_2(\cos\theta_2 + \mathrm{i}\sin\theta_2)$，可以得到以下结果。

(i) $z_1 z_2 = r_1 r_2\{\cos(\theta_1 + \theta_2) + \mathrm{i}\sin(\theta_1 + \theta_2)\}$

(ii) $|z_1 z_2| = |z_1||z_2|$

(iii) $\arg z_1 z_2 = \arg z_1 + \arg z_2$

(iv) $\dfrac{z_2}{z_1} = \dfrac{r_2}{r_1}\{\cos(\theta_2 - \theta_1) + \mathrm{i}\sin(\theta_2 - \theta_1)\}$

(v) $\left|\dfrac{z_2}{z_1}\right| = \dfrac{r_2}{r_1} = \dfrac{|z_2|}{|z_1|}$

(vi) $\arg\dfrac{z_2}{z_1} = \arg z_2 - \arg z_1$

证明

$$
\begin{aligned}
z_1 z_2 &= r_1(\cos\theta_1 + \mathrm{i}\sin\theta_1)\cdot r_2(\cos\theta_2 + \mathrm{i}\sin\theta_2)\\
&= r_1 r_2(\cos\theta_1 + \mathrm{i}\sin\theta_1)(\cos\theta_2 + \mathrm{i}\sin\theta_2)\\
&= r_1 r_2\left(\cos\theta_1\cos\theta_2 + \mathrm{i}\cos\theta_1\sin\theta_2 + \mathrm{i}\sin\theta_1\cos\theta_2 + \mathrm{i}^2\sin\theta_1\sin\theta_2\right)\\
&= r_1 r_2(\cos\theta_1\cos\theta_2 + \mathrm{i}\cos\theta_1\sin\theta_2 + \mathrm{i}\sin\theta_1\cos\theta_2 - \sin\theta_1\sin\theta_2)\\
&= r_1 r_2\{(\cos\theta_1\cos\theta_2 - \sin\theta_1\sin\theta_2) + \mathrm{i}(\sin\theta_1\cos\theta_2 + \cos\theta_1\sin\theta_2)\}\\
&= r_1 r_2\{\cos(\theta_1 + \theta_2) + \mathrm{i}\sin(\theta_1 + \theta_2)\}
\end{aligned}
$$

$$
\begin{aligned}
\frac{z_2}{z_1} &= \frac{r_2(\cos\theta_2 + \mathrm{i}\sin\theta_2)}{r_1(\cos\theta_1 + \mathrm{i}\sin\theta_1)}\\
&= \frac{r_2(\cos\theta_2 + \mathrm{i}\sin\theta_2)}{r_1(\cos\theta_1 + \mathrm{i}\sin\theta_1)} \times \frac{(\cos\theta_1 - \mathrm{i}\sin\theta_1)}{(\cos\theta_1 - \mathrm{i}\sin\theta_1)}\\
&= \frac{r_2(\cos\theta_2\cos\theta_1 + \mathrm{i}\sin\theta_2\cos\theta_1 - \mathrm{i}\cos\theta_2\sin\theta_1 - \mathrm{i}^2\sin\theta_2\sin\theta_1)}{r_1\left(\cos^2\theta_1 - \mathrm{i}^2\sin^2\theta_1\right)}\\
&= \frac{r_2(\cos\theta_2\cos\theta_1 + \mathrm{i}\sin\theta_2\cos\theta_1 - \mathrm{i}\cos\theta_2\sin\theta_1 + \sin\theta_2\sin\theta_1)}{r_1\left(\cos^2\theta_1 + \sin^2\theta_1\right)}\\
&= \frac{r_2\{(\cos\theta_2\cos\theta_1 + \sin\theta_2\sin\theta_1) + \mathrm{i}(\sin\theta_2\cos\theta_1 - \cos\theta_2\sin\theta_1)\}}{r_1}\\
&= \frac{r_2}{r_1}\{\cos(\theta_2 - \theta_1) + \mathrm{i}\sin(\theta_2 - \theta_1)\}
\end{aligned}
$$

（证毕

[1] arg 的计算与对数的运算法则（参见第 62 页）类似。

用复数表示旋转变换

因为当 $z_1 = r_1(\cos\theta_1 + \mathrm{i}\sin\theta_1)$，$z_2 = r_2(\cos\theta_2 + \mathrm{i}\ \sin\theta_2)$ 时，

$$z_1z_2 = r_1r_2\{\cos(\theta_1+\theta_2) + \mathrm{i}\sin(\theta_1+\theta_2)\}$$

所以设 $z = r(\cos\theta + \mathrm{i}\sin\theta)$，$w = (\cos\varphi + \mathrm{i}\sin\varphi)$，则有

$$\boldsymbol{wz = r\{\cos(\theta+\varphi) + \mathrm{i}\sin(\theta+\varphi)\}}$$

又因为

$$|wz| = r = |z|、\arg(wz) = \theta + \varphi$$

可知 $Q(wz)$ 是点 $P(z)$ 以原点为中心逆时针旋转 φ 角后得到的点。

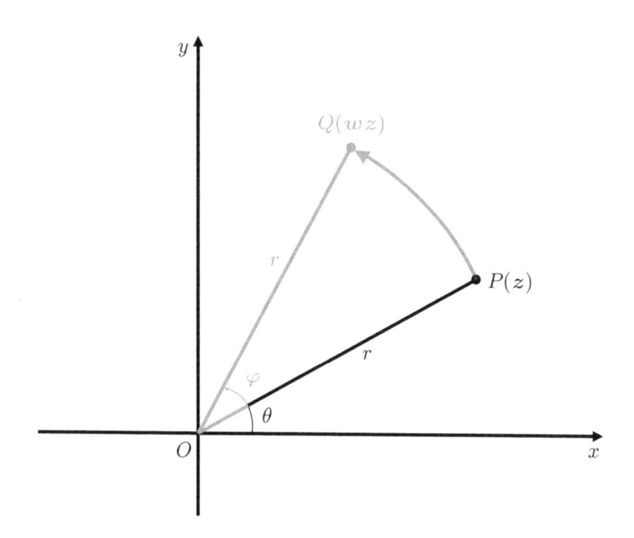

棣莫弗公式

不为零的复数乘以绝对值为 1 的复数 $z = \cos\theta + \mathrm{i}\sin\theta$，表示其以原点为中心旋转了 θ 角，由此可得

$$z^2\text{ 的辐角为 }2\theta，z^3\text{ 的辐角为 }3\theta，z^4\text{ 的辐角为 }4\theta\cdots\cdots$$

此外，他们的绝对值满足下式。

$$|z| = |z^2| = |z^3| = |z^4| = \cdots = 1$$

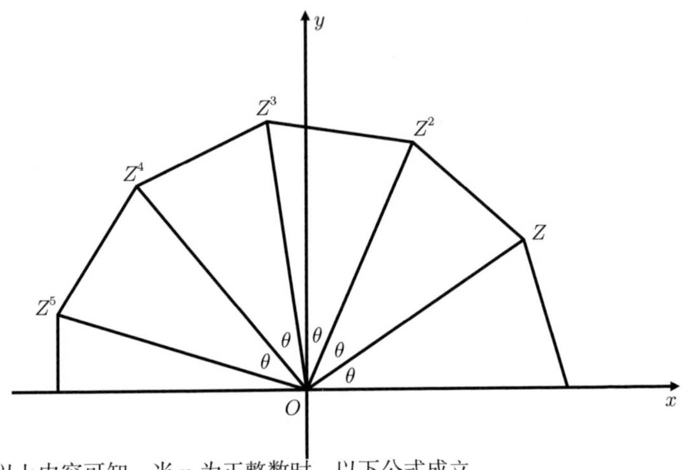

由以上内容可知，当 n 为正整数时，以下公式成立。

$$(\cos\theta + \mathrm{i}\sin\theta)^n = \cos n\theta + \mathrm{i}\sin n\theta \quad \cdots①$$

这就是棣莫弗公式（de Moivre's formula）。

拓展 当 n 为负整数时

对于不为零的复数 $z = \cos\theta + \mathrm{i}\sin\theta$ 和自然数 m，我们规定 $z^{-m} = \frac{1}{z^m}$，因此

$$\begin{aligned} z^{-m} &= \frac{1}{z^m} = \frac{1}{(\cos\theta + \mathrm{i}\sin\theta)^m} = \frac{1}{\cos m\theta + \mathrm{i}\sin m\theta} \\ &= \frac{1}{\cos m\theta + \mathrm{i}\sin m\theta} \cdot \frac{\cos m\theta - \mathrm{i}\sin m\theta}{\cos m\theta - \mathrm{i}\sin m\theta} = \frac{\cos m\theta - \mathrm{i}\sin m\theta}{\cos^2 m\theta + \sin^2 m\theta} \\ &= \cos m\theta - \mathrm{i}\sin m\theta = \cos(-m\theta) + \mathrm{i}\sin(-m\theta) \end{aligned}$$

成立。由此可得，$(\cos\theta + \mathrm{i}\sin\theta)^{-m} = \cos(-m\theta) + \mathrm{i}\sin(-m\theta)$。这说明 ① 式在 n 为负整数时亦成立。

学数学的两个理由

很多初、高中时期学不好数学的人，工作以后都会说这样的话：

“进社会以后根本没有地方需要你会解二次方程，或是证明两个图形相似。回想一下学生时代，我都快被数学搞疯了，早知道就不那么努力学它了！”

确实，后来在大学学文科的人，甚至是学理科的人，日常生活中也很少会用到向量、数列、三角函数这类高中数学知识。然而，不单单是日本，大多数发达国家将数学列为高中必修科目，无论你学的是文科还是理科，都必须学习数学。这是为什么呢？

我认为有两个理由。

第一个理由是学数学可以**锻炼解决问题的能力**。在日本，同样是学习公式和图形的科目，小学叫作算术，到了初中却改名叫数学。这种变化可不是为了让它看起来“更高端”的，实际上，算术和数学的学习目标完全不同。

在过去的日本，算术指的是算盘的使用方法，可以说是一项生活技能。对于已经知道解决方法的问题，算术可以帮助人们更快地解决问题。

另外，面对频频出现的未知问题，现代社会迫切需要另一种能力来解决它们。**在汲取前人智慧的基础上，通过自身的逻辑思考，解决那些从未有人解决过的新问题**，这样的能力无论在哪个领域都极为重要。而在所有中学科目中，没有什么科目比数学更适合用来锻炼这种能力了。我们在数学中学习的解方程、几何证明等知识，都是用来打磨这种能力的工具。

学数学的第二个理由正如伽利略·伽利雷（Galileo Galilei）所言：“宇宙是由数学这门语言书写而成的。”**不理解数学，就无法参透宇宙的真谛**。

我在读高二时（通过学习物理）感受到了数学的魅力。在那之前我偏爱文科，数学成绩甚至不如语文和英语，但我一直没有放弃努力学习数学。在此过程中，我迷上了自然科学，从那时起我便下定决心要走理科这条路。每个人对自然科学产生兴趣的时间都不同，但学习数学是一件需要长期坚持的事。所以，在自己真正对自然科学产生兴趣的那一天到来之前，我们还是要提前学好数学。

数学美吗?

创作出《天鹅湖》《胡桃夹子》等芭蕾舞剧的著名作曲家彼得·伊里奇·柴可夫斯基(Peter Ilyich Tchaikovsky)曾经留下这么一段话:

"如果数学是不美的,那么它可能根本就不会诞生。人类之中的天才无一不被这门难解的学问所吸引。除了美,还有什么有这样的吸引力呢?"

20世纪著名的匈牙利数学家保罗·埃尔德什(Paul Erdös)也曾说过:

"数字为什么美?这就跟问贝多芬d小调第九交响曲为什么美是一样的。如果你无法回答,那么其他人也一样无法回答。我认为数字是美的。如果数字不美,世上就再也没有可以称之为美的东西了。"

顺便一提,埃尔德什一生发表的论文的数量仅次于那位大名鼎鼎的莱昂哈德·欧拉(Leonhard Euler)。据说他废寝忘食地研究数学,甚至连自己什么时候睡着过都搞不清楚。有传闻说他一天有19个小时都在思考数学问题。

根据词典的解释,所谓"美"是指"人在知觉、感受、情感上受到刺激继而引发的精神上的快感"。

那么,数学是如何使人得到"精神上的快感"的呢?

我认为,这与数学拥有的以下4种性质具有很大的关联。

① 对称性

② 合理性

③ 意外性

④ 简洁性

关于①对称性,如果东京塔和富士山左右不对称,恐怕就无法吸引这么多的人前来驻足观赏。在古希腊时代,左右是否对称是判断一个人美不美的重要标准。

圆和正方形这样的图形自不必说,就连公式中也常常出现对称的现象。面对这种对称,人们自然会觉得美。

关于②合理性,数学中被正确证明过的结论,到了将来也不会被推翻。无论你今天处于什么立场、什么国家、什么时代，那些结论也永远是真实的。19 世纪英国诗人约翰·基茨（John Keats）曾说过美即是真，真即是美。若确实如他所言（我与他完全同感），在能与纯粹的真实邂逅的数学之中感受到美的人应该不在少数吧。

关于③意外性，比如像下式这样轮流加减奇数的倒数，最终结果将收敛于圆周率的四分之一。

$$\frac{1}{1}-\frac{1}{3}+\frac{1}{5}-\frac{1}{7}+\frac{1}{9}-\frac{1}{11}+\cdots=\lim_{n\to\infty}\sum_{k=0}^{n}\left\{(-1)^{k}\frac{1}{2k+1}\right\}=\frac{\pi}{4}$$

这个公式被称为“π 的莱布尼茨公式”。像这样的意外发现，在学习数学的过程中其实并不罕见。

在给家人或朋友惊喜的时候，多数人会选择举办惊喜派对或准备礼物。这是因为人们知道意外的惊喜可以触发“精神上的快感”。

关于④简洁性，比如我们设凸多面体（没有凹陷的多面体）的顶点（vertex）数为 V，边（edge）数为 E，面（face）数为 F，则有

$$V-E+F=2$$

这样一个非常简洁的公式成立。

如此简洁的一个关系，毕达哥拉斯、柏拉图、欧几里得、阿基米德、开普勒、笛卡尔都没有发现，直至 18 世纪才被伟大的数学家欧拉注意到。欧拉发现这个公式后，在给朋友的信中兴奋地写道：

“令我惊讶的是，据我所知还没有其他人发现过立体几何的这个一般性质。”

从数学家到各类科学家，大家心中都坚信这个世界遵循的是极其简洁的法则。正因为能从简洁中感受到那份崇高的美，所以他们才会前赴后继地献身于科学吧。

Now, solve our problem.

第8章　挑战日本高考真题！

8.1 “集合与逻辑”的真题

【问题 1：集合基础】 基础

1 设集合 $A=\{x|x$ 为整数且 $2\leqslant x\leqslant 12\}$，$B=\{x|x$ 为偶数且 $5\leqslant x\leqslant 17\}$，则 $A\cap B$ 有________个元素，$A\cup B$ 有________个元素。

2 将所有整数的集合设为全集 U，它的两个子集 A、B 如下所示。

$$A=\{x|x\geqslant 10\},\ B=\{x|x<-7 \text{ 或 } x>30\}$$

求集合 $\overline{A\cup B}$ 的元素个数。注意，$\overline{A\cup B}$ 表示集合 $A\cup B$ 关于全集 U 的补集。

（2005 年　金泽工业大学）

答案 1　(1)　4　(2)　13

2　17 个

1 首先，我们用罗列所有元素的方式写出集合 A 和集合 B。

$$A=\{2,3,4,5,6,7,8,9,10,11,12\},\ B=\{6,8,10,12,14,16\}$$

通过下图可以更直观地看出它们之间的关系（下面这种用来表示集合的图称为“文氏图”）。

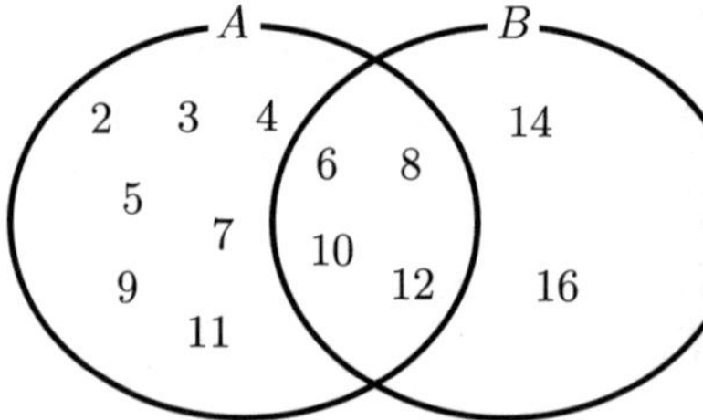

集合 B 是大于 5、小于 17 的偶数的集合，所以 $B=\{6,8,10,12,14,16\}$。

因为 $A\cap B=\{6,8,10,12\}$，$A\cup B=\{2,3,4,5,6,7,8,9,10,11,12,14,16\}$，所以

$A\cap B$ 的元素个数为 4 个

$A\cup B$ 的元素个数为 13 个

2 首先，我们要注意到 $A=\{x\mid x\geqslant 10\}\Rightarrow \boldsymbol{\overline{A}=\{x\mid x<10\}}$，
$B=\{x\mid x<-7$ 或 $x>30\}\Rightarrow \overline{B}=\{x\mid x\geqslant -7$ 且 $x\leqslant 30\}$。

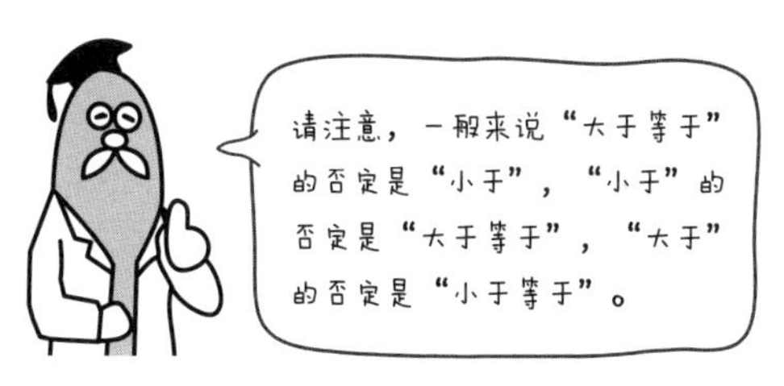

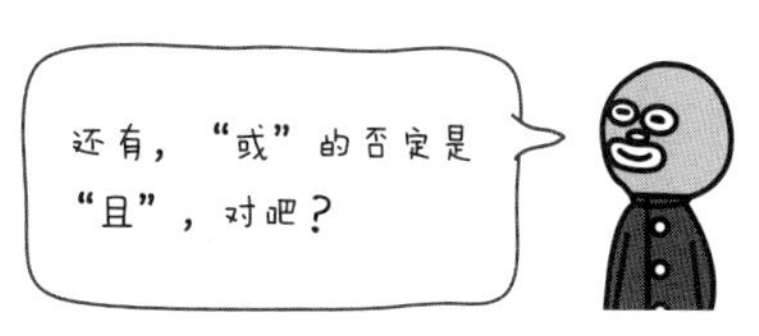

此外，$\overline{B}$ 实际上应写作 $\boldsymbol{\overline{B}=\{x\mid -7\leqslant x\leqslant 30\}}$。
我们把这些集合放在数轴上表示出来。

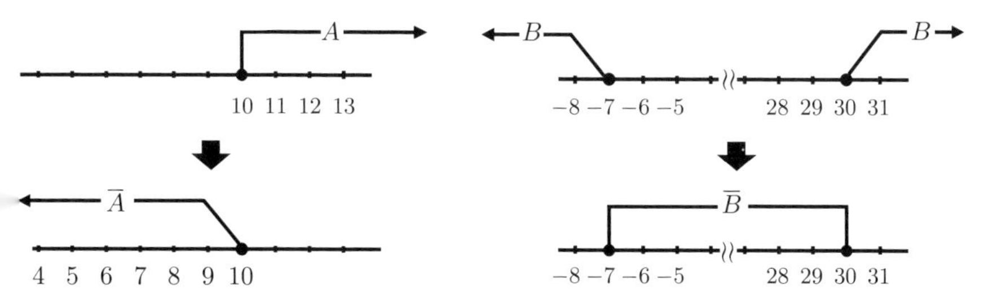

由于我们很难一下子想出题中所求的 $\overline{A\cup B}$，所以我们利用德·摩根定律（参见第 4 页）对 $\overline{A\cup B}$ 进行转换。

$$\boldsymbol{\overline{A\cup B}=\overline{A}\cap\overline{B}}$$

根据上图，我们可以画出下面这张图。

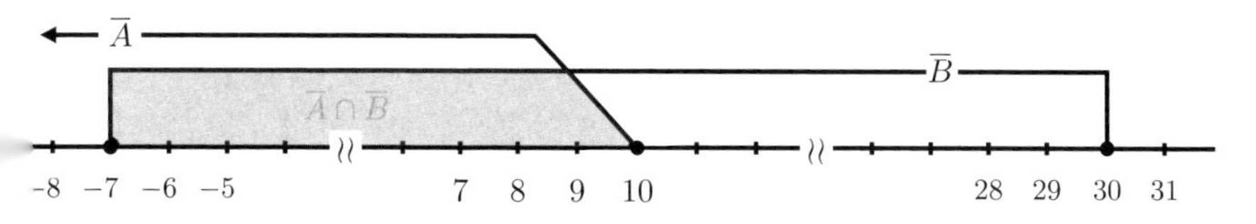

由上图可得，x 为满足集合

$$\boldsymbol{\overline{A}\cap\overline{B}=\{x\mid -7\leqslant x<10\}}$$

的整数。因此，所求元素的个数为

$$9-(-7)+1=17\text{ 个}^{①}\text{。}$$

① 因为 $-7\leqslant x<10$，所以 10 不包含在内。此外，从 a 到 b 的整数的个数一般为 $b-a+1$ 个。

【问题 2：充分条件和必要条件】 基础

请从 A ~ D 四个选项中选出关于实数 a、b 最为正确的说法依次填入 (1) ~ (4) 的横线上。

(1) $a=b$ 是 $a^2=b^2$ 的________。

(2) $ab>0$ 是 $a>0$ 的________。

(3) $ab=0$ 是 $a=0$ 的________。

(4) $a=b=0$ 是 $a^2+b^2=0$ 的________。

A. 充分必要条件

B. 必要不充分条件

C. 充分不必要条件

D. 既不充分也不必要的条件

（2000 年　近畿大学）

(1)　C　(2)　D　(3)　B　(4)　A

若 $p \Rightarrow q$ 为真，则 p 是 q 的充分条件，q 是 p 的必要条件。特别当 $p \Rightarrow q$ 与 $q \Rightarrow p$ 都为真时，p 和 q 互为充分必要条件。

(1)

$a=b \Rightarrow a^2=b^2$ 为真，

$a^2=b^2 \Rightarrow a=b$ 为假（反例：$a=-1$，$b=1$），

所以 $\boldsymbol{a=b}$ **是** $\boldsymbol{a^2=b^2}$ **的**充分条件，但不是必要条件。

(2)

$ab>0 \Rightarrow a>0$ 为假（反例：$a=-1$，$b=-1$），

$a>0 \Rightarrow ab>0$ 为假（反例：$a=1$，$b=-1$），

所以 $\boldsymbol{ab>0}$ **是** $\boldsymbol{a>0}$ **的**既不充分也不必要条件。

(3)

$ab=0 \Rightarrow a=0$ 为假（反例：$a=1$，$b=0$）

$a=0 \Rightarrow ab=0$ 为真

所以 $\boldsymbol{ab=0}$ **是** $\boldsymbol{a=0}$ **的**必要条件，但不是充分条件。

(4)

$a=b=0 \Rightarrow a^2+b^2=0$ 为真

$a^2+b^2=0 \Rightarrow a=b=0$ 为真

所以 $\boldsymbol{a=b=0}$ **是** $\boldsymbol{a^2+b^2=0}$ **的**充分必要条件。

只要找出一个反例，就可以证明该命题为假！

【问题 3：逆否命题】 基础

设关于整数 a、b、c 存在一个命题 P：若 $a^2+b^2+c^2$ 为偶数，则 a、b、c 中至少存在一个偶数。

1 在下列命题中选出命题 P 的逆命题、否命题与逆否命题。对于命题 $p \Rightarrow q$，其逆命题为 $q \Rightarrow p$，否命题为 $\bar{p} \Rightarrow \bar{q}$，逆否命题为 $\bar{q} \Rightarrow \bar{p}$。其中 $\bar{p}$ 表示 p 的否定。

(1) 若 a、b、c 中至少存在一个偶数，则 $a^2+b^2+c^2$ 为偶数。

(2) 若 a、b、c 全为奇数，则 $a^2+b^2+c^2$ 为奇数。

(3) 若 a、b、c 中至少存在一个奇数，则 $a^2+b^2+c^2$ 为奇数。

(4) 若 $a^2+b^2+c^2$ 为奇数，则 a、b、c 全为奇数。

(5) 若 $a^2+b^2+c^2$ 为奇数，则 a、b、c 中至少存在一个奇数。

2 利用逆否命题判断 P 是否为真。

（2008 年　爱知大学）

1　逆命题：(1)　否命题：(4)　逆否命题：(2)

2　略（见详解部分）

1 根据原命题可得

p：$a^2+b^2+c^2$ 为偶数。q：a、b、c 中至少存在一个偶数。

$\bar{p}$：$a^2+b^2+c^2$ 为奇数。$\bar{q}$：a、b、c 全为奇数。

逆命题：$q \Rightarrow p$

a、b、c 中至少存在一个偶数 $\Rightarrow a^2+b^2+c^2$ 为偶数

否命题：$\bar{p} \Rightarrow \bar{q}$

$a^2+b^2+c^2$ 为奇数 $\Rightarrow a$、b、c 全为奇数

逆否命题：$\bar{q} \Rightarrow \bar{p}$

a、b、c 全为奇数 $\Rightarrow a^2+b^2+c^2$ 为奇数

2

证明

已知命题 P 的逆否命题是"a、b、c 全为奇数 $\Rightarrow a^2+b^2+c^2$ 为奇数"。因为 a、b、c 全为奇数，设

$$a=2k+1,\ b=2l+1,\ c=2m+1\ \ (k、l、m \text{ 为整数}),$$

则有下式成立。

$(a+b)^2$
$=a^2+2ab+b^2$

$$\begin{aligned} a^2+b^2+c^2 &= (2k+1)^2+(2l+1)^2+(2m+1)^2 \\ &= 4k^2+4k+1+4l^2+4l+1+4m^2+4m+1 \\ &= 2\left(2k^2+2k+2l^2+2l+2m^2+2m\right)+3 \\ &= 2\left(2k^2+2k+2l^2+2l+2m^2+2m\right)+2+1 \\ &= 2\left(2k^2+2k+2l^2+2l+2l^2+2l+1\right)+1 \end{aligned}$$

因为 $2k^2+2k+2l^2+2l+21^2+2l+1$ 为整数，所以 $a^2+b^2+c^2$ 为奇数。

综上所述，逆否命题为真，命题 P 亦为真。

（证毕）

逆否命题与原命题的真假一致。

要证明某数是奇数，只要证明其等于"$2\times$ 整数 $+1$"就可以了。

【问题 4：反证法】 应用

试用反证法证明有理数和无理数之和为无理数。

（2004 年　日本浜松大学）

略（见详解部分）

1 首先我们需要明确的是，“有理数和无理数之和为无理数”是指“有理数和无理数之和全部都是无理数”。如果这个命题为假，那么必然存在反例，假设**存在有理数和无理数之和为有理数（即不为无理数）的情况**。

证明

设有理数为 p，无理数为 α，并且**存在一个有理数 q** 满足下式。

$$p+\alpha=q \quad \cdots①$$

由①式可得下式。

$$\alpha=q-p \quad \cdots②$$

我们可以发现，②式等号左侧为无理数，右侧为有理数，它们相互矛盾。

所以，不存在一个有理数 q 满足 $p+\alpha=q$。

综上所述，有理数和无理数之和总是为无理数。

“先对欲证明的结论取否，再找出矛盾”是反证法的基本步骤（参见第 10 页）

有理数：可以用分数表示的数。

无理数：无法用分数表示的数。

任意一个实数要么是有理数，要么是无理数。不存在既是有理数又是无理数的实数。

亚里士多德
（公元前 384—公元前 322）

三段论法

自数学论证从古希腊发源起，逻辑学就成为对数学的所有分支来说都必不可少的一门学问。为了证明数学定理，人们需要从假设开始，通过逻辑分析一步步推导出结论。

逻辑学是一门研究**推理和证明中正确思考过程**的学科。它也可以说是一门提示人们如何运用正确的研究方法来探寻真理的学科。最早或许也是最有名的逻辑学先驱是**亚里士多德**。

亚里士多德是古希腊哲学家、科学家柏拉图的弟子，也是亚历山大大帝的老师。

亚里士多德一生共留下 6 篇关于逻辑的著作，这 6 篇著作被汇编为《工具论》。在《工具论》中，亚里士多德构建了一套逻辑学体系，其中起到核心作用的便是**三段论法（syllogism）**。

三段论法是指“根据两个前提展开推论，最终得出一个结论”的论证方法。这里我们举一个最有名的运用三段论法做论证的例子。

①：人都会死亡（大前提）

②：苏格拉底是人（小前提）

↓（所以）

③：苏格拉底会死亡（结论）。

亚里士多德将构成三段论法的命题分为以下 4 种类型[1]。

A：所有 X 都是 Y（**全称肯定判断**）

I：有些 X 是 Y（**特称肯定判断**）

E：所有 X 都不是 Y（**全称否定判断**）

O：有些 X 不是 Y（**特称否定判断**）

亚里士多德将①～③这 3 个命题分成 A、I、E、O 这 4 种类型，可能产生的三段论法共计 4（$=4^3$）种。此外，他还分析了这些三段论法各自的适用情况。

亚里士多德所构建的逻辑学体系被视为人类最出色的成果之一，流传约 2000 年后成为西方科学推理的基础。

[1] A 和 I 源自拉丁语词“affimo”，表示肯定的意思；E 和 O 源自拉丁语词“nego”，表示否定的意思。

8.2 “排列组合与概率”的真题

【问题 1：排列组合】 基础

将 a、b、c、d、e 这 5 个字母排成一行，共有________种情况。若 a 在 e 的左边，共有________种情况；若 b 和 c 相邻，共有________种情况。

（2008 年　日本大同工业大学）

答案 (1)　120　(2)　60　(3)　48

(1)

准备 5 个空格用来排列 5 个字母，从 a ~ e 中任选 1 个字母填入最左边的空格，共有 5 种选择；接着从剩下的 4 个字母中任选 1 个填入左数第 2 个空格，共有 4 种选择；再从剩下的 3 个字母中任选 1 个填入左数第 3 个空格，共有 3 种选择……以此类推，最终所求情况数如下所示。

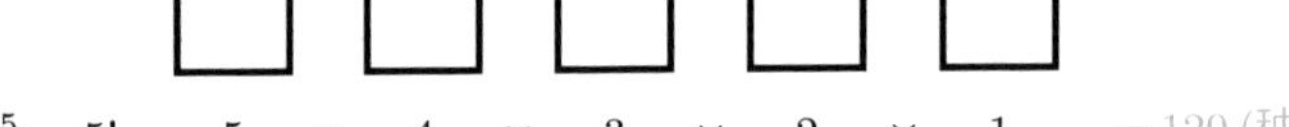

$P_5^5 = 5! = \quad 5 \quad \times \quad 4 \quad \times \quad 3 \quad \times \quad 2 \quad \times \quad 1 \quad = 120$ (种)

(2)

先将 a、b、c、d、e 中的 **a 和 e 替换为 △，思考对 △、b、c、d、△ 这 5 个字符进行排列的情况**。

假设我们像这样排：d, △, b, △, c。在这两个 △ 中，令左边的 △ 为 a，右边的 △ 为 e，原排列“d, △, b, △, c”就会变为“d, a, b, e, c”，与题意相符。

由此可得，所求情况数等于**对 △、b、c、d、△ 这 5 个字符进行排列的情况数**。

综上所述，结果如下所示。

$10 \times 6 \times 1 = 60$（种）

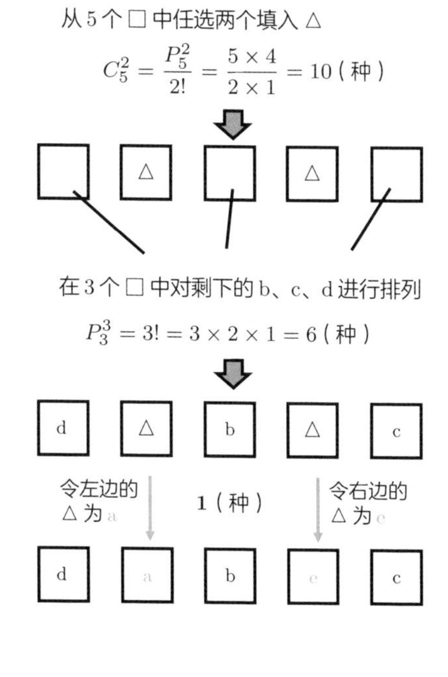

(3)

当有两个特定的字母相邻时，我们一般会**将相邻的字母视为一个整体**。

本题中，我们将 b、c 用 ▢ 框起来，思考对 a、d、e、▢ 这 4 个字符进行排列的情况。请注意，▢ 中 b、c 之间的顺序也要考虑。

综上所述，结果如下所示。

$24 \times 2 = 48$（种）

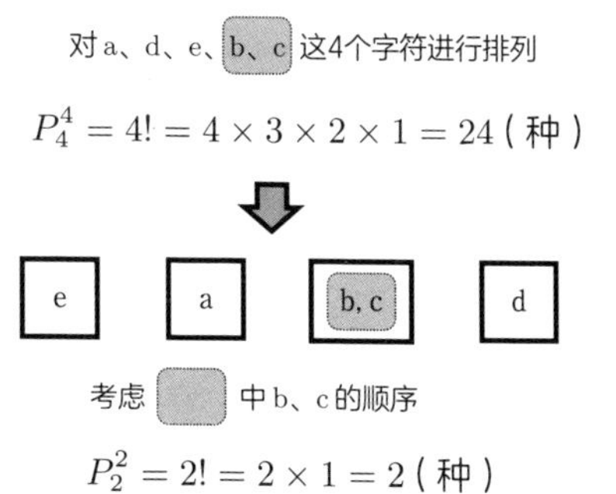

【问题 2：概率基础】

投掷 2 枚硬币。2 枚硬币都正面朝上的概率是________；1 枚正面朝上，1 枚反面朝上的概率是________。

（2007 年　芝浦工业大学）

(1) $\frac{1}{4}$　(2) $\frac{1}{2}$

详解

(1)

投掷 2 枚硬币的试验所对应的样本空间[1]（参见第 20 页）为

$$\{(正 \cdot 正),(正 \cdot 反),(反 \cdot 正),(反 \cdot 反)\}$$

共 4 种情况。其中 2 枚都正面朝上的事件只有（正 · 正）这一种，由此可得所求概率为 $\frac{1}{4}$。

(2)

样本空间与 (1) 相同。其中 1 枚正面朝上，1 枚反面朝上的事件有（正 · 反）和（反 · 正）共 2 种，由此可得所求概率为 $\frac{2}{4}=\frac{1}{2}$。

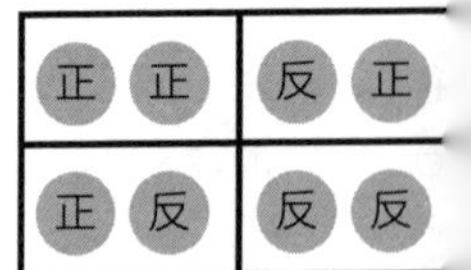

① 样本空间也称为全事件（universal event）。

雅各布·伯努利（1654—1705）

计算和经验，哪一方才是正确的？

活跃于19世纪初的数学家、物理学家**皮埃尔-西蒙·拉普拉斯**是古典概率论（听到“概率”一词后我们的脑海中所浮现的东西）的集大成者。年轻时他曾与自己的老师、数学家让·勒朗·达朗贝尔针对8.2节的问题2展开过激烈交锋。

拉普拉斯认为，投掷2枚硬币，2枚都正面朝上的概率应为$\frac{1}{4}$。达朗贝尔则认为，投掷2枚硬币，可能出现的情况只有（正·正）（正·反）（反·反）这3种，所以2枚都正面朝上的概率应为$\frac{1}{3}$。当然，最后证明拉普拉斯是正确的。但是，概率的正确与否究竟是依靠什么来判断的呢？

举个例子，假设我们将2枚硬币重复投掷40次。不管经过谁的手、以什么方式投掷，如果最终观察到2枚都正面朝上的次数是10次，那么所有人应该都会认同2枚都正面朝上的概率是$\frac{1}{4}$，但事实并非如此。

就在刚才，我尝试投掷了40次我的2枚100日元硬币，2枚都正面朝上的次数是8次。这么一算，2枚都正面朝上的比例大概是$\frac{1}{5}$。

当然，这2枚硬币是不可能有记忆的。在被人投掷40次的过程中，2枚硬币不可能互相商量，根据前几次的结果决定自己接下来哪一面朝上，使2枚硬币都正面朝上的比例恰好等于$\frac{1}{4}$。正因如此，就算在40次中出现了0次或是20次2枚硬币都正面朝上的情况，也不是完全不可能的。

根据计算得出的概率（又称**数学概率**或**理论概率**）与根据实践经验得出的概率（又称**经验概率**或**统计学概率**）是有差异的，最先发现这一点的人是瑞士数学家**雅各布·伯努利**。伯努利经研究得出结论，假设重复进行n次独立试验，当n接近于无穷大时，**经验概率**（从统计数据得出的比例）将无限接近于**数学概率**。这一定律称为**大数定律**（law of large number）。关于大数定律，伯努利曾写了下面这样的一段话。

“如果持续观测一切事物（最终它们的概率无限接近一个确定的值），那么我们会感觉到世上所有的事情都是以一定的概率发生的。就连最为巧合的事，在我们看来也是必然发生的。”

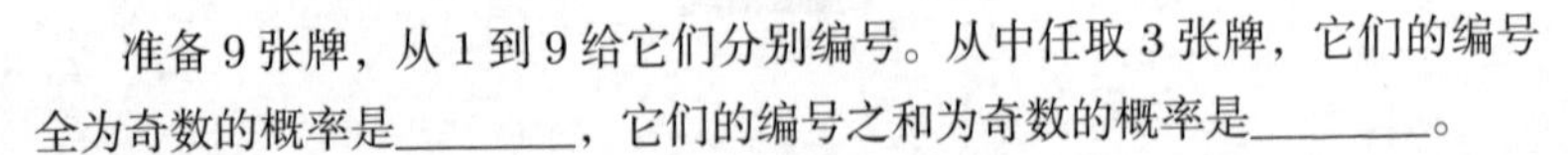

【问题 3：和事件的概率与概率加法公式】 基础

准备 9 张牌，从 1 到 9 给它们分别编号。从中任取 3 张牌，它们的编号全为奇数的概率是________，它们的编号之和为奇数的概率是________。

（2004 年　福冈大学）

(1) $\frac{5}{42}$　(2) $\frac{10}{21}$

(1)

从 9 张不同编号的牌中任取 3 张，可知**样本空间的组合数为 C_9^3**。3 张牌的编号全为奇数，即 3 张牌的编号要从 1、3、5、7、9 中选择，**共 C_5^3 种情况**

综上所述，所求概率如下所示。

$$\frac{C_5^3}{C_9^3}=\frac{\frac{P_5^3}{3!}}{\frac{P_9^3}{3!}}=\frac{P_5^3}{3!}\div\frac{P_9^3}{3!}=\frac{P_5^3}{3!}\times\frac{3!}{P_9^3}=\frac{P_5^3}{P_9^3}=\frac{5\times4\times3}{9\times8\times7}=\frac{5}{42}$$

(2) 样本空间与 (1) 相同，**共有 C_9^3 种情况**。3 张牌的编号之和为奇数说明发生了以下两个事件的其中之一。

[事件 A]　**3 张牌的编号全为奇数。**

[事件 B]　**在 3 张牌中，1 张编号为奇数，剩余 2 张编号为偶数。**

[事件 A 的概率]

由 (1) 可得 $P(A)=\frac{5}{42}$。

[**事件 B 的概率**]

从编号为 1、3、5、7、9 的 5 张牌中任取 1 张奇数牌，从编号为 2、4、6、8 的 4 张牌中任取 2 张偶数牌，可知**共有 $C_5^1 \times C_4^2$ 种情况**。

$$P(B)=\frac{C_5^1\times C_4^2}{C_9^3}=\frac{\frac{P_5^1}{1!}\times\frac{P_4^2}{2!}}{\frac{P_9^3}{3!}}=\left(\frac{P_5^1}{1!}\times\frac{P_4^2}{2!}\right)\div\frac{P_9^3}{3!}$$

$$=\frac{P_5^1}{1!}\times\frac{P_4^2}{2!}\times\frac{3!}{P_9^3}$$

$$=\frac{5}{1}\times\frac{4\times3}{2\times1}\times\frac{3\times2\times1}{9\times8\times7}=\frac{5}{14}$$

事件 A 与事件 B 的和事件（参见第 22 页）的概率 $P(A\cup B)$ 即为所求概率。

在本题中，由于事件 A 与事件 B 互斥，根据概率的加法公式（参见第 24 页）可得

$$\boldsymbol{P(A\cup B)=P(A)+P(B)}=\frac{5}{42}+\frac{5}{14}=\frac{5}{42}+\frac{15}{42}=\frac{20}{42}=\frac{10}{21}$$

我们来复习一下求排列数 P_n^r 和组合数 C_n^r 的公式吧。

$$P_n^r=\frac{n!}{(n-r)!}$$

$$C_n^r=\frac{P_n^r}{r!}=\frac{\frac{n!}{(n-r)!}}{r!}=\frac{n!}{(n-r)!r!}$$

其中 $n!=n\times(n-1)\times(n-2)\times\cdots\times3\times2\times1$。

（参见第16页和第18页）

我来举两个例子。

$$P_4^2=\frac{4!}{(4-2)!}=\frac{4!}{2!}=\frac{4\times3\times2\times1}{2\times1}=4\times3$$

$$C_4^2=\frac{P_4^2}{2!}=\frac{4\times3}{2!}=\frac{4\times3}{2\times1}$$

其他解法 在解这道题时，我们也可以**以排列的方式**来构建样本空间。在使用这种方式的情况下，要求得概率的特定事件也应考虑顺序。

(1)

考虑顺序的样本空间共包含 P_9^3 个元素。3 张牌的编号全为奇数，即取出的牌的编号为（奇数，奇数，奇数），相当于从 5 张奇数牌中按顺序取出 3 张，可知共有 P_5^3 种情况。

综上所述，所求概率为 $\dfrac{P_5^3}{P_9^3}=\dfrac{5\times4\times3}{9\times8\times7}=\boldsymbol{\dfrac{5}{42}}$。

(2)

样本空间与 (1) 相同，共有 P_9^3 种情况。3 张牌的编号之和为奇数，说明发生了以下两个事件的其中之一。

[事件 A]　3 张牌的编号全为奇数。

[事件 B]　在 3 张牌中，1 张编号为奇数，剩余 2 张编号为偶数。

[事件 A 的概率]　由 (1) 可得 $P(A)=\dfrac{5}{42}$。

[事件 B 的概率]

请注意，在考虑顺序的情况下，3 张牌中有 1 张为奇数，2 张为偶数的情况有以下 3 种。

（奇数，偶数，偶数）（偶数，奇数，偶数）（偶数，偶数，奇数）

无论哪种情况，奇数牌的取法都是 P_5^1 种。第 1 张偶数牌从 4 张偶数牌中任取 1 张，共有 P_4^1 种情况；第 2 张偶数牌从剩下的 3 张中任取 1 张，共有 P_3^1 种情况。综上所述，事件 B 的情况数如下所示。

$$P_5^1\times P_4^1\times P_3^1+P_4^1\times P_5^1\times P_3^1+P_4^1\times P_3^1\times P_5^1=P_5^1\times P_4^1\times P_3^1\times3$$

由此可得 $P(B)=\dfrac{P_5^1\times P_4^1\times P_3^1\times3}{P_9^3}=\dfrac{5\times4\times3\times3}{9\times8\times7}=\dfrac{5}{14}$。

由于事件 A 与事件 B 互斥，所以所求概率 $P(A\cup B)$ 如下所示。

$$P(A\cup B)=P(A)+P(B)=\frac{5}{42}+\frac{5}{14}=\frac{10}{21}$$

【问题 4：重复试验的概率】 基础

A 和 B 正在反复进行同一个游戏，其中 A 胜 B 的概率为 $\frac{1}{3}$，B 胜 A 的概率为 $\frac{2}{3}$，先胜 3 局的人为赢家。假设进行了 4 局游戏，求 A 为赢家的概率。假设进行了 5 局游戏，求任意一方为赢家的概率。

（2003 年　同志社女子大学）

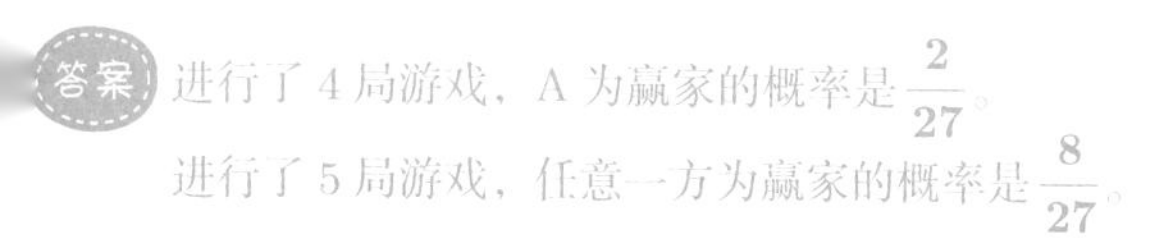

答案　进行了 4 局游戏，A 为赢家的概率是 $\frac{2}{27}$。

进行了 5 局游戏，任意一方为赢家的概率是 $\frac{8}{27}$。

详解

（第 1 问）

进行了 4 局游戏，A 为赢家，说明前 3 局中 A 获两胜（B 获一胜），并且第 4 局 A 获胜。求 3 局游戏中 A 获两胜的概率需要用到重复试验公式（参见第 27 页）。

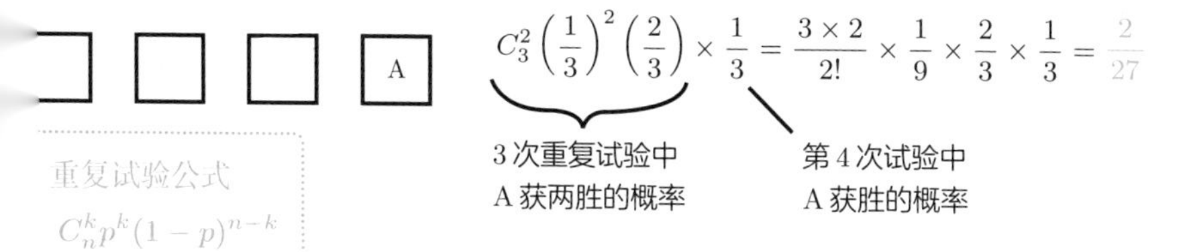

$$C_3^2\left(\frac{1}{3}\right)^2\left(\frac{2}{3}\right)\times\frac{1}{3}=\frac{3\times 2}{2!}\times\frac{1}{9}\times\frac{2}{3}\times\frac{1}{3}=\frac{2}{27}$$

（第 2 问）

进行了 5 局游戏且任意一方获胜，说明前 4 局中 A 获两胜（B 也获两胜）。第 5 局无论谁获胜都无所谓。

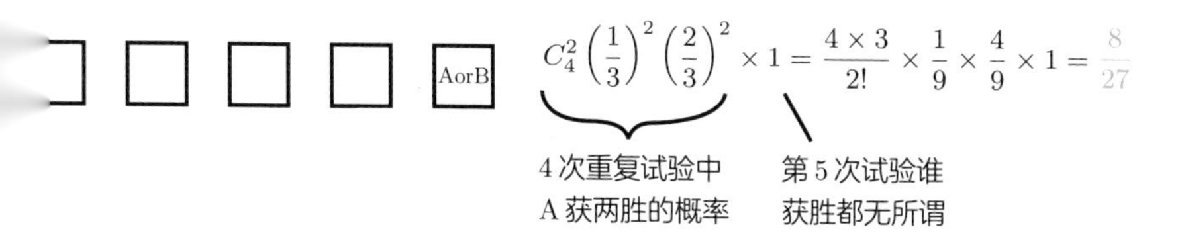

$$C_4^2\left(\frac{1}{3}\right)^2\left(\frac{2}{3}\right)^2\times 1=\frac{4\times 3}{2!}\times\frac{1}{9}\times\frac{4}{9}\times 1=\frac{8}{27}$$

【问题 4：条件概率】 应用

发信站分别以 0.4、0.6 的概率发送 0 和 1 两种信号。收信站有 0.9 的概率能收到正确的信号，还有 0.1 的概率会收到相反的信号。

在上述前提下，收到的信号为 0 的概率是 $\dfrac{\square}{100}$。

在收到的信号为 0 的情况下，发送的信号为 0 的概率是______。

（2009 年　大阪工业大学）

(1)

设有事件 A 和事件 B。

事件 A：发送的信号为 0。

事件 B：收到的信号为 0。

收到的信号为 0 的情况有两种，一是发送的信号和收到的信号皆为 0（正确接收信号），二是发送的信号为 1，收到的信号为 0（收到相反的信号）。

根据概率的乘法公式（参见第 31 页）可得如下结果。

发送的信号为 0 且收到的信号为 0　　发送的信号为 1 且收到的信号为 0

$$P(B) = P(A \cap B) + P(\overline{A} \cap B)$$

$$= P(A)P_A(B) + P(\overline{A})P_{\overline{A}}(B)$$

$$= \frac{4}{10} \times \frac{9}{10} + \frac{6}{10} \times \frac{1}{10}$$

正确接收信号　　收到相反的信号

$$= \frac{36+6}{100} = \frac{42}{100}$$

事件 A 是“发送的信号为 0”，那么事件 $\overline{A}$ 就是“发送的信号为 1”。

概率的乘法公式

$P(A \cap B) = P(A) \times P_A(B)$

(2)

所求概率是在收到的信号为 0 的前提下，发送的信号也为 0 的条件概率（参见第 30 页），即 $P_B(A)$。

根据贝叶斯定理（参见第 32 页）可得下式成立。

$$P_B(A)=\frac{P(A\cap B)}{P(A\cap B)+P(\overline{A}\cap B)}$$

再由 (1) 可得如下结果。

$$P_B(A)=\frac{P(A\cap B)}{P(A\cap B)+P(\overline{A}\cap B)}=\frac{P(A)P_A(B)}{P(B)}=\frac{\frac{4}{10}\times\frac{9}{10}}{\frac{42}{100}}=\frac{36}{42}=\frac{6}{7}$$

贝叶斯定理在日本高中数学教科书中又被称为原因的概率。它的关键点是先定义事件，再把所求概率以 $P_B(A)$ 的形式表示出来。

我们将上述概率 $P_B(A)$ 用图表示如下。

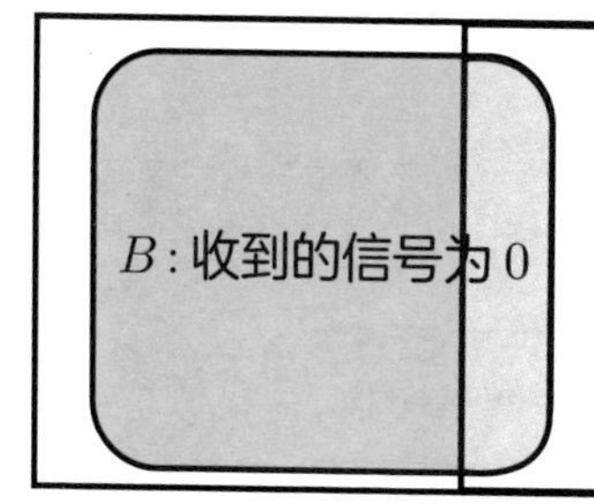

$$P_B(A)=\frac{\blacksquare}{\square}=\frac{6}{7}$$

8.3 “函数”的真题

【问题 1：函数基础】 有难度

设抛物线 C（$y=x^2$）与直线 l_1（$y=px-1$）、直线 l_2（$y=-x-p+4$）相交于一点，求实数 p 的值。

（2006 年　京都大学）

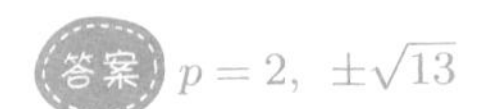

答案 $p=2,\ \pm\sqrt{13}$

详解

先求直线 l_1 和直线 l_2 的交点坐标。

解下面这个联立方程组[1]。

$$\begin{cases} y = px - 1 & \cdots ① \\ y = -x - p + 4 & \cdots ② \end{cases}$$

因为直线 l_1 和直线 l_2 有一个交点，也就是说它们不平行，所以 $p \neq -1$ = $p+1 \neq 0$。

把①式代入②式，可得下式。

$$px-1=-x-p+4 \Rightarrow (p+1)x=-p+5 \Rightarrow x=\frac{-p+5}{p+1} \quad \cdots ③$$

因为 $p+1\neq 0$，所以 $p+1$ 可以做除数。

把③式代入①式，可得下式。

$$y=p\cdot\frac{-p+5}{p+1}-1=\frac{-p^2+5p}{p+1}-1=\frac{-p^2+5p-(p+1)}{p+1}=\frac{-p^2+4p-1}{p+1} \quad \cdots$$

[1] 一般来说，两个函数图像的交点是指能同时满足两个函数公式（代入后能成立）的点。因此，将两个函数公式
方程组并求解，即可得到交点坐标。

由 ③ 式和 ④ 式可得 l_1 和 l_2 的交点坐标如下所示。

$$\left(\frac{-p+5}{p+1}, \frac{-p^2+4p-1}{p+1}\right)$$

抛物线 C 和直线 l_1、l_2 相交于一点，表示 l_1 和 l_2 的交点位于抛物线 C（$y=x^2$）上。由此可得下述成立。

$$\frac{-p^2+4p-1}{p+1}=\left(\frac{-p+5}{p+1}\right)^2 \Rightarrow \frac{-p^2+4p-1}{p+1}=\frac{(-p+5)^2}{(p+1)^2}$$

位于函数 $y=f(x)$ 图像上的点，其坐标可以代入 $y=f(x)$。

等式两侧同乘以 $(p+1)^2$，便可得出结果。

$$(a+b)^2 = a^2+2ab+b^2$$

$$AB=0 \Rightarrow A=0 \text{ 或 } B=0$$

$$\frac{-p^2+4p-1}{p+1}\times(p+1)^2=\frac{(-p+5)^2}{(p+1)^2}\times(p+1)^2$$
$$\Rightarrow \quad (-p^2+4p-1)(p+1)=(-p+5)^2$$
$$\Rightarrow \quad -p^3+4p^2-p-p^2+4p-1=p^2-10p+25$$
$$\Rightarrow \quad -p^3+2p^2+13p-26=0$$
$$\Rightarrow \quad p^3-2p^2-13p+26=0$$
$$\Rightarrow \quad p^2(p-2)-13(p-2)=0$$
$$\Rightarrow \quad (p-2)(p^2-13)=0$$
$$\Rightarrow \quad p-2=0 \text{ 或 } p^2-13=0$$
$$\Rightarrow \quad p=2 \text{ 或 } p=\pm\sqrt{13}$$

（验证：最终结果满足 $p+1\neq 0$。）

【问题 2：二次函数】 

设某商品在定价为 x 日元时能卖出 n 个，并且 x、n 满足以下公式。

$$n = -x + 1000$$

其中 $0 < x < 1000$。

1 求当销售额 $S = nx$ 最高时的价格。

2 设制造 n 个商品所需花费的成本为 C，C 满足 $C = an + b$。

(1) 将利润 $P = S - C$ 用 x、a、b 表示出来。

(2) 若当利润最大时商品定价为 600 日元，求 a 的值。

（2006 年　专修大学）

1　500 日元

2　(1) $P = -x^2 + (1000 + a)x - 1000a - b$　(2) $a = 200$

1 由题可知，定价 x 与销售量 n 之间的关系满足公式 $n = -x + 1000$，我们将其代入销售额公式 $S = nx$ 可得

$$S = nx = (-x + 1000)x \quad \Rightarrow \quad S = -x^2 + 1000x \quad \cdots①$$

S 是关于 x 的二次函数。以 x 为横轴、S 为纵轴作平面直角坐标系，绘制出二次函数图像，即可知当 S 最大时 x 的值，因此我们给 ① 式配方。

$$\begin{aligned} S &= -x^2 + 1000x \\ &= -\left(x^2 - 1000x\right) \\ &= -\left\{(x - 500)^2 - 25\,000\right\} \\ &= \mathbf{-(x - 500)^2 + 25\,000} \end{aligned}$$

按照第40页讲过的步骤来配方！

由此可知该二次函数图像为开口向下的抛物线，其顶点坐标为 $(500, 25\,000)$。因为 x 的定义域是 $0 < x < 1000$，所以该二次函数图像如下页所示。

函数 $y = a(x - p)^2 + q$ 的图像的顶点坐标为 (p, q)。

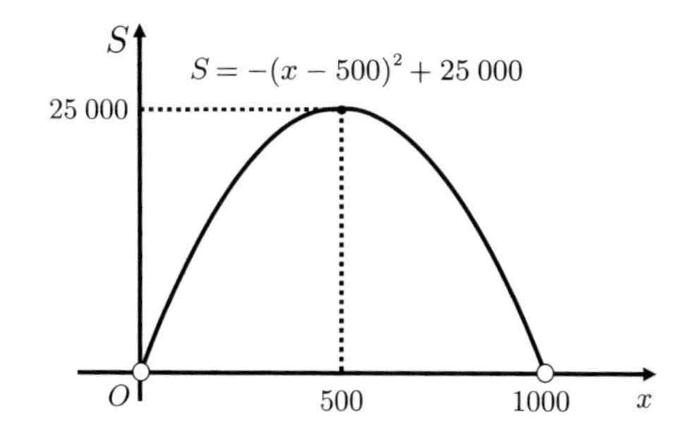

由图可知，当 $x=500$ 时，S 最大。也就是说，当销售额 S 最高时，商品的定价为 500 日元。

2 (1) 依题意，将 $n=-x+1000$ 代入 $C=an+b$。

$$C=an+b=a(-x+1000)+b=-ax+1000a+b \qquad \cdots②$$

再将 ① 式和 ② 式代入 $P=S-C$。

$$\begin{aligned}P=S-C&=-x^2+1000x-(-ax+1000a+b)\\&=-x^2+1000x+ax-1000a-b\\ \Rightarrow P&=-x^2+(a+1000)x-1000a-b\end{aligned}$$

(2) 由 (1) 可知，P 是关于 x 的二次函数，再次运用配方公式可得下式。

$$\begin{aligned}P&=-x^2+(a+1000)x-1000a-b\\&=-\left\{x^2-(a+1000)x\right\}-1000a-b\\&=-\left\{\left(x-\frac{a+1000}{2}\right)^2-\left(\frac{a+1000}{2}\right)^2\right\}-1000a-b\\&=-\left(x-\frac{a+1000}{2}\right)^2+\left(\frac{a+1000}{2}\right)^2-1000a-b\end{aligned}$$

函数 P 的图像是开口向下的抛物线，因为当 $x=600$ 时函数有最大值，所以抛物线顶点的 x 坐标是 600，于是 a 的值如下所示。

$$\frac{a+1000}{2}=600$$
$$\Rightarrow \quad a+1000=1200$$
$$\Rightarrow \quad a=200$$

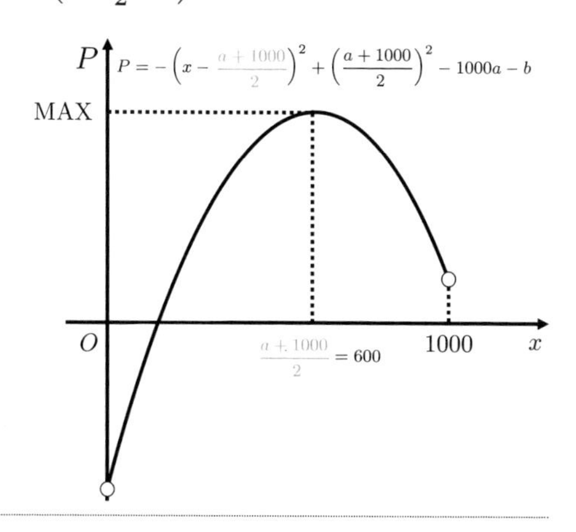

【问题 3：三角函数】 基础

求 $\sin\theta+\sqrt{3}\cos\theta$ 在 $0^\circ \leqslant \theta \leqslant 90^\circ$ 范围内的最大值和最小值。

（2000 年　上智大学）

$\theta=30^\circ$ 时有最大值 2，$\theta=90^\circ$ 时有最小值 1

根据三角函数辅助角公式（参见第 50 页）可得

$$\sin\theta+\sqrt{3}\cos\theta=\sqrt{1^2+(\sqrt{3})^2}\sin(\theta+\alpha)=\sqrt{4}\sin(\theta+\alpha)=2\sin(\theta+\alpha)\quad\cdots①$$

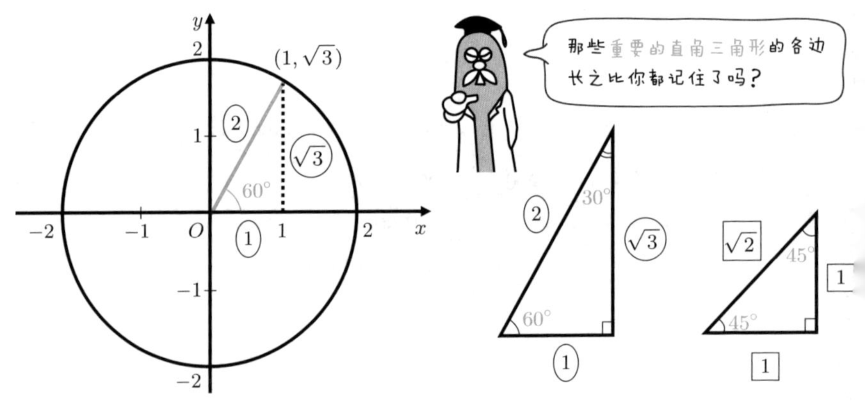

由上图可知，$\boldsymbol{\alpha=60^\circ}$。由 ① 式可得下式。

$\sin\theta+\sqrt{3}\cos\theta=2\sin(\theta+60^\circ)$

因为 $0^\circ \leqslant \theta \leqslant 90^\circ$，

所以 $60^\circ \leqslant \theta+60^\circ \leqslant 150^\circ$。

根据右图可得如下结果。

$$\frac{1}{2} \leqslant \sin(\theta+60^\circ) \leqslant 1$$

$$\Rightarrow \quad 1 \leqslant 2\sin(\theta+60^\circ) \leqslant 2$$

$\theta+60^\circ=90^\circ \Rightarrow \theta=30^\circ$ 时有最大值 2

$\theta+60^\circ=150^\circ \Rightarrow \theta=90^\circ$ 时有最小值 1

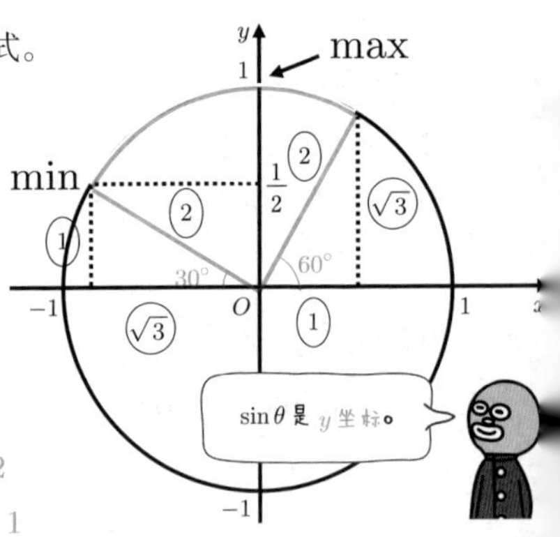

【问题 4：指数函数】 

方程 $81\sqrt{3}\times 9^{x^2}-3^{6x}=0$ 的解为 $x=$________。

（2014 年　关西大学）

$\frac{3}{2}$

按照幂运算法则（参见第 51 页）计算本题。

$81\sqrt{3}\times 9^{x^2}-3^{6x}=0$

$\Rightarrow\quad 81\sqrt{3}\cdot(3^2)^{x^2}-3^{6x}=0$

$\Rightarrow\quad 81\sqrt{3}\cdot 3^{2\cdot x^2}-3^{6x}=0$

$\Rightarrow\quad 3^4\times 3^{\frac{1}{2}}\cdot 3^{2x^2}-3^{6x}=0$

$\Rightarrow\quad 3^{4+\frac{1}{2}+2x^2}-3^{6x}=0$

$\Rightarrow\quad 3^{4+\frac{1}{2}+2x^2}=3^{6x}$

$\Rightarrow\quad 3^{2x^2+\frac{9}{2}}=3^{6x}$

$\Rightarrow\quad 2x^2+\frac{9}{2}=6x$

$\Rightarrow\quad 4x^2+9=12x$

$\Rightarrow\quad 4x^2-12x+9=0$

$\Rightarrow\quad (2x-3)^2=0$

$\Rightarrow\quad 2x-3=0$

$\Rightarrow\quad x=\frac{3}{2}$

$(a^m)^n=a^{mn}$

当指数为有理数时 $\sqrt[n]{a}=a^{\frac{1}{n}}$

$a^m\times a^n=a^{m+n}$

一般来说，$a^p=a^q\Rightarrow p=q$（其中 $a>0$ 且 $a\neq 1$）。

$a^2-2ab+b^2=(a-b)^2$

【问题 5：对数函数】 应用

现有若干块相同品质的玻璃板。把 10 块玻璃板叠在一起，光通过后强度是原来的 $\frac{2}{5}$ 倍。现要使光通过后强度变为原来的 $\frac{1}{8}$ 倍或更小，至少需要叠多少块玻璃板？（$\log_{10} 2 = 0.3010$，$\log_{10} 5 = 0.6990$。）

（1997 年　信州大学）

至少需要叠 23 块玻璃板

设通过 1 块玻璃板后光的强度会变为原来的 x 倍，光在不经过玻璃板的情况下强度为 S。

通过 1 块玻璃板后，光的强度为 Sx

通过 2 块重叠的玻璃板后，光的强度为 $Sx \cdot x = Sx^2$

通过 3 块重叠的玻璃板后，光的强度为 $Sx^2 \cdot x = Sx^3$

……

以此类推，

通过 n 块重叠的玻璃板后，光的强度为 Sx^n。

依题意，通过 10 块重叠的玻璃板后，光的强度是原来的 $\frac{2}{5}$ 倍，于是我们可以得到下式。

$$Sx^{10} = S \times \frac{2}{5} \Rightarrow \boldsymbol{x^{10} = \frac{2}{5}} \quad \cdots ①$$

对 ① 式两侧取常用对数[1]（参见第 63 页）可得如下结果。

$$\log_{10} x^{10} = \log_{10} \frac{2}{5}$$

$$\Rightarrow\ 10\log_{10} x = \log_{10} 2 - \log_{10} 5$$

$$\log_a M^r = r\log_a M$$
$$\log_a \frac{M}{N} = \log_a M - \log_a N$$

$$\Rightarrow\ \boldsymbol{\log_{10} x} = \frac{\log_{10} 2 - \log_{10} 5}{10} = \frac{0.3010 - 0.6990}{10} = \boldsymbol{-0.0398} \quad \cdots②$$

这里，我们设光通过 k 块重叠的玻璃板后强度是原来的 $\frac{1}{8}$ 倍，则有以下式子。

$$Sx^k \leqslant S \times \frac{1}{8} \quad \Rightarrow \quad \boldsymbol{x^k \leqslant \frac{1}{8}} \quad \cdots③$$

由 ③ 式可得下式。

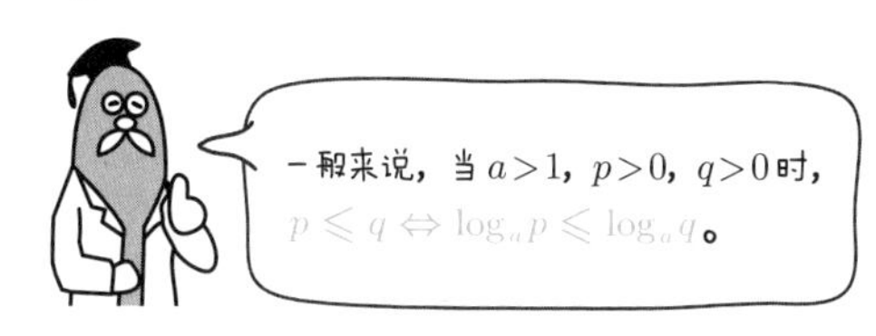

$$\log_{10} x^k \leqslant \log_{10} \tfrac{1}{8}$$

$$\Rightarrow\ k\log_{10} x \leqslant \log_{10} 1 - \log_{10} 8 = 0 - \log_{10} 2^3 = -3\log_{10} 2 = -3 \times 0.3010 = -0.9030$$

$$\Rightarrow\ k\log_{10} x \leqslant -0.9030 \quad \cdots④$$

将 ② 式代入 ④ 式中的 $\log_{10} x$ 中可得下式。

若 $C<0$，则

$$A \leqslant B \Rightarrow \frac{A}{C} \geqslant \frac{B}{C}$$

$$k \cdot (-0.0398) \leqslant -0.9030 \ \Rightarrow\ k \geqslant \frac{-0.9030}{-0.0398} = \mathbf{22.688}\cdots$$

因为 k 必须是整数，所以答案应为 $k \geqslant 23$。综上所述，要使光通过后强度变为原来的 $\frac{1}{8}$ 倍或更小，则至少需要叠 23 块玻璃板。

[1] 对于两个正数 p, q，从“$p=q$”到“$\log_{10} p = \log_{10} q$”的变换称为**取常用对数**。

【问题 1：极限】 基础

已知 $f(x) = \lim\limits_{n\to\infty} \frac{7+6x+|x|-2x^{2n}}{1-x^n+x^{2n}}$，其中 n 为自然数。

1 当 $0 \leqslant x < 1$ 时，求 $f(x)$。

2 当 $-1 < x < 0$ 时，求 $f(x)$。

3 当 $x = 1$ 及 $x = -1$ 时，求 $f(x)$。

4 当 $|x| > 1$ 时，求 $f(x)$。

（2004 年　东京理科大学）

1　$f(x) = 7x + 7$　　2　$f(x) = 5x + 7$

3　$f(1) = 12$，$f(-1)=0$　　4　$f(x) = -2$

1 当 $0 \leqslant x < 1$ 时，

$$|x| = x,\quad \lim_{n\to\infty} x^n = 0,\quad \lim_{n\to\infty} x^{2n} = 0$$

$$\Rightarrow f(x) = \lim_{n\to\infty} \frac{7+6x+|x|-2x^{2n}}{1-x^n+x^{2n}} = \frac{7+6x+x-2\cdot 0}{1-0+0} = 7x+7$$

> 当 $-1 < r < 1$ 时，
> $\lim\limits_{n\to\infty} r^n = 0$

2 当 $-1 < x < 0$ 时，

$$|x| = -x,\quad \lim_{n\to\infty} x^n = 0,\quad \lim_{n\to\infty} x^{2n} = 0$$

$$\Rightarrow \quad f(x) = \lim_{n\to\infty} \frac{7+6x+|x|-2x^{2n}}{1-x^n+x^{2n}} = \frac{7+6x-x-2\cdot 0}{1-0+0} = 5x+7$$

> $0 \leqslant x \Rightarrow |x| = x$
> $x < 0 \Rightarrow |x| = -x$

3 当 $x = 1$ 时，

$$f(1) = \lim_{n\to\infty} \frac{7+6\cdot 1+|1|-2\cdot 1^{2n}}{1-1^n+1^{2n}} = \frac{7+6+1-2}{1-1+1} = 12$$

当 $x=-1$ 时，

$$f(-1)=\lim_{n\to\infty}\frac{7+6\cdot(-1)+|-1|-2\cdot(-1)^{2n}}{1-(-1)^n+(-1)^{2n}}$$

$$=\lim_{n\to\infty}\frac{7-6+1-2\cdot\{(-1)^2\}^n}{1-(-1)^n+\{(-1)^2\}^n}=\lim_{n\to\infty}\frac{7-6+1-2\cdot 1^n}{1-(-1)^n+1^n}$$

$$=\lim_{n\to\infty}\frac{7-6+1-2}{1-(-1)^n+1}=0$$

4 首先，令原函数的分子分母同除以 x^{2n}（即同乘以 $\frac{1}{x^{2n}}$）。

$$f(x)=\lim_{n\to\infty}\frac{7+6x+|x|-2x^{2n}}{1-x^n+x^{2n}}$$

$$=\lim_{n\to\infty}\frac{7+6x+|x|-2x^{2n}}{1-x^n+x^{2n}}\times\frac{\frac{1}{x^{2n}}}{\frac{1}{x^{2n}}}$$

$$=\lim_{n\to\infty}\frac{\frac{7}{x^{2n}}+6\cdot\frac{x}{x^{2n}}+\frac{|x|}{x^{2n}}-2\cdot\frac{x^{2n}}{x^{2n}}}{\frac{1}{x^{2n}}-\frac{x^n}{x^{2n}}+\frac{x^{2n}}{x^{2n}}}=\lim_{n\to\infty}\frac{\frac{7}{x^{2n}}+6\cdot\frac{1}{x^{2n-1}}+\frac{|x|}{x^{2n}}-2}{\frac{1}{x^{2n}}-\frac{1}{x^n}+1}\quad\cdots①$$

因为 $|x|>1$，所以下式成立。

$$0<\frac{1}{|x|}<1\Rightarrow -1<\frac{1}{x}<1$$

$$\Rightarrow\lim_{n\to\infty}\frac{1}{x^n}=\lim_{n\to\infty}\left(\frac{1}{x}\right)^n=0,\ \lim_{n\to\infty}\frac{1}{x^{2n}}=\lim_{n\to\infty}\left(\frac{1}{x}\right)^{2n}=0,\ \lim_{n\to\infty}\frac{1}{x^{2n-1}}=\lim_{n\to\infty}\left(\frac{1}{x}\right)^{2n-1}=0$$

$$\Rightarrow\lim_{n\to\infty}\frac{|x|}{x^{2n}}=\lim_{n\to\infty}\frac{|x|}{(x^2)^n}=\lim_{n\to\infty}\frac{|x|}{(|x|^2)^n}=\lim_{n\to\infty}\frac{|x|}{|x|^{2n}}=\lim_{n\to\infty}\frac{1}{|x|^{2n-1}}=\lim_{n\to\infty}\left(\frac{1}{|x|}\right)^{2n-1}=0$$

由 ① 式可得如下结果。

$x^2=|x|^2$

$$f(x)=\lim_{n\to\infty}\frac{\frac{7}{x^{2n}}+6\cdot\frac{1}{x^{2n-1}}+\frac{|x|}{x^{2n}}-2}{\frac{1}{x^{2n}}-\frac{1}{x^n}+1}=\frac{7\times0+6\times0+0-2}{0-0+1}=-2$$

【问题 2：微分法】 应用

已知 $f(x) = x^{\frac{1}{3}}\,(x > 0)$。

1 由题可知 $f(x)\cdot f(x)\cdot f(x) = x$。运用积的求导公式求 $f'(x)$。

2 根据公式 $f'(x) = \lim\limits_{h\to 0}\frac{f(x+h)-f(x)}{h}$ 求 $f'(x)$。

（2007 年　关西大学）

答案 1　$f'(x) = \frac{1}{3}x^{-\frac{2}{3}}$　　2　$f'(x) = \frac{1}{3}x^{-\frac{2}{3}}$

$x' = \frac{\mathrm{d}}{\mathrm{d}x}x = \frac{\mathrm{d}x}{\mathrm{d}x} = 1$

详解

1 对 $f(x)\cdot f(x)\cdot f(x) = x$ 两侧微分。

积的求导公式

$\{f(x)g(x)\}' = f'(x)g(x) + f(x)g'(x)$

（参见第 77 页）

$$\{f(x)\cdot f(x)\cdot f(x)\}' = x'$$

$$\Rightarrow [\{f(x)\cdot f(x)\}\cdot f(x)]' = 1$$

$$\Rightarrow \{f(x)\cdot f(x)\}'f(x) + \{f(x)\cdot f(x)\}\cdot f'(x) = 1$$

$$\Rightarrow \{f'(x)\cdot f(x) + f(x)\cdot f'(x)\}f(x) + \{f(x)\cdot f(x)\}\cdot f'(x) = 1$$

$$\Rightarrow 2f'(x)\cdot f(x)\cdot f(x) + f(x)\cdot f(x)\cdot f'(x) = 1$$

$$\Rightarrow 2f'(x)\cdot\{f(x)\}^2 + f'(x)\cdot\{f(x)\}^2 = 1$$

$$\Rightarrow 3f'(x)\cdot\{f(x)\}^2 = 1$$

$$\Rightarrow f'(x) = \frac{1}{3\{f(x)\}^2} = \frac{1}{3\left(x^{\frac{1}{3}}\right)^2} = \frac{1}{3x^{\frac{2}{3}}} = \frac{1}{3}x^{-\frac{2}{3}}$$

要用到两次积的求导公式！

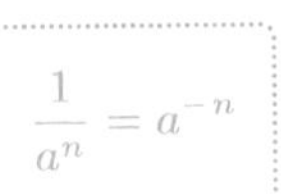

$\frac{1}{a^n} = a^{-n}$

第1题解法的要点是 $\{f(x)\cdot f(x)\cdot f(x)\}'=[\{f(x)\cdot f(x)\}\cdot f(x)]'$，即将 $f(x)\cdot f(x)$ 作为一个整体来考虑。这与

$$(a+b+c)^2=\{(a+b)+c\}^2=(a+b)^2+2(a+b)c+c^2$$

有相似之处。重要的是将3个元素分组，拆分为2个一组的和1个一组的。

2
$$
\begin{aligned}
f'(x)&=\lim_{h\to 0}\frac{f(x+h)-f(x)}{h}\\
&=\lim_{h\to 0}\frac{(x+h)^{\frac{1}{3}}-x^{\frac{1}{3}}}{h}\\
&=\lim_{h\to 0}\frac{(x+h)^{\frac{1}{3}}-x^{\frac{1}{3}}}{h}\times\frac{(x+h)^{\frac{2}{3}}+(x+h)^{\frac{1}{3}}x^{\frac{1}{3}}+x^{\frac{2}{3}}}{(x+h)^{\frac{2}{3}}+(x+h)^{\frac{1}{3}}x^{\frac{1}{3}}+x^{\frac{2}{3}}}\\
&=\lim_{h\to 0}\frac{\left\{(x+h)^{\frac{1}{3}}\right\}^3-\left(x^{\frac{1}{3}}\right)^3}{h\left\{(x+h)^{\frac{2}{3}}+(x+h)^{\frac{1}{3}}x^{\frac{1}{3}}+x^{\frac{2}{3}}\right\}}\\
&=\lim_{h\to 0}\frac{(x+h)-x}{h\left\{(x+h)^{\frac{2}{3}}+(x+h)^{\frac{1}{3}}x^{\frac{1}{3}}+x^{\frac{2}{3}}\right\}}\\
&=\lim_{h\to 0}\frac{h}{h\left\{(x+h)^{\frac{2}{3}}+(x+h)^{\frac{1}{3}}x^{\frac{1}{3}}+x^{\frac{2}{3}}\right\}}\\
&=\lim_{h\to 0}\frac{1}{(x+h)^{\frac{2}{3}}+(x+h)^{\frac{1}{3}}x^{\frac{1}{3}}+x^{\frac{2}{3}}}\\
&=\frac{1}{(x+0)^{\frac{2}{3}}+(x+0)^{\frac{1}{3}}x^{\frac{1}{3}}+x^{\frac{2}{3}}}=\frac{1}{x^{\frac{2}{3}}+x^{\frac{2}{3}}+x^{\frac{2}{3}}}=\frac{1}{3x^{\frac{2}{3}}}=\frac{1}{3}x^{-\frac{2}{3}}
\end{aligned}
$$

$$(a-b)(a^2+ab+b^2)=a^3-b^3$$

一般来说，对于实数 r，有以下公式成立。

$$(x^r)'=rx^{r-1}$$

【问题 3：各种函数的微分】应用

试证明不等式 $x(\ln x-\ln y)\geqslant x-y$ 对任意正数 x、y 皆成立。此外，证明当且仅当 $x=y$ 时等号成立。

（2002 年　金泽大学）

略（见详解部分）

1 设 $f(t)=\ln t$。

（i）当 $0<x<y$ 时，根据中值定理（参见第 88 页）可得，存在一个 u 满足以下公式。

> **中值定理**
> 若函数 $y=f(x)$ 的图像在 $a\leqslant x\leqslant b$ 的区间内光滑且连续，则必定存在一个实数 c 满足以下公式。
> $$\frac{f(b)-f(a)}{b-a}=f'(c),\quad a<c<b$$

$$\frac{f(y)-f(x)}{y-x}=f'(u)\quad 且\ x<u<y\qquad\cdots①$$

> $(\ln x)'=\dfrac{1}{x}$

因为 $f(t)=\ln t\Rightarrow f'(t)=\dfrac{1}{t}$，由 ① 式可得下式成立。

$$\frac{\ln y-\ln x}{y-x}=\frac{1}{u}$$

> $\dfrac{a}{b}=\dfrac{p}{q}\Rightarrow aq=bp$

$$\Rightarrow\quad \boldsymbol{u(\ln y-\ln x)=y-x}\qquad\cdots②$$

因为 $0<x<y$，所以 $\ln y-\ln x>0$，在不等式 $x<u$ 两侧同乘以 $\ln y-\ln x$，可得下式。

$$x(\ln y-\ln x)<u(\ln y-\ln x)$$

> 若 $C>0$，则
> $A<B\Rightarrow AC<BC$

由 ② 式可得下式。

$$x(\ln y-\ln x)<\boldsymbol{u(\ln y-\ln x)=y-x}$$

$$\Rightarrow\quad x(\ln y-\ln x)<y-x\qquad\cdots③$$

③ 式两侧同乘以 -1，可得下式成立。

> 若 $C<0$，则
> $A<B\Rightarrow AC>BC$

$$x(\ln x-\ln y)>x-y$$

(ii) 当 $0<y<x$ 时，与 (i) 同理，根据中值定理可得存在一个 v 满足以下公式。

$$\frac{f(x)-f(y)}{x-y}=f'(v) \text{ 且 } y<v<x \quad \cdots ④$$

因为 $f'(t)=\frac{1}{t}$，由 ④ 式可得下式成立。

$$\frac{f(x)-f(y)}{x-y}=\frac{1}{v}$$

$$\Rightarrow \boldsymbol{v(\ln x-\ln y)=x-y} \quad \cdots ⑤$$

因为 $0<y<x$，所以 $\ln x-\ln y>0$，在不等式 $v<x$ 两侧同乘以 $\ln x-\ln y$，可得下式。

$$v(\ln x-\ln y)<x(\ln x-\ln y)$$

由 ⑤ 式可得下式。

$$\boldsymbol{x-y=v(\ln x-\ln y)}<x(\ln x-\ln y)$$

$$\Rightarrow \quad x(\ln x-\ln y)>x-y$$

(iii) 当 $0<x=y$ 时，

$$x(\ln x-\ln y)=0,\ x-y=0$$

所以 $x(\ln x-\ln y)=x-y$。

根据 (i)(ii)(iii) 可得下式成立。

$$x(\ln x-\ln y)\geqslant x-y$$

而且当且仅当 $x=y$ 时等号成立。

（证毕）

【问题 4：积分法】 基础

求下列定积分的值。

1 $\int_0^1 x\mathrm{e}^x\mathrm{d}x$ 2 $\int_0^{\pi} x\sin x\,\mathrm{d}x$ 3 $\int_0^1 \frac{x}{1+x^2}\mathrm{d}x$ 4 $\int_0^1 \frac{1}{1+x^2}\mathrm{d}x$

（2004 年 宫崎大学）

答案 1 1 2 π 3 $\frac{1}{2}\ln 2$ 4 $\frac{\pi}{4}$

1 本题使用分部积分法（参见第 96 页）。

$$\int_0^1 \overset{f}{x}\overset{g'}{\mathrm{e}^x}\mathrm{d}x = [\overset{f}{x}\overset{g}{\mathrm{e}^x}]_0^1 - \int_0^1 \overset{f'}{1}\cdot\overset{g}{\mathrm{e}^x}\mathrm{d}x$$

$$= 1\cdot\mathrm{e}^1 - 0\cdot\mathrm{e}^0 - \int_0^1 \mathrm{e}^x\mathrm{d}x$$

$$= \mathrm{e} - [\mathrm{e}^x]_0^1$$

$$= \mathrm{e} - (\mathrm{e}^1 - \mathrm{e}^0) = \mathrm{e} - \mathrm{e} + 1 = 1$$

$\int f(x)g'(x)\mathrm{d}x = f(x)g(x) - \int f'(x)g(x)\mathrm{d}x$

设 $f(x)$ 的不定积分为 $F(x)+C$，则有 $\int_a^b f(x)\mathrm{d}x = [F(x)]_a^b = F(b) - F(a)$

$\int \mathrm{e}^x\mathrm{d}x = \mathrm{e}^x + C$

$\mathrm{e}^0 = 1$

2 本题同样使用分部积分法。

$$\int_0^{\pi} \overset{f}{x}\,\overset{g'}{\sin x}\mathrm{d}x = [\overset{f}{x}(\overset{g}{-\cos x})]_0^{\pi} - \int_0^{\pi} \overset{f'}{1}\cdot(\overset{g}{-\cos x})\mathrm{d}x$$

$$= \pi\cdot(-\cos\pi) - 0\cdot(-\cos 0) + \int_0^{\pi}\cos x\mathrm{d}x$$

$$= \pi + [\sin x]_0^{\pi}$$

$$= \pi + (\sin\pi - \sin 0) = \pi + (0 - 0) = \pi$$

$\int \sin x\mathrm{d}x = -\cos x + C$

$\int \cos x\mathrm{d}x = \sin x + C$

$\cos\pi = -1$，$\cos 0 = 1$

$\sin\pi = 0$，$\sin 0 = 0$

3 本题使用换元积分法（参见第 95 页）。

设 $\mathbf{1+x^2=t}$，等式两侧同时对 x 微分。

$$1+x^2=t \Rightarrow \frac{\mathrm{d}}{\mathrm{d}x}\left(1+x^2\right)=\frac{\mathrm{d}}{\mathrm{d}x}t$$

$$\Rightarrow 0+2x=\frac{\mathrm{d}t}{\mathrm{d}x} \Rightarrow 2x\mathrm{d}x=\mathrm{d}t \Rightarrow \boldsymbol{x\mathrm{d}x=\frac{1}{2}\mathrm{d}t}$$

另外，x 和 t 的对应关系如右表所示。
由此可得下式成立。

x	$0 \to 1$
t	$1 \to 2$

$$\int_0^1 \frac{x}{1+x^2}\mathrm{d}x=\int_0^1 \frac{1}{1+x^2}x\mathrm{d}x$$

$$=\int_1^2 \frac{1}{t}\cdot\frac{1}{2}\mathrm{d}t$$

$$=\frac{1}{2}\int_1^2 \frac{1}{t}\mathrm{d}t=\frac{1}{2}\left[\ln|t|\right]_1^2$$

$$=\frac{1}{2}(\ln|2|-\ln|1|)=\frac{1}{2}(\ln 2-\ln 1)=\frac{1}{2}(\ln 2-0)=\frac{1}{2}\ln 2$$

$$\int \frac{1}{x}\mathrm{d}x=\ln|x|+C$$

$$\ln 1=0$$

4 本题同样使用**换元积分法**。

设 $\boldsymbol{x=\tan\theta}$，等式两侧同时对 θ 微分。

$$x=\tan\theta \Rightarrow \frac{\mathrm{d}}{\mathrm{d}\theta}x=\frac{\mathrm{d}}{\mathrm{d}\theta}\tan\theta \Rightarrow \frac{\mathrm{d}x}{\mathrm{d}\theta}=\frac{1}{\cos^2\theta} \Rightarrow \boldsymbol{\mathrm{d}x=\frac{1}{\cos^2\theta}\mathrm{d}\theta}$$

x 和 θ 的对应关系如右表所示。
由此可得下式成立。

x	$0 \to 1$
θ	$0 \to \frac{\pi}{4}$

$$\int_0^1 \frac{1}{1+x^2}\mathrm{d}x=\int_0^{\frac{\pi}{4}} \frac{1}{1+\tan^2\theta}\cdot\frac{1}{\cos^2\theta}\mathrm{d}\theta$$

$$=\int_0^{\frac{\pi}{4}} \frac{1}{\frac{1}{\cos^2\theta}}\cdot\frac{1}{\cos^2\theta}\mathrm{d}\theta=\int_0^{\frac{\pi}{4}} 1\mathrm{d}\theta=[\theta]_0^{\frac{\pi}{4}}=\frac{\pi}{4}-0=\frac{\pi}{4}$$

$$1+\tan^2\theta=\frac{1}{\cos^2\theta}$$

【问题 5：积分法的应用】 应用

在平面直角坐标系中，求曲线 $4y^2=(1-x)^3$ 在 $x\geqslant 0$ 的范围内的长度。

（2001 年　信州大学）

答案 $\dfrac{61}{27}$

详解

1 由题可知，曲线 $4y^2=(1-x)^3$ 上的点 (p,q) 满足公式 $4q^2=(1-p)^3$。此时，对于点 (p,q) 关于 x 轴对称的点 $(p,-q)$，有以下公式成立。

$$4(-q)^2=4q^2=(1-p)^3 \quad\Rightarrow\quad 4(-q)^2=(1-p)^3$$

这说明当点 (p,q) 位于曲线上时，点 $(p,-q)$ 也必定位于曲线上。也就是说，**曲线 $4y^2=(1-x)^3$ 关于 x 轴对称**（曲线 $4y^2=(1-x)^3$ 在 $x\geqslant 0$ 的部分的图像如右图所示）。

因此，我们只需求出 $y\geqslant 0$ 时的曲线长度，再乘以 2 即可。

$4y^2=(1-x)^3$　（其中，$x\geqslant 0$）

当 $y\geqslant 0$ 且 $0\leqslant x\leqslant 1$ 时，

$$4y^2=(1-x)^3 \ \Rightarrow\ y^2=\frac{(1-x)^3}{4}$$

$$\Rightarrow\ y=\sqrt{\frac{(1-x)^3}{4}}=\frac{(1-x)^{\frac{3}{2}}}{2}$$

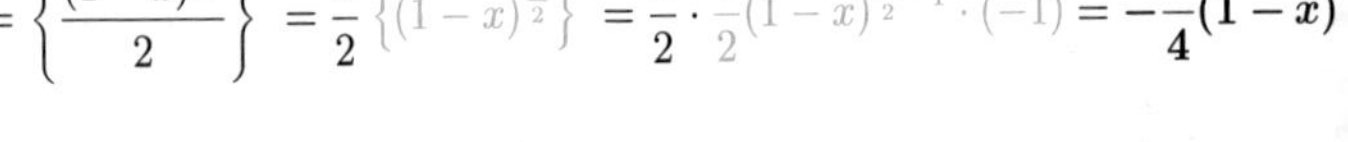

$$\Rightarrow\quad \frac{\mathrm{d}y}{\mathrm{d}x}=\left\{\frac{(1-x)^{\frac{3}{2}}}{2}\right\}'=\frac{1}{2}\left\{(1-x)^{\frac{3}{2}}\right\}'=\frac{1}{2}\cdot\frac{3}{2}(1-x)^{\frac{3}{2}-1}\cdot(-1)=-\frac{3}{4}(1-x)$$

复合函数的微分：外部微分 × 内部微分

（参见第 79 页）

设所求曲线长度为 L，根据求曲线长度的积分公式（参见第 98 页）可得

$$\frac{L}{2}=\int_0^1\sqrt{1+\left(\frac{\mathrm{d}y}{\mathrm{d}x}\right)^2}\mathrm{d}x=\int_0^1\sqrt{1+\left\{-\frac{3}{4}(1-x)^{\frac{1}{2}}\right\}^2}\mathrm{d}x$$

$$=\int_0^1\sqrt{1+\frac{9}{16}(1-x)}\mathrm{d}x=\int_0^1\sqrt{\frac{25}{16}-\frac{9}{16}x}\mathrm{d}x$$

令 $\sqrt{\frac{25}{16}-\frac{9}{16}x}=t$，则有

$$\sqrt{\frac{25}{16}-\frac{9}{16}x}=t\Rightarrow\frac{25}{16}-\frac{9}{16}x=t^2\Rightarrow\frac{9}{16}x=\frac{25}{16}-t^2\Rightarrow x=\frac{25}{9}-\frac{16}{9}t^2$$

等式两侧同时对 t 微分，可得

$$\frac{\mathrm{d}}{\mathrm{d}t}x=\frac{\mathrm{d}}{\mathrm{d}t}\left(\frac{25}{9}-\frac{16}{9}t^2\right)\Rightarrow\frac{\mathrm{d}x}{\mathrm{d}t}=-\frac{32}{9}t\Rightarrow\mathrm{d}x=-\frac{32}{9}t\mathrm{d}t$$

x 和 t 的对应关系如右表所示。

x	$0\to1$
t	$\frac{5}{4}\to1$

$$\frac{L}{2}=\int_0^1\sqrt{\frac{25}{16}-\frac{9}{16}x}\mathrm{d}x=\int_{\frac{5}{4}}^1t\cdot\left(-\frac{32}{9}t\right)\mathrm{d}t$$

$$=-\frac{32}{9}\int_{\frac{5}{4}}^1t^2\mathrm{d}t$$

$$=-\frac{32}{9}\left[\frac{1}{3}t^3\right]_{\frac{5}{4}}^1=-\frac{32}{9}\times\frac{1}{3}\left\{1^3-\left(\frac{5}{4}\right)^3\right\}$$

$$=-\frac{32}{27}\left(1-\frac{125}{64}\right)$$

$$=-\frac{32}{27}\times\left(-\frac{61}{64}\right)=\frac{61}{54}$$

$$\Rightarrow L=2\times\frac{61}{54}=\frac{61}{27}$$

【问题 1：等差数列】 基础

已知等差数列 $\{a_n\}$ 的第 6 项为 13，第 15 项为 31。该数列的第 30 项为______，第______项为 71。此外，大于 1000 的最小项是第______项。

（2012 年 国士馆大学）

(1) 61 (2) 35 (3) 500

(1)

首项为 a_1，公差为 d 的等差数列的通项公式（参见第 103 页）如下所示。

$$a_n = a_1 + (n-1)d \quad \cdots①$$

由 $a_6 = 13$，$a_{15} = 31$ 可得

$$\begin{cases} a_6 = a_1 + (6-1)d = 13 \\ a_{15} = a_1 + (15-1)d = 31 \end{cases}$$

$$\Rightarrow \begin{cases} a_1 + 5d = 13 & \cdots② \\ a_1 + 14d = 31 & \cdots③ \end{cases}$$

③－②，可得

$$\begin{array}{rr} & \boldsymbol{a_1 + 14d = 31} \\ -) & \boldsymbol{a_1 + \ \ 5d = 13} \\ \hline & \boldsymbol{9d = 18} \end{array}$$

$$\Rightarrow \ \boldsymbol{d=2}$$

将其代入 ② 式可得以下结果。

$$a_1 + 5 \times 2 = 13 \quad \Rightarrow \quad a_1 + 10 = 13 \quad \Rightarrow \quad \boldsymbol{a_1 = 3}$$

将上述式子代入 ① 式可得

$a_n = a_1 + (n-1)d = 3 + (n-1)\cdot 2 = 3 + 2n - 2 = \mathbf{2n+1}$

$\Rightarrow \quad a_{30} = 2\times 30 + 1 = 60 + 1 = \mathbf{61}$

所以**第 30 项为** 61。

(2)

设 $a_n = 71$，由 $a_n = 2n+1$ 可得

$2n+1 = 71 \quad\Rightarrow\quad 2n = 70 \quad\Rightarrow\quad n = 35$

所以 **71 是**第 35 项。

(3)

设 $a_n > 1000$，由 $a_n = 2n+1$ 可得

$$2n+1 > 1000 \quad\Rightarrow\quad 2n > 999 \quad\Rightarrow\quad n > \frac{999}{2} = 499.5$$

因为 n 是整数，所以 $n \geqslant 500$。由此可得，**大于 1000 的最小项是**第 500 项。

【问题 2：等比数列】 

已知银行采用复利法，年利率为 r，设每年年初往银行存入 a 日元，持续存 n 年，第 n 年年末积攒的本金和利息共计 S 日元，求 S 的表达式。提示：复利法是指用上一年末的本金和利息乘以 (1 + 利率) 得出本年初始余额的计息方法。

（1998 年　高知大学）

$$S=\frac{a(1+r)\left[(1+r)^n-1\right]}{r}$$

“年利率（复利）为 r” 即每年年末的余额会变为年初的 $(1+r)$ 倍。请注意，每年年初还会往银行新存入 a 日元。

单位：日元

第 1 年年初　a　$\times(1+r)$

第 1 年年末　$a(1+r)$

第 2 年年初　$a(1+r)+a$ ← 新存入的钱　$\times(1+r)$

第 2 年年末　$a(1+r)^2+a(1+r)$

第 3 年年初　$a(1+r)^2+a(1+r)+a$ ← 新存入的钱　$\times(1+r)$

第 3 年年末　$a(1+r)^3+a(1+r)^2+a(1+r)$

⋮　　⋮

第 n 年年初　$a(1+r)^{n-1}+a(1+r)^{n-2}+a(1+r)^{n-3}+\cdots+a(1+r)+a$ ← 新存入的钱　$\times(1+r)$

第 n 年年末　$a(1+r)^n+a(1+r)^{n-1}+a(1+r)^{n-2}+\cdots+a(1+r)^2+a(1+r)$

由此可得第 n 年的年末余额 S 为

$$S=a(1+r)+a(1+r)^2+\cdots+a(1+r)^{n-2}+a(1+r)^{n-1}+a(1+r)^n$$

因为 S 是**首项为 $a(1+r)$，公比为 $1+r$，项数为 n** 的等比数列之和（参见第 106 页），所以下式成立。

$$S=\frac{a(1+r)\left[1-(1+r)^n\right]}{1-(1+r)}$$

$$=\frac{a(1+r)\left[1-(1+r)^n\right]}{-r}$$

$$=\frac{a(1+r)\left[(1+r)^n-1\right]}{r}$$

等比数列之和公式为 $\frac{首项(1-公比^{项数})}{1-公比}$。

住房贷款的还款次数

我们来尝试计算一下住房贷款的还款次数吧。已知贷款总额为 **A 日元**，每月的还款额为 **p 日元**，月利率（复利）为 r。需要注意的是，月利率为复利。计算可得如下结果。

1 个月后的剩余还款额：$\boldsymbol{A(1+r)-p}$ 日元

2 个月后的剩余还款额：$[A(1+r)-p](1+r)-p=\boldsymbol{A(1+r)^2-p(1+r)-p}$ 日元

3 个月后的剩余还款额：

$[A(1+r)^2-p(1+r)-p](1+r)-p=\boldsymbol{A(1+r)^3-p(1+r)^2-p(1+r)-p}$ 日元。

重复以上计算，可得 n 个月后的剩余还款额为

$$
\begin{aligned}
&A(1+r)^n-p(1+r)^{n-1}-p(1+r)^{n-2}-\cdots-p(1+r)-p\\
&=A(1+r)^n-[p+p(1+r)+\cdots+p(1+r)^{n-2}+p(1+r)^{n-1}]\\
&=A(1+r)^n-p\frac{1-(1+r)^n}{1-(1+r)}=\boldsymbol{A(1+r)^n-p\frac{(1+r)^n-1}{r}}\ \text{日元}
\end{aligned}
$$

等比数列之和公式

还款结束时，剩余还款额应为 0 日元，所以还款次数如下所示。

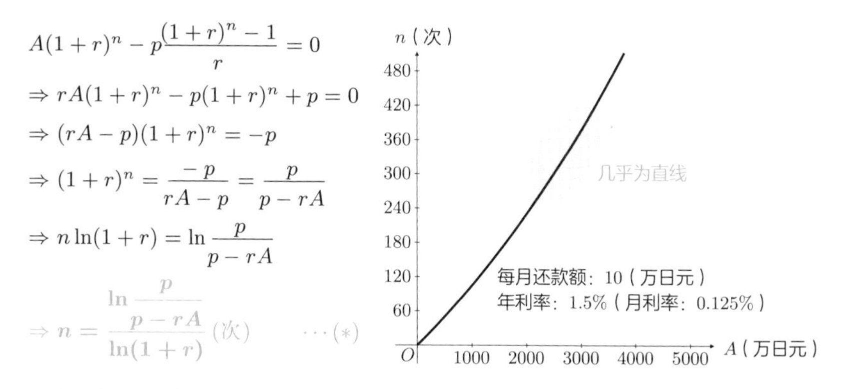

$$
\begin{aligned}
&A(1+r)^n-p\frac{(1+r)^n-1}{r}=0\\
&\Rightarrow rA(1+r)^n-p(1+r)^n+p=0\\
&\Rightarrow (rA-p)(1+r)^n=-p\\
&\Rightarrow (1+r)^n=\frac{-p}{rA-p}=\frac{p}{p-rA}\\
&\Rightarrow n\ln(1+r)=\ln\frac{p}{p-rA}\\
&\Rightarrow n=\frac{\ln\frac{p}{p-rA}}{\ln(1+r)}\ (\text{次})\qquad\cdots(*)
\end{aligned}
$$

上边的右图是在年利率为 1.5%（月利率为 0.125%），每月的还款额为 10 万日元的前提下，n（还款次数）关于 A（贷款总额）的函数图像。

仔细看图像，我们可以观察到一个特点，当贷款总额为 3000 万日元左右时，该函数曲线近似于直线。这意味着当贷款总额（剩余还款金额）为 3000 万日元左右时，如果以百万日元为单位提前还款，则

提前还款金额（= 减少的剩余还款金额）与减少的还款次数成一定比例。

此外，$(*)$ 式可以通过科学计算器或 Excel 进行计算，有兴趣的读者请务必尝试一下。

【问题 3：Σ 符号】 基础

设首项为 $a_1=-35$ 的数列 $\{a_n\}$ 的差分数列为 $\{b_n\}$，即下式成立。

$$b_n=a_{n+1}-a_n\,(n=1,2,3,\cdots)$$

已知 $\{b_n\}$ 是公差为 4 的等差数列，其首项为 $b_1=-19$。请回答下列问题。

1. 对于自然数 n，将 b_n 用带 n 的式子表示。
2. 对于自然数 n，将 a_n 用带 n 的式子表示。
3. 求数列 $\{a_n\}$ 从首项到第 24 项之和。

（2012 年　岩手大学）

答案 1　$b_n=4n-23$　2　$a_n=2n^2-25n-12$　3　2012

详解

1 首项为 b_1，公差为 d 的**等差数列 $\{b_n\}$ 的通项公式**（参见第 103 页）为

$$b_n=b_1+(n-1)d$$

当 $b_1=-19$，$d=4$ 时，b_n 如下所示。

$$b_n=-19+(n-1)\cdot 4=-19+4n-4=4n-23$$

2 **$\{b_n\}$ 是 $\{a_n\}$ 的**差分数列（参见第 113 页）。当 $n\geqslant 2$ 时，a_n 如下所示。

$$\sum_{k=1}^{n}(pa_k+qb_k)=p\sum_{k=1}^{n}a_k+q\sum_{k=1}^{n}b_k$$

$$\sum_{k=1}^{n}k=\frac{n(n+1)}{2}$$

$$\sum_{k=1}^{n}c=nc$$

$$\begin{aligned}
a_n&=a_1+\sum_{k=1}^{n-1}b_k\\
&=-35+\sum_{k=1}^{n-1}(4k-23)\\
&=-35+4\sum_{k=1}^{n-1}k-\sum_{k=1}^{n-1}23\\
&=-35+4\cdot\frac{(n-1)\{(n-1)+1\}}{2}-23(n-1)\\
&=-35+2(n-1)n-23(n-1)\\
&=-35+2n^2-2n-23n+23=\mathbf{2n^2-25n-12}\quad\cdots①
\end{aligned}$$

将 $n=1$ 代入 ① 得

$$2\times1^2-25\times1-12=2-25-12=-35$$

与 $a_1=-35$ 相符。由此可得，当 $n=1$ 时 ① 式亦成立。

①式是在假设 $n\geqslant2$ 的前提下推导出的式子。所以我们需要验证当 $n=1$ 时的情况。

综上所述，$\boldsymbol{a_n}$ 的式子如下所示。

$$a_n=2n^2-25n-12$$

3 设所求的和为 S。

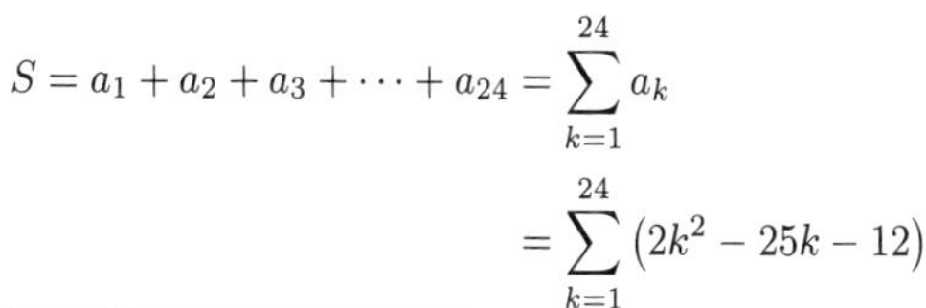

$$S=a_1+a_2+a_3+\cdots+a_{24}=\sum_{k=1}^{24}a_k$$

$$=\sum_{k=1}^{24}\left(2k^2-25k-12\right)$$

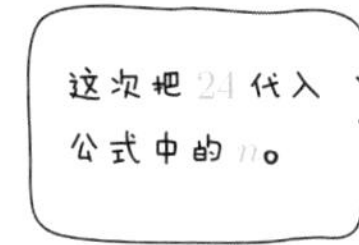

$$\sum_{k=1}^{n}k^2=\frac{n(n+1)(2n+1)}{6}$$

$$=2\sum_{k=1}^{24}k^2-25\sum_{k=1}^{24}k-\sum_{k=1}^{24}12$$

$$=2\times\frac{24(24+1)(2\times24+1)}{6}-25\frac{24(24+1)}{2}-12\times24$$

$$=8\times25\times49-25\times12\times25-12\times24$$

$$=4\times25(2\times49-3\times25)-12\times24$$

$$=100(98-75)-12\times24$$

$$=100\times23-12\times24=2300-288=2012$$

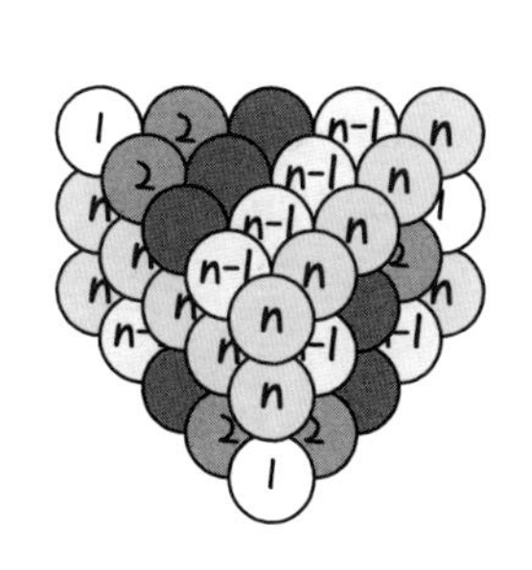

【问题 4：递推关系式】 应用

已知 n 为自然数，数列 $\{a_n\}$ 满足 $a_1=5$，$a_{n+1}=\frac{25}{{a_n}^2}$。求

1 $a_3=$________，$a_4=$________。

2 设 $b_n=\log_5 a_n$，求 $\{b_n\}$ 的通项公式。

（2014 年　庆应义塾大学）

答案 **1** 25，$\frac{1}{25}$ **2** $b_n=\frac{(-2)^{n-1}+2}{3}$

详解

1 将 1、2、3 依次代入 $a_{n+1}=\frac{25}{{a_n}^2}$ 中的 n。

由 $a_1=5$ 可得

$$a_2=\frac{25}{{a_1}^2}=\frac{25}{5^2}=1,\ a_3=\frac{25}{{a_2}^2}=\frac{25}{1^2}=25,\ a_4=\frac{25}{{a_3}^2}=\frac{25}{25^2}=\frac{1}{25}$$

2 $a_{n+1}=\frac{25}{{a_n}^2}$ 等式两侧**取底为 5 的对数**。

$$\log_5 a_{n+1}=\log_5\frac{25}{{a_n}^2}$$

$$=\log_5 5^2-\log_5 {a_n}^2$$

$$=2\log_5 5-2\log_5 a_n=2\times 1-2\log_5 a_n$$

$$\Rightarrow\ \boldsymbol{\log_5 a_{n+1}=2-2\log_5 a_n}$$

$\log_a\frac{M}{N}=\log_a M-\log_a N$

$\log_a M^r=r\log_a M$

$\log_a a=1$

设 $\log_5 a_n=b_n$，则下式成立。

$$\boldsymbol{b_{n+1}=2-2b_n}$$

可以参考第 115 页的情况（iv）！

$$\begin{array}{rl} & b_{n+1} = 2 - 2b_n \\ -) & \underline{\alpha = 2 - 2\alpha} \text{（特征方程）} \\ & b_{n+1} - \alpha = -2(b_n - \alpha) \cdots ① \end{array}$$

解特征方程（参见第 116 页）可得

$$\alpha = 2 - 2\alpha \quad \Rightarrow \quad 3\alpha = 2 \quad \Rightarrow \quad \boldsymbol{\alpha = \frac{2}{3}}$$

代入 ① 式可得

$$b_{n+1} - \alpha = -2(b_n - \alpha) \quad \Rightarrow \quad \boldsymbol{b_{n+1} - \frac{2}{3} = -2\left(b_n - \frac{2}{3}\right)}$$

由此可知数列 $\left\{b_n - \frac{2}{3}\right\}$ 是首项为 $b_1 - \frac{2}{3}$，公比为 -2 的**等比数列**。

$$\Rightarrow \quad b_n - \frac{2}{3} = \left(b_1 - \frac{2}{3}\right) \cdot (-2)^{n-1}$$

首项为 a_1、公比为 r 的等比数列通项公式为 $a_n = a_1 r^{n-1}$

代入 $b_1 = \log_5 a_1 = \log_5 5 = \mathbf{1}$，便可得到所求的通项公式。

$$\Rightarrow \quad b_n - \frac{2}{3} = \left(1 - \frac{2}{3}\right) \cdot (-2)^{n-1} = \frac{(-2)^{n-1}}{3}$$

$$\Rightarrow \quad \boldsymbol{b_n = \frac{(-2)^{n-1}}{3} + \frac{2}{3}}$$

【问题 5：数学归纳法】 应用

已知数列 $\{p_n\}$ 满足以下式子。

$$p_1=1, p_2=2, p_{n+2}=\frac{{p_{n+1}}^2+1}{p_n}(n=1,2,3,\cdots)$$

1 试证明 $\frac{{p_{n+1}}^2+{p_n}^2+1}{p_{n+1}p_n}$ 的值与 n 取何值无关。

2 对于任意的 $n=2,3,4,\cdots$，用含 p_n 的式子来表示 $p_{n+1}+p_{n-1}$。

3 已知数列 $\{q_n\}$ 满足以下式子。

$$q_1=1，q_2=1，q_{n+2}=q_{n+1}+q_n\ (n=1,2,3,\cdots)$$

对于任意的 $n=1,2,3,\cdots$，试证明 $p_n=q_{2n-1}$。

（2015 年　东京大学）

详解

1 设 $a_n=\dfrac{{p_{n+1}}^2+{p_n}^2+1}{p_{n+1}p_n}$，我们来证明 $a_{n+1}=a_n$。

$$a_{n+1}=\frac{{p_{n+2}}^2+{p_{n+1}}^2+1}{p_{n+2}p_{n+1}}=\frac{\left[\dfrac{{p_{n+1}}^2+1}{p_n}\right]^2+{p_{n+1}}^2+1}{\dfrac{{p_{n+1}}^2+1}{p_n}p_{n+1}}$$

$$=\frac{({p_{n+1}}^2+1)\left[\dfrac{({p_{n+1}}^2+1)}{{p_n}^2}+1\right]}{({p_{n+1}}^2+1)\dfrac{p_{n+1}}{p_n}}$$

$$=\frac{\dfrac{({p_{n+1}}^2+1)}{{p_n}^2}+1}{\dfrac{p_{n+1}}{p_n}}=\frac{\dfrac{({p_{n+1}}^2+1)}{{p_n}^2}+1}{\dfrac{p_{n+1}}{p_n}}\times\frac{{p_n}^2}{{p_n}^2}$$

$$=\frac{({p_{n+1}}^2+1)+{p_n}^2}{p_{n+1}p_n}=\frac{{p_{n+1}}^2+{p_n}^2+1}{p_{n+1}p_n}=a$$

由 $a_{n+1}=a_n$ 可得

$$\boldsymbol{a_1 = a_2 = a_3 = \cdots = a_n}$$

所以 $a_n=\dfrac{{p_{n+1}}^2+{p_n}^2+1}{p_{n+1}p_n}$ 的值与 n 取何值无关。

（证毕）

2 设下列证明中 $n \geqslant 2$。由 $p_1=1$，$p_2=2$ 得

$$a_1=\frac{{p_2}^2+{p_1}^2+1}{p_2p_1}=\frac{2^2+1^2+1}{2\times 1}=\frac{6}{2}=3$$

由详解 1 可得 $a_n=a_1$，所以

$$a_n=3 \Rightarrow \quad \frac{{p_{n+1}}^2+{p_n}^2+1}{p_{n+1}p_n}=3 \quad \cdots ①$$

又因为 $p_{n+2}=\dfrac{{p_{n+1}}^2+1}{p_n}$，所以

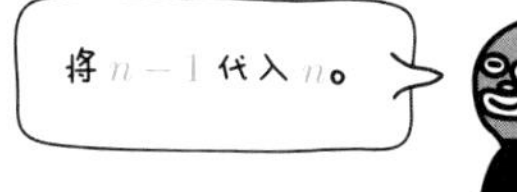

$$p_{n+1}=\frac{{p_n}^2+1}{p_{n-1}} \Rightarrow \quad {p_n}^2+1=p_{n-1}p_{n+1}$$

将其代入 ① 式可得下式成立。

$$\frac{{p_{n+1}}^2+p_{n-1}p_{n+1}}{p_{n+1}p_n}=3 \quad \Rightarrow \quad \frac{p_{n+1}(p_{n+1}+p_{n-1})}{p_{n+1}p_n}=3 \quad \Rightarrow \quad \frac{p_{n+1}+p_{n-1}}{p_n}=3$$

$$\Rightarrow \quad p_{n+1}+p_{n-1}=3p_n$$

3 运用数学归纳法（参见第 119 页）来证明 $p_n=q_{2n-1}$ $\cdots$②。

（i）当 $n=1$ 时，

$p_1=1$，$q_{2\times1-1}=q_1=1$，所以 ② 式成立。

当 $n=2$ 时，

$p_2=2$，$q_{2\times2-1}=q_3=q_2+q_1=1+1=2$，所以 ② 式成立。

(ii) **假设 $n=k$ 及 $n=k+1$ 时 ② 式成立。**

$p_k = q_{2k-1}$、$p_{k+1} = q_{2k+1}$ …③

$q_{2(k+1)-1} = q_{2k+1}$

现在我们利用 ③ 式来**证明当 $n=k+2$ 时 ② 式成立**。

一方面，由详解 2 可得

$$p_{k+1} + p_{k-1} = 3p_k \Rightarrow p_{k+2} + p_k = 3p_{k+1}$$

$$\Rightarrow p_{k+2} = 3p_{k+1} - p_k$$

将 ③ 式代入，得

$$p_{k+2} = \mathbf{3q_{2k+1} - q_{2k-1}} \quad \cdots ④$$

另一方面，根据 $q_{n+2} = q_{n+1} + q_n$ 得

$$q_{2k+1} = q_{2k} + q_{2k-1} \Rightarrow q_{2k} = q_{2k+1} - q_{2k-1} \quad \cdots ⑤$$

$$q_{2k+2} = q_{2k+1} + q_{2k} \quad \cdots ⑥$$

$$q_{2k+3} = q_{2k+2} + q_{2k+1} \quad \cdots ⑦$$

将 ⑥ 式代入 ⑦ 式，得

$$q_{2k+3} = q_{2k+1} + q_{2k} + q_{2k+1} = 2q_{2k+1} + q_{2k} \quad \cdots ⑧$$

将 ⑤ 式代入 ⑧ 式，得

$$q_{2k+3} = 2q_{2k+1} + q_{2k+1} - q_{2k-1} = \mathbf{3q_{2k+1} - q_{2k-1}} \quad \cdots ⑨$$

由 ④ 式和 ⑨ 式可得 $\mathbf{p_{k+2} = q_{2k+3}}$，所以当 $n=k+2$ 时 ② 式亦成立。

根据 (i) (ii) 可知，**对于任意自然数 n** 都有 $p_n=q_{2n-1}$ 成立。

（证毕

数学归纳法不仅可以假设一个前提，也可以像本题这样假设两个前提。在这种情况下，第 1 步要证明当 $n=1$ 和 $n=2$ 时原式成立。

皮埃尔·德·费马（1601—1665）

费马与无穷递降法

“当 n 大于等于 3 时，不存在能够满足 $x^n+y^n=z^n$ 的自然数 (x,y,z)。” —— 这个定理称为费马大定理，又称费马最后定理。它或许是数学史上“结论之易懂和证明之困难”级别相差最大的定理。

这个定理是由数论（研究整数性质的数学）之父**皮埃尔·德·费马**留下的。费马曾提出一种叫作**无穷递降法**（infinite descent）的数学证明方法，费马称之为“我的方法”，并加以应用。

无穷递降法是数学归纳法的变种方法之一，一般与反证法结合应用。当我们需要证明满足条件 P 的自然数不存在时，**先假设存在一个满足条件 P 的自然数 n_0，再从 n_0 推出一个同样满足条件 P 的更小的自然数 n_1，重复该操作可得一组无限减小的自然数解，这与自然数不能无限减小相矛盾**。

举个例子，我们试着用无穷递降法来证明 $\sqrt{2}$ 是无理数。

证明】

假设 $\sqrt{2}$ 是有理数。也就是说，存在两个自然数 m_0 和 n_0 满足以下公式。

$$\sqrt{2}=\frac{m_0}{n_0} \quad \Rightarrow \quad {m_0}^2=2{n_0}^2 \qquad \cdots ①$$

由 ① 式可得，${m_0}^2$ 是 2 的倍数，所以 m_0 也是 2 的倍数[1]。设 $m_0=2m_1$（m_1 为自然数），将其代入 ① 式，得

$$2^2{m_1}^2=2{n_0}^2 \quad \Rightarrow \quad {n_0}^2=2{m_1}^2 \qquad \cdots ②$$

同理可得 n_0 也是 2 的倍数。设 $n_0=2n_1$（n_1 为自然数），将其代入 ② 式，得

$$2^2{n_1}^2=2{m_1}^2 \quad \Rightarrow \quad {m_1}^2=2{n_1}^2 \qquad \cdots ③$$

式成立意味着若 (m_0,n_0) 是方程 $x^2=2y^2$ 的一组自然数解，那么 $(m_1,n_1)=\left(\frac{m_0}{2},\frac{n_0}{2}\right)$ 满足该方程的另一组自然数解。**同样的操作可重复无数次**，因此，对于整数 k 来说，$(m_k,n_k)=\left(\frac{m_0}{2^k},\frac{n_0}{2^k}\right)$ 是满足方程 $x^2=2y^2$ 的一组自然数解。当 k 无限增大时，(m_k,n_k) 无限近于 $(0,0)$ 而不等于 $(0,0)$，这与 m_k 和 n_k 都是自然数矛盾。因此，$\sqrt{2}$ 是无理数。

（证毕）

[1] 严格来说这里需要进行证明，可以通过证明它的逆否命题“若 m_0 不是 2 的倍数，那么 ${m_0}^2$ 也不是 2 的倍数”为真来证明它为真。

8.6 “向量和矩阵”的真题

【问题 1：向量的加减法】 基础

假设在平行四边形 $ABCD$ 中，点 P 以 $3:1$ 的比例内分对角线 AC，点 Q 以 $3:2$ 的比例内分边 BC。

1 用 $\overrightarrow{AB}$、$\overrightarrow{AD}$ 来表示向量 $\overrightarrow{AC}$。

1 用 $\overrightarrow{AB}$、$\overrightarrow{AD}$ 来表示向量 $\overrightarrow{DP}$。

1 用 $\overrightarrow{AB}$、$\overrightarrow{AD}$ 来表示向量 $\overrightarrow{DQ}$。

（2009 年　大阪工业大学）

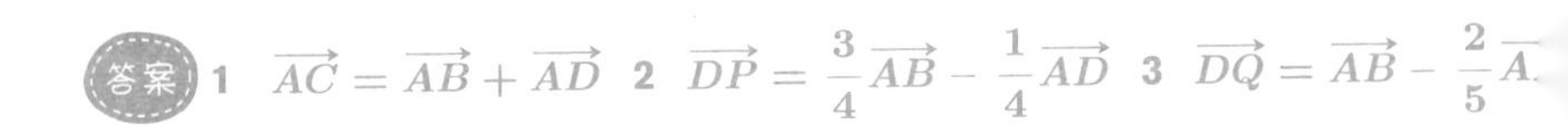
答案 1 $\overrightarrow{AC}=\overrightarrow{AB}+\overrightarrow{AD}$ 2 $\overrightarrow{DP}=\frac{3}{4}\overrightarrow{AB}-\frac{1}{4}\overrightarrow{AD}$ 3 $\overrightarrow{DQ}=\overrightarrow{AB}-\frac{2}{5}\overrightarrow{A}$

详解

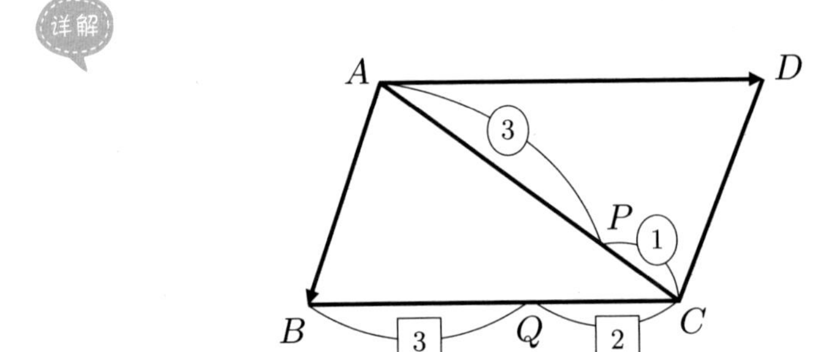

1 根据向量的加法法则（参见第 124 页）可直接得出结果。

$$\overrightarrow{AC}=\overrightarrow{AB}+\overrightarrow{AD}$$

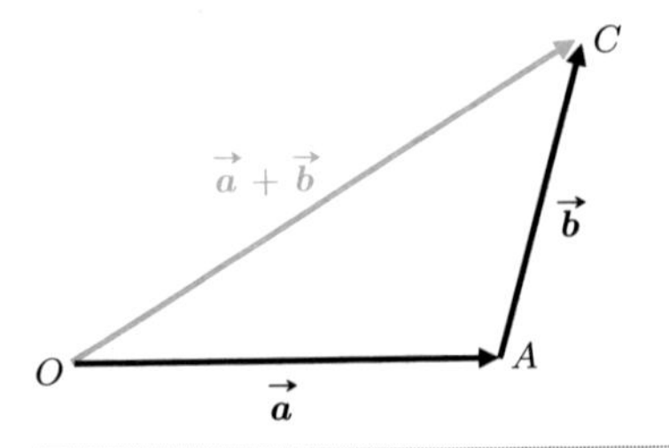

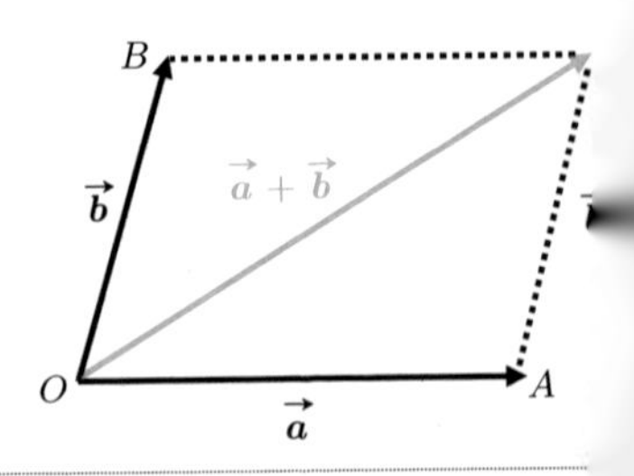

2 利用换起点公式（参见第 125 页）将 $\overrightarrow{DP}$ 的起点替换为点 A。

$$
\begin{aligned}
\overrightarrow{DP} &= \overrightarrow{AP} - \overrightarrow{AD} \\
&= \frac{3}{4}\overrightarrow{AC} - \overrightarrow{AD} \\
&= \frac{3}{4}(\overrightarrow{AB} + \overrightarrow{AD}) - \overrightarrow{AD} \\
&= \frac{3}{4}\overrightarrow{AB} + \frac{3}{4}\overrightarrow{AD} - \overrightarrow{AD} = \frac{3}{4}\overrightarrow{AB} - \frac{1}{4}\overrightarrow{AD}
\end{aligned}
$$

$\overrightarrow{AB} = \overrightarrow{XB} - \overrightarrow{XA}$

3 同样利用换起点公式将 $\overrightarrow{DQ}$ 的起点替换为点 A。

$$\overrightarrow{DQ} = \overrightarrow{AQ} - \overrightarrow{AD} \quad \cdots ①$$

将 $\overrightarrow{AQ}$ 变形为

$$
\begin{aligned}
\overrightarrow{AQ} = \overrightarrow{AB} + \overrightarrow{BQ} &= \overrightarrow{AB} + \frac{3}{5}\overrightarrow{BC} \\
&= \overrightarrow{AB} + \frac{3}{5}\overrightarrow{AD} \quad \cdots ②
\end{aligned}
$$

运用向量相等的知识可以得到 $\overrightarrow{BC} = \overrightarrow{AD}$。

（参见第 123 页）

将 ② 式代入 ① 式可得下式成立。

$$\overrightarrow{DQ} = \overrightarrow{AB} + \frac{3}{5}\overrightarrow{AD} - \overrightarrow{AD} = \overrightarrow{AB} - \frac{2}{5}\overrightarrow{AD}$$

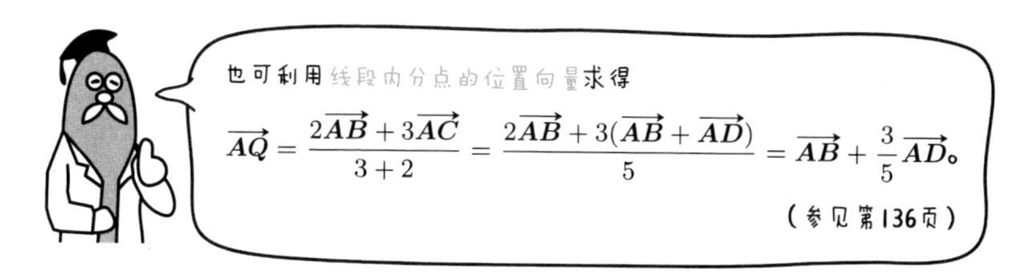

【问题 2：向量的内积和外积】 应用

$\triangle ABC$中，$\angle BAC=90°$，$|\overrightarrow{AB}|=1$，$|\overrightarrow{AC}|=\sqrt{3}$。设$\triangle ABC$中有一点$P$满足$\dfrac{\overrightarrow{PA}}{|\overrightarrow{PA}|}+\dfrac{\overrightarrow{PB}}{|\overrightarrow{PB}|}+\dfrac{\overrightarrow{PC}}{|\overrightarrow{PC}|}=\mathbf{0}$。

1 求$\angle APB$和$\angle APC$。

2 求$|\overrightarrow{PA}|$、$|\overrightarrow{PB}|$和$|\overrightarrow{PC}|$。

（2013 年　东京大学）

1　$\angle APB=120°$　$\angle APC=120°$

2　$|\overrightarrow{PA}|=\dfrac{1}{\sqrt{7}}$、$|\overrightarrow{PB}|=\dfrac{2}{\sqrt{7}}$、$|\overrightarrow{PC}|=\dfrac{4}{\sqrt{7}}$

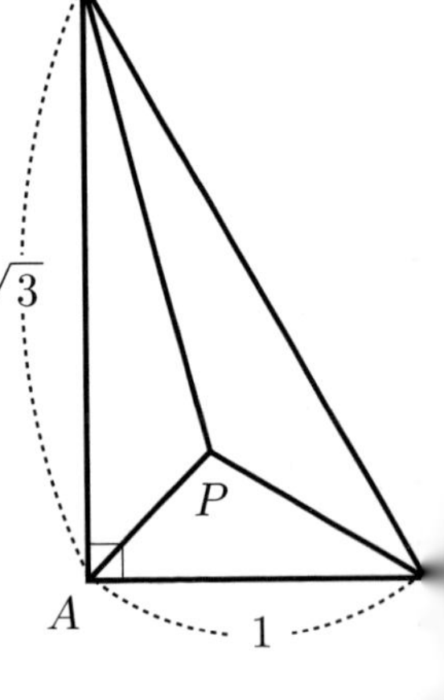

1

$$\frac{\overrightarrow{PA}}{|\overrightarrow{PA}|}+\frac{\overrightarrow{PB}}{|\overrightarrow{PB}|}+\frac{\overrightarrow{PC}}{|\overrightarrow{PC}|}=\mathbf{0}$$

$$\Rightarrow\ \frac{\overrightarrow{PC}}{|\overrightarrow{PC}|}=-\left(\frac{\overrightarrow{PA}}{|\overrightarrow{PA}|}+\frac{\overrightarrow{PB}}{|\overrightarrow{PB}|}\right)\quad\cdots①$$

由①式可得下式。

$$\left|\frac{\overrightarrow{PC}}{|\overrightarrow{PC}|}\right|=\left|\frac{\overrightarrow{PA}}{|\overrightarrow{PA}|}+\frac{\overrightarrow{PB}}{|\overrightarrow{PB}|}\right|$$

$|-\vec{a}|=|\vec{a}|$

等式两侧平方。

$$\left|\frac{\overrightarrow{PC}}{|\overrightarrow{PC}|}\right|^2=\left|\frac{\overrightarrow{PA}}{|\overrightarrow{PA}|}+\frac{\overrightarrow{PB}}{|\overrightarrow{PB}|}\right|^2$$

根据内积的性质得，$|\vec{a}|^2=\vec{a}\cdot\vec{a}$

（参见第 132 页

$$\Rightarrow\ \frac{\overrightarrow{PC}}{|\overrightarrow{PC}|}\cdot\frac{\overrightarrow{PC}}{|\overrightarrow{PC}|}=\left(\frac{\overrightarrow{PA}}{|\overrightarrow{PA}|}+\frac{\overrightarrow{PB}}{|\overrightarrow{PB}|}\right)\cdot\left(\frac{\overrightarrow{PA}}{|\overrightarrow{PA}|}+\frac{\overrightarrow{PB}}{|\overrightarrow{PB}|}\right)$$

$$\Rightarrow \quad \frac{|\overrightarrow{PC}|^2}{|\overrightarrow{PC}|^2} = \frac{\overrightarrow{PA}}{|\overrightarrow{PA}|}\cdot\frac{\overrightarrow{PA}}{|\overrightarrow{PA}|} + 2\frac{\overrightarrow{PA}}{|\overrightarrow{PA}|}\cdot\frac{\overrightarrow{PB}}{|\overrightarrow{PB}|} + \frac{\overrightarrow{PB}}{|\overrightarrow{PB}|}\cdot\frac{\overrightarrow{PB}}{|\overrightarrow{PB}|}$$

$$= \frac{|\overrightarrow{PA}|^2}{|\overrightarrow{PA}|^2} + 2\frac{\overrightarrow{PA}}{|\overrightarrow{PA}|}\cdot\frac{\overrightarrow{PB}}{|\overrightarrow{PB}|} + \frac{|\overrightarrow{PB}|^2}{|\overrightarrow{PB}|^2}$$

$$\Rightarrow \quad 1 = 1 + 2\frac{\overrightarrow{PA}}{|\overrightarrow{PA}|}\cdot\frac{\overrightarrow{PB}}{|\overrightarrow{PB}|} + 1$$

$$\Rightarrow \quad \frac{\overrightarrow{PA}}{|\overrightarrow{PA}|}\cdot\frac{\overrightarrow{PB}}{|\overrightarrow{PB}|} = -\frac{1}{2}$$

这里，我们试着考虑一下内积的几何含义（参见第 130 页），可得

$$\overrightarrow{PA}\cdot\overrightarrow{PB} = |\overrightarrow{PA}|\,|\overrightarrow{PB}|\cos\angle APB \Rightarrow \cos\angle APB = \frac{\overrightarrow{PA}}{|\overrightarrow{PA}|}\cdot\frac{\overrightarrow{PB}}{|\overrightarrow{PB}|} = -\frac{1}{2}$$

所以 $\angle APB = 120°$。

与 ① 式同理，可得

$(\cos 120°, \sin 120°) = \left(-\frac{1}{2}, \frac{\sqrt{3}}{2}\right)$

120°

$$\frac{\overrightarrow{PA}}{|\overrightarrow{PA}|} + \frac{\overrightarrow{PB}}{|\overrightarrow{PB}|} + \frac{\overrightarrow{PC}}{|\overrightarrow{PC}|} = \mathbf{0}$$

$$\Rightarrow \quad \frac{\overrightarrow{PB}}{|\overrightarrow{PB}|} = -\left(\frac{\overrightarrow{PA}}{|\overrightarrow{PA}|} + \frac{\overrightarrow{PC}}{|\overrightarrow{PC}|}\right) \quad \cdots②$$

进行与前式相同的计算后，可得[1]

$$\frac{\overrightarrow{PA}}{|\overrightarrow{PA}|}\cdot\frac{\overrightarrow{PC}}{|\overrightarrow{PC}|} = -\frac{1}{2}$$

由 $\overrightarrow{PA}\cdot\overrightarrow{PC} = |\overrightarrow{PA}|\,|\overrightarrow{PC}|\cos\angle APC$，得如下结果。

$$\cos\angle APC = \frac{\overrightarrow{PA}}{|\overrightarrow{PA}|}\cdot\frac{\overrightarrow{PC}}{|\overrightarrow{PC}|} = -\frac{1}{2} \quad \Rightarrow \quad \angle APC = 120°$$

[1] 将前式中的字母 B 替换为 C 即可。

由 $\angle APB = \angle APC = 120°$ 得

$\angle BPC = 360° - (\angle APB + \angle APC) = 360° - (120° + 120°) = 120°$

$\Rightarrow \quad \boldsymbol{\angle BPC = \angle APB} \quad \cdots ③$

在 $\triangle PBC$ 中，$\angle BPC = 120°$，所以

$\angle PCB + \angle PBC = 60° \quad \cdots ④$

又因为 $\triangle ABC$ 中构成直角的两边长之比为 $1 : \sqrt{3}$，所以 $\angle ABC = 60°$，由此可得

$\angle PBA + \angle PBC = 60° \quad \cdots ⑤$

由 ④ 式和 ⑤ 式可得

$\boldsymbol{\angle PCB = \angle PBA} \quad \cdots ⑥$

由 ③ 式和 ⑥ 式可知，$\triangle PBC$ 与 $\triangle PAB$ 两角对应相等，所以 $\boldsymbol{\triangle PBC \backsim \triangle PAB}$。

因此，$PA : PB = AB : BC = 1 : 2 \quad \cdots ⑦$

以及，$PB : PC = AB : BC = 1 : 2 \quad \cdots ⑧$

由 ⑦ 式和 ⑧ 式可知，$\boldsymbol{PA : PB : PC = 1 : 2 : 4}$。设 $\boldsymbol{PA = x}$，则 $\boldsymbol{PB = 2x}$ $\boldsymbol{PC = 4x}$。

对于 $\triangle PAB$，根据余弦定理（参见第 131 页），可得

$$\boldsymbol{AB^2 = PA^2 + PB^2 - 2PA \cdot PC \cos 120°}$$

$$\Rightarrow \quad 1^2 = x^2 + (2x)^2 - 2 \cdot x \cdot 2x \cdot \left(-\frac{1}{2}\right)$$

$$\Rightarrow \quad 1 = x^2 + 4x^2 + 2x^2 \quad \Rightarrow \quad 1 = 7x^2 \quad \Rightarrow \quad \text{因为 } x > 0\text{，所以 } \boldsymbol{x = \frac{1}{\sqrt{7}}}$$

综上所述，可得如下结果。

$$\boldsymbol{PA = x = \frac{1}{\sqrt{7}}},\quad \boldsymbol{PB = 2x = \frac{2}{\sqrt{7}}},\quad \boldsymbol{PC = 4x = \frac{4}{\sqrt{7}}}$$

如何解决数学考试中的难题

本书中所列的部分真题来自东京大学和京都大学，属于最难的那一类高考数学题。能解开这类问题的学生寥寥无几。难道真的只有拥有特殊天赋的学生才能解开这些难题吗？我不这么认为。

像高考数学题这一类有标准答案的问题，**就算再怎么难也不过是一些基础题的组合**。只要将一个难题分解为多个基础题，再逐一解决，自然就能得到答案。

把难题分解成基础题，就好比在茫茫人海中寻找名为田中的好友一样。如果能看到田中的正脸，找到他倒也不是什么难事。但大多数情况我们只能在混乱拥挤的人群中瞥见他的后脑勺或捕捉他的一个身影。即便如此，还是有一种人可以准确地从人群中找到田中，那就是从他出生起就一路看着他长大，对他了如指掌的人。

能解开数学难题的人也大都对基础知识非常熟悉。这里，我想向各位介绍一下三步学习法。

(1) 牢记数学名词的定义。

(2) 亲自证明定理或公式。

(3) 多做基础题直到能够得心应手。

学习数学，首先必须要做的就是把新认识的数学名词的定义一字一句地装入脑中。如果定义学得模棱两可，往后的学习也会步履维艰。

其次，请务必尝试亲自证明那些定理或公式。有的人拼命将公式死背下来，却不知道该在哪里使用，那记公式也是白费力气。要是你有充裕的时间，不妨尝试**在不看公式的前提下解题（从证明公式开始做起）。只有达到了这种境界，才能保证你能够在正确的情形下正确地应用公式**。

之后就是多练基础题了。这里所说的基础题指的是与教科书上所列问题难度差不多的问题。当然，**不可以死记解题方法**。每一种解题方法都必定有它的思路，我们要做的是不停地钻研，直到完全理解它。只要按照这种方法持之以恒地学习，别人口中的“难题”对你来说也就不算难题了。

【问题 3：位置向量】 基础

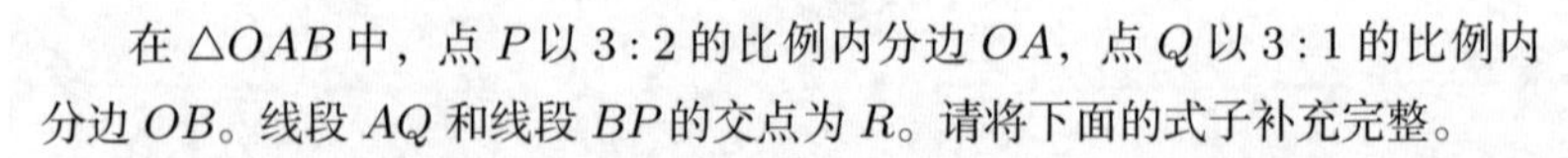

在 $\triangle OAB$ 中，点 P 以 $3:2$ 的比例内分边 OA，点 Q 以 $3:1$ 的比例内分边 OB。线段 AQ 和线段 BP 的交点为 R。请将下面的式子补充完整。

$\overrightarrow{OR}=$ ____ $\overrightarrow{OA}+$ ____ $\overrightarrow{OB}$

（2008 年　东京理科大学）

答案 (1) $\dfrac{3}{11}$ (2) $\dfrac{6}{11}$

详解

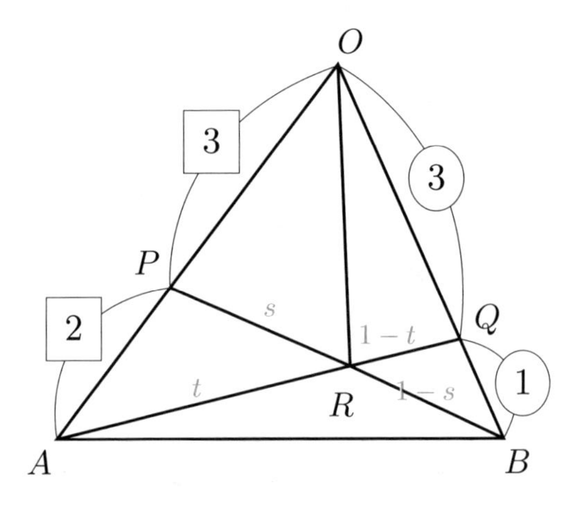

设 AQ 和 BP 的交点 R 以 $s:1-s$ 的比例内分 PB，以 $t:1-t$ 的比例内分 AQ。

根据线段内分点的位置向量（参见第 136 页），因为 R 以 $s:1-s$ 的比例内分 PB，所以

$$\overrightarrow{OR}=\frac{(1-s)\overrightarrow{OP}+s\overrightarrow{OB}}{s+(1-s)}=(1-s)\overrightarrow{OP}+s\overrightarrow{OB}=(1-s)\cdot\frac{3}{5}\overrightarrow{OA}+s\overrightarrow{OB}\quad\cdots①$$

又因为 R 以 $t:1-t$ 的比例内分 AQ，所以下式成立。

$$\overrightarrow{OR}=\frac{(1-t)\overrightarrow{OA}+t\overrightarrow{OQ}}{t+(1-t)}=(1-t)\overrightarrow{OA}+t\overrightarrow{OQ}=(1-t)\overrightarrow{OA}+t\cdot\frac{3}{4}\overrightarrow{OB}\quad\cdots②$$

我们在**向量的分解**中学过（参见第 127 页），**平面上的任意一个向量都可以用两个不为零且不平行的向量以一个公式来表示**。因为 $\overrightarrow{OA}$ 和 $\overrightarrow{OB}$ 是两个不为零且不平行的向量，由 ① 式、② 式可得

$$\begin{cases}(1-s)\cdot\dfrac{3}{5}=1-t\\ s=t\cdot\dfrac{3}{4}\end{cases}\Rightarrow\begin{cases}\dfrac{3}{5}-\dfrac{3}{5}s=1-t & \cdots③\\ s=\dfrac{3}{4}t & \cdots④\end{cases}$$

将 ④ 式代入 ③ 式，得

$$\frac{3}{5}-\frac{3}{5}\cdot\frac{3}{4}t=1-t\ \Rightarrow\ \frac{3}{5}-\frac{9}{20}t=1-t\ \Rightarrow\ \frac{11}{20}t=\frac{2}{5}$$

$$\Rightarrow\ t=\frac{2}{5}\times\frac{20}{11}=\frac{8}{11}$$

将结果代入 ② 式，得下式成立。

$$\overrightarrow{OR}=\left(1-\frac{8}{11}\right)\overrightarrow{OA}+\frac{8}{11}\cdot\frac{3}{4}\overrightarrow{OB}$$

$$\Rightarrow\ \overrightarrow{OR}=\frac{3}{11}\overrightarrow{OA}+\frac{6}{11}\overrightarrow{OB}$$

【问题 4：向量方程】 应用

试证明：在平面直角坐标系中，点 (x_0, y_0) 与直线 $ax+by+c=0$ 的距离为$\frac{|ax_0+by_0+c|}{\sqrt{a^2+b^2}}$。

（2013 年　大阪大学）

略（见详解部分）

【证明前的准备】

根据直线的向量方程（其三）（参见第 140 页），设点 $P(\vec{p})$ 位于经过点 $A(\vec{a})$ 且垂直于非零向量 $\vec{n}$ 的直线上，则满足点 $P(\vec{p})$ 的向量方程为 $\vec{n}\cdot(\vec{p}-\vec{a})=\mathbf{0}$。

设 $\vec{p}=(x,y)$，$\vec{a}=(x_1,y_1)$，$\vec{n}=(a,b)$，则有

$$\vec{n}\cdot(\vec{p}-\vec{a})=0 \quad\Rightarrow\quad (a,b)\cdot(x-x_1,y-y_1)=0$$
$$\Rightarrow\quad a(x-x_1)+b(y-y_1)=0$$
$$\Rightarrow\quad ax+by+(-ax_1-by_1)=0$$

若 $\vec{a}=(x_a,y_a)$，$\vec{b}=(x_b,y_b)$，则 $\vec{a}\cdot\vec{b}=x_ax_b+y_ay_b$

令 $c=-ax_1-by_1$，可以得到 $ax+by+c=0$。

也就是说，$\vec{n}=(a,b)$ 是直线 $ax+by+c=0$ 的法向量。

证明

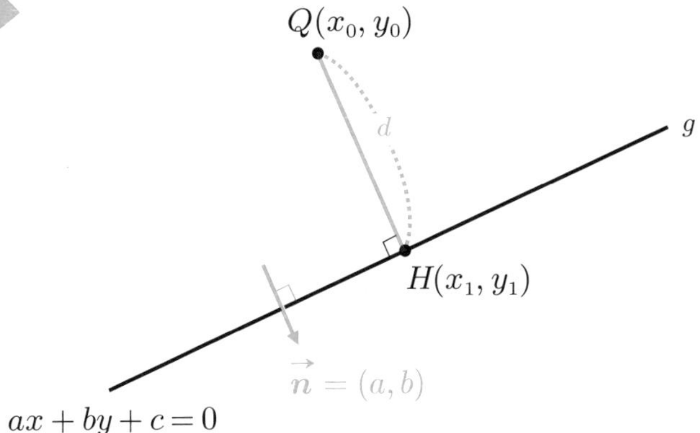

设点 (x_0, y_0) 为 Q，直线 $ax + by + c = 0$ 为 g。又设点 Q 到直线 g 的距离为 d。

过点 Q 作直线 g 的垂线 QH，则有下式成立。

$$d = |\overrightarrow{\boldsymbol{QH}}| \quad \cdots ①$$

根据证明前的准备，我们已经知道直线 g 的法向量 $\vec{n}$ 为

$$\vec{\boldsymbol{n}} = (a, b) \quad \cdots ②$$

因为 $\overrightarrow{\boldsymbol{QH}}$ 与 $\vec{\boldsymbol{n}}$ 平行，所以由向量平行的条件（参见第 126 页）可知，存在一个实数 t 满足以下公式。

$$\overrightarrow{\boldsymbol{QH}} = t\vec{\boldsymbol{n}} \quad \cdots ③$$

若 $\vec{\boldsymbol{a}} = (x_a, y_a)$，
则 $|\vec{\boldsymbol{a}}| = \sqrt{{x_a}^2 + {y_a}^2}$

把 ③ 式代入 ① 式，得下式成立。

$$d = |t\vec{\boldsymbol{n}}| = |t|\,|\vec{\boldsymbol{n}}| = |t|\sqrt{\boldsymbol{a^2 + b^2}} \quad \cdots ④$$

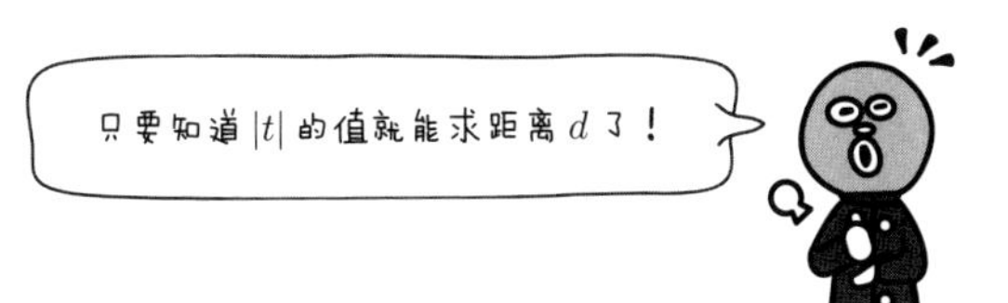

设点 H 的坐标为 (x_1, y_1)，则有

$$\overrightarrow{QH} = \overrightarrow{OH} - \overrightarrow{OQ} = (x_1, y_1) - (x_0, y_0) = \boldsymbol{(x_1 - x_0, y_1 - y_0)}$$

由②和③可得下式成立。

$$(x_1 - x_0, y_1 - y_0) = t(a, b) \quad \Rightarrow \begin{cases} x_1 - x_0 = at \\ y_1 - y_0 = bt \end{cases}$$

$$\Rightarrow \begin{cases} x_1 = at + x_0 \\ y_1 = bt + y_0 \end{cases} \quad \cdots ⑤$$

因为**点 $H(x_1, y_1)$ 位于直线 g 上**，所以 (x_1, y_1) 可以代入方程 $ax + by + c = 0$。

$$ax_1 + by_1 + c = 0$$

由⑤式可得

$$\Rightarrow \quad a(at + x_0) + b(bt + y_0) + c = 0$$
$$\Rightarrow \quad a^2t + ax_0 + b^2t + by_0 + c = 0$$
$$\Rightarrow \quad (a^2 + b^2)t + ax_0 + by_0 + c = 0$$
$$\Rightarrow \quad (a^2 + b^2)t = -(ax_0 + by_0 + c)$$
$$\Rightarrow \quad t = -\frac{ax_0 + by_0 + c}{a^2 + b^2} \quad \cdots ⑥$$

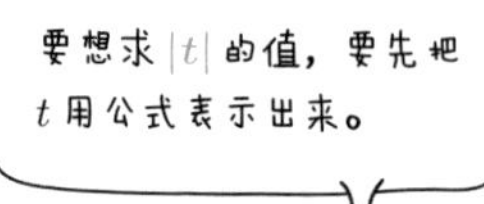

将⑥式代入④式，可得下式成立。

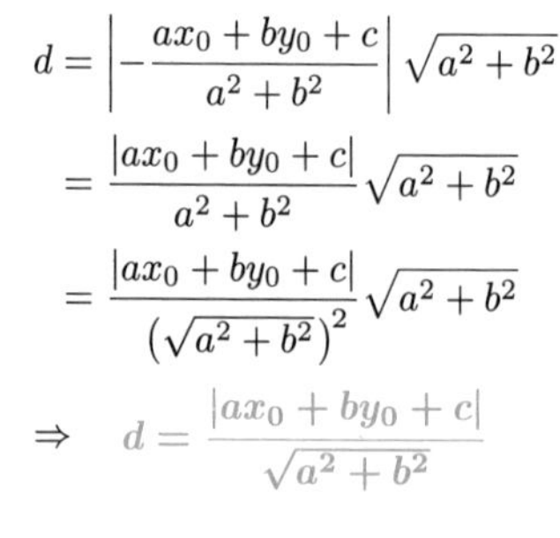

$$d = \left|-\frac{ax_0 + by_0 + c}{a^2 + b^2}\right| \sqrt{a^2 + b^2}$$
$$= \frac{|ax_0 + by_0 + c|}{a^2 + b^2} \sqrt{a^2 + b^2}$$
$$= \frac{|ax_0 + by_0 + c|}{\left(\sqrt{a^2 + b^2}\right)^2} \sqrt{a^2 + b^2}$$
$$\Rightarrow \quad d = \frac{|ax_0 + by_0 + c|}{\sqrt{a^2 + b^2}}$$

$|-a| = |a|$
$a^2 + b^2 > 0 \Rightarrow |a^2 + b^2| = a^2 + b^2$，
当 $x > 0$ 时，$x = \sqrt{x}^2$

（证毕

【问题 5：矩阵基础和运算】 基础

已知矩阵 $\boldsymbol{A}=\begin{pmatrix} a & b \\ c & d \end{pmatrix}$ 满足 $\boldsymbol{A}\begin{pmatrix} 1 \\ 1 \end{pmatrix}=2\begin{pmatrix} 1 \\ 1 \end{pmatrix}$，$\boldsymbol{A}\begin{pmatrix} 2 \\ 3 \end{pmatrix}=3\begin{pmatrix} 2 \\ 3 \end{pmatrix}$，设 $\boldsymbol{A}\begin{pmatrix} -1 \\ 3 \end{pmatrix}=x\begin{pmatrix} 1 \\ 3 \end{pmatrix}$，求 x 的值。

（2012 年　日本防卫大学）

答案 $x=6$

详解

根据矩阵和向量的积（参见第 143 页）的定义，可得如下公式。

$$\begin{pmatrix} a & b \\ c & d \end{pmatrix}\begin{pmatrix} x \\ y \end{pmatrix}=\begin{pmatrix} ax+by \\ cx+dy \end{pmatrix}$$

$$\boldsymbol{A}\begin{pmatrix} 1 \\ 1 \end{pmatrix}=2\begin{pmatrix} 1 \\ 1 \end{pmatrix} \Rightarrow \begin{pmatrix} a & b \\ c & d \end{pmatrix}\begin{pmatrix} 1 \\ 1 \end{pmatrix}=\begin{pmatrix} 2 \\ 2 \end{pmatrix} \Rightarrow \begin{cases} a+b=2 & \cdots① \\ c+d=2 & \cdots② \end{cases}$$

$$\boldsymbol{A}\begin{pmatrix} 2 \\ 3 \end{pmatrix}=3\begin{pmatrix} 2 \\ 3 \end{pmatrix} \Rightarrow \begin{pmatrix} a & b \\ c & d \end{pmatrix}\begin{pmatrix} 2 \\ 3 \end{pmatrix}=\begin{pmatrix} 6 \\ 9 \end{pmatrix} \Rightarrow \begin{cases} 2a+3b=6 & \cdots③ \\ 2c+3d=9 & \cdots④ \end{cases}$$

① × 3 − ③，得

$$\begin{array}{rl} & 3a+3b=6 \\ -) & 2a+3b=6 \\ \hline & a \qquad =0 \end{array} \Rightarrow \text{由 ① 式可得 } b=2$$

② × 3 − ④，可得

$$\begin{array}{rl} & 3c+3d=6 \\ -) & 2c+3d=9 \\ \hline & c \qquad =-3 \end{array} \Rightarrow \text{由 ② 式可得 } d=5$$

由前式可得

$$\boldsymbol{A}=\begin{pmatrix} a & b \\ c & d \end{pmatrix}=\begin{pmatrix} 0 & 2 \\ -3 & 5 \end{pmatrix}，\boldsymbol{A}\begin{pmatrix} -1 \\ 3 \end{pmatrix}=\boldsymbol{x}\begin{pmatrix} 1 \\ 3 \end{pmatrix} \Rightarrow \begin{pmatrix} 0 & 2 \\ -3 & 5 \end{pmatrix}\begin{pmatrix} -1 \\ 3 \end{pmatrix}=\boldsymbol{x}\begin{pmatrix} 1 \\ 3 \end{pmatrix}$$

$$\Rightarrow \begin{cases} 6=x \\ 3+15=3x \end{cases} \Rightarrow x=6$$

【问题 6：矩阵和方程】 应用

已知矩阵 $\boldsymbol{A}=\begin{pmatrix}-1 & 1\\ -6 & 4\end{pmatrix}$。请回答下列问题。

1 求满足 $\boldsymbol{A}=\begin{pmatrix}1\\ x\end{pmatrix}=k\begin{pmatrix}1\\ x\end{pmatrix}$ 的两个 k 值 k_1 和 k_2。其中，$k_1<k_2$。

2 根据第 1 题求出的 k_1 和 k_2，求满足如下公式的 x_1 和 x_2 的值。

$$\boldsymbol{A}\begin{pmatrix}1\\ x_1\end{pmatrix}=k_1\begin{pmatrix}1\\ x_1\end{pmatrix},\quad \boldsymbol{A}\begin{pmatrix}1\\ x_2\end{pmatrix}=k_2\begin{pmatrix}1\\ x_2\end{pmatrix}$$

3 已知 $\boldsymbol{X}=\begin{pmatrix}1 & 1\\ x_1 & x_2\end{pmatrix}$，根据第 2 题求出的 x_1 和 x_2，求 $\boldsymbol{X}^{-1}\boldsymbol{A}\boldsymbol{X}$。

4 已知 n 是自然数，求 $\boldsymbol{A}^n$。

（2009 年　甲南大学）

1 $k_1=1$，$k_2=2$　**2** $x_1=2$，$x_2=3$

3 $\begin{pmatrix}1 & 0\\ 0 & 2\end{pmatrix}$　**4** $\begin{pmatrix}-2^{n+1}+3 & 2^n-1\\ -3\cdot 2^{n+1}+6 & 3\cdot 2^n-2\end{pmatrix}$

1 k 是矩阵 $\boldsymbol{A}$ 的特征值（参见第 150 页）。设 $\boldsymbol{E}$ 为单位矩阵（参见第 146 页），则有

$$\boldsymbol{A}\begin{pmatrix}1\\ x\end{pmatrix}=k\begin{pmatrix}1\\ x\end{pmatrix}\ \Rightarrow\ \boldsymbol{A}\begin{pmatrix}1\\ x\end{pmatrix}-k\begin{pmatrix}1\\ x\end{pmatrix}=\boldsymbol{0}\ \Rightarrow\ \boldsymbol{A}\begin{pmatrix}1\\ x\end{pmatrix}-k\boldsymbol{E}\begin{pmatrix}1\\ x\end{pmatrix}=$$

$$\Rightarrow\ (\boldsymbol{A}-k\boldsymbol{E})\begin{pmatrix}1\\ x\end{pmatrix}=\boldsymbol{0}$$

如果 $(\boldsymbol{A}-k\boldsymbol{E})^{-1}$ 存在，则与 $\begin{pmatrix}1\\ x\end{pmatrix}=(\boldsymbol{A}-k\boldsymbol{E})^{-1}\boldsymbol{0}=\boldsymbol{0}$ 矛盾，所以 $(\boldsymbol{A}-k\boldsymbol{E})^{-}$ 不存在。也就是说 $\det(\boldsymbol{A}-k\boldsymbol{E})=0$。

由 $\boldsymbol{A}=\begin{pmatrix}-1 & 1\\ -6 & 4\end{pmatrix}$ 可得

$$\boldsymbol{A}-k\boldsymbol{E}=\begin{pmatrix}-1 & 1\\ -6 & 4\end{pmatrix}-k\begin{pmatrix}1 & 0\\ 0 & 1\end{pmatrix}=\begin{pmatrix}-1-k & 1\\ -6 & 4-k\end{pmatrix}$$

$\det(\boldsymbol{A}-k\boldsymbol{E})=0$

$\Rightarrow(-1-k)(4-k)-1\cdot(-6)=0$

> 若 $\boldsymbol{A}=\begin{pmatrix}a & b\\ c & d\end{pmatrix}$，则 $\det\boldsymbol{A}=ad-bc$

$$\Rightarrow \quad k^2-3k+2=0 \quad \Rightarrow \quad (k-1)(k-2)=0 \quad \Rightarrow \quad k=1 \text{ 或 } 2$$

因为 $k_1 < k_2$，所以 $k_1=1$，$k_2=2$。

2 由 $k_1=1$ 得

$$\boldsymbol{A}\begin{pmatrix}1\\x_1\end{pmatrix}=k_1\begin{pmatrix}1\\x_1\end{pmatrix} \quad \Rightarrow \quad \begin{pmatrix}-1&1\\-6&4\end{pmatrix}\begin{pmatrix}1\\x_1\end{pmatrix}=1\cdot\begin{pmatrix}1\\x_1\end{pmatrix} \quad \Rightarrow \quad \begin{cases}-1+x_1=1\\-6+4x_1=x_1\end{cases}$$

$$\Rightarrow \quad x_1=2$$

由 $k_2=2$ 可得

$$\boldsymbol{A}\begin{pmatrix}1\\x_2\end{pmatrix}=k_2\begin{pmatrix}1\\x_2\end{pmatrix} \quad \Rightarrow \quad \begin{pmatrix}-1&1\\-6&4\end{pmatrix}\begin{pmatrix}1\\x_2\end{pmatrix}=2\cdot\begin{pmatrix}1\\x_2\end{pmatrix} \quad \Rightarrow \quad \begin{cases}-1+x_2=2\\-6+4x_2=2x_2\end{cases}$$

$$\Rightarrow \quad x_2=3$$

3 由 $x_1=2$ 且 $x_2=3$ 可得

$$\boldsymbol{X}=\begin{pmatrix}1&1\\x_1&x_2\end{pmatrix}=\begin{pmatrix}1&1\\2&3\end{pmatrix}\Rightarrow \boldsymbol{X}^{-1}=\frac{1}{1\times 3-1\times 2}\times\begin{pmatrix}3&-1\\-2&1\end{pmatrix}=\begin{pmatrix}\mathbf{3}&\mathbf{-1}\\\mathbf{-2}&\mathbf{1}\end{pmatrix}$$

$$\overset{\boldsymbol{A}}{\begin{pmatrix}a&b\\c&d\end{pmatrix}}\begin{pmatrix}\overset{\vec{p}}{p}&\overset{\vec{q}}{q}\\r&s\end{pmatrix}=\begin{pmatrix}\overset{A\vec{p}}{ap+br}&\overset{A\vec{q}}{aq+bs}\\cp+dr&cq+ds\end{pmatrix}$$

$$\begin{aligned}\Rightarrow \quad \boldsymbol{X}^{-1}\boldsymbol{A}\boldsymbol{X}&=\begin{pmatrix}3&-1\\-2&1\end{pmatrix}\begin{pmatrix}-1&1\\-6&4\end{pmatrix}\begin{pmatrix}1&1\\2&3\end{pmatrix}\\&=\begin{pmatrix}3&-1\\-2&1\end{pmatrix}\begin{pmatrix}-1\times1+1\times2&-1\times1+1\times3\\-6\times1+4\times2&-6\times1+4\times3\end{pmatrix}\\&=\begin{pmatrix}3&-1\\-2&1\end{pmatrix}\begin{pmatrix}1&2\\2&6\end{pmatrix}\\&=\begin{pmatrix}3\times1+(-1)\times2&3\times2+(-1)\times6\\-2\times1+1\times2&-2\times2+1\times6\end{pmatrix}=\begin{pmatrix}1&0\\0&2\end{pmatrix}\end{aligned}$$

4 设 $\boldsymbol{P}=\begin{pmatrix}1&0\\0&2\end{pmatrix}$，则

$$\boldsymbol{P}^2=\begin{pmatrix}1&0\\0&2\end{pmatrix}\begin{pmatrix}1&0\\0&2\end{pmatrix}=\begin{pmatrix}1\times1+0\times0&1\times0+0\times2\\0\times1+2\times0&0\times0+2\times2\end{pmatrix}=\begin{pmatrix}1^2&0\\0&2^2\end{pmatrix}$$

$$\boldsymbol{P}^3=\boldsymbol{P}\boldsymbol{P}^2=\begin{pmatrix}1&0\\0&2\end{pmatrix}\begin{pmatrix}1^2&0\\0&2^2\end{pmatrix}=\begin{pmatrix}1\times1^2+0\times0&1\times0+0\times2^2\\0\times1^2+2\times0&0\times0+2\times2^2\end{pmatrix}=\begin{pmatrix}1^3&0\\0&2^3\end{pmatrix}$$

$$\boldsymbol{P}^4=\boldsymbol{P}\boldsymbol{P}^3=\begin{pmatrix}1&0\\0&2\end{pmatrix}\begin{pmatrix}1^3&0\\0&2^3\end{pmatrix}=\begin{pmatrix}1\times1^3+0\times0&1\times0+0\times2^3\\0\times1^3+2\times0&0\times0+2\times2^3\end{pmatrix}=\begin{pmatrix}1^4&0\\0&2^4\end{pmatrix}$$

以此类推，可得 $\boldsymbol{P}^n=\begin{pmatrix}1^n&0\\0&2^n\end{pmatrix}=\begin{pmatrix}\mathbf{1}&\mathbf{0}\\\mathbf{0}&\mathbf{2^n}\end{pmatrix}$[①] $\cdots$①。

在 $\boldsymbol{X}^{-1}\boldsymbol{A}\boldsymbol{X}=\boldsymbol{P}$ 的等号两侧同时左乘 $\boldsymbol{X}$，右乘 $\boldsymbol{X}^{-1}$，得

$$\boldsymbol{X}\boldsymbol{X}^{-1}\boldsymbol{A}\boldsymbol{X}\boldsymbol{X}^{-1}=\boldsymbol{X}\boldsymbol{P}\boldsymbol{X}^{-1}\ \Rightarrow\ \boldsymbol{E}\boldsymbol{A}\boldsymbol{E}=\boldsymbol{X}\boldsymbol{P}\boldsymbol{X}^{-1}\ \Rightarrow\ \boldsymbol{A}=\boldsymbol{X}\boldsymbol{P}\boldsymbol{X}^{-1}\quad\cdots②$$

在②式的等号两侧同取 n 次方得

$$\begin{aligned}\boldsymbol{A}^n&=(\boldsymbol{X}\boldsymbol{P}\boldsymbol{X}^{-1})^n=\overbrace{(\boldsymbol{X}\boldsymbol{P}\boldsymbol{X}^{-1})(\boldsymbol{X}\boldsymbol{P}\boldsymbol{X}^{-1})(\boldsymbol{X}\boldsymbol{P}\boldsymbol{X}^{-1})\cdots\cdots(\boldsymbol{X}\boldsymbol{P}\boldsymbol{X}^{-1})}^{n\text{ 个 }(\boldsymbol{X}\boldsymbol{P}\boldsymbol{X}^{-1})\text{ 相乘}}\\&=\boldsymbol{X}\boldsymbol{P}\underbrace{\boldsymbol{X}^{-1}\boldsymbol{X}}_{\boldsymbol{E}}\boldsymbol{P}\underbrace{\boldsymbol{X}^{-1}\boldsymbol{X}}_{\boldsymbol{E}}\boldsymbol{P}\underbrace{\boldsymbol{X}^{-1}\cdots}_{\boldsymbol{E}}\underbrace{\cdots\boldsymbol{X}}_{\boldsymbol{E}}\boldsymbol{P}\boldsymbol{X}^{-1}\\&=\boldsymbol{X}\boldsymbol{P}\boldsymbol{E}\boldsymbol{P}\boldsymbol{E}\boldsymbol{P}\boldsymbol{E}\cdots\cdots\boldsymbol{E}\boldsymbol{P}\boldsymbol{X}^{-1}\\&=\boldsymbol{X}\boldsymbol{P}^n\boldsymbol{X}^{-1}\end{aligned}$$

$$\boldsymbol{X}=\begin{pmatrix}1&1\\2&3\end{pmatrix}\qquad \boldsymbol{X}^{-1}=\begin{pmatrix}3&-1\\-2&1\end{pmatrix}$$

将①式中的 $\boldsymbol{P}^n$ 和 $\boldsymbol{X}$、$\boldsymbol{X}^{-1}$ 代入，可得以下结果。

$$\begin{aligned}\boldsymbol{A}^n&=\boldsymbol{X}\begin{pmatrix}1&0\\0&2^n\end{pmatrix}X^{-1}=\begin{pmatrix}1&1\\2&3\end{pmatrix}\begin{pmatrix}1&0\\0&2^n\end{pmatrix}\begin{pmatrix}3&-1\\-2&1\end{pmatrix}\\&=\begin{pmatrix}1&1\\2&3\end{pmatrix}\begin{pmatrix}1\cdot3+0\cdot(-2)&1\cdot(-1)+0\cdot1\\0\cdot3+2^n\cdot(-2)&0\cdot(-1)+2^n\cdot1\end{pmatrix}=\begin{pmatrix}1&1\\2&3\end{pmatrix}\begin{pmatrix}3&-1\\-2^{n+1}&2^n\end{pmatrix}\\&=\begin{pmatrix}1\cdot3+1\cdot(-2^{n+1})&1\cdot(-1)+1\cdot2^n\\2\cdot3+3\cdot(-2^{n+1})&2\cdot(-1)+3\cdot2^n\end{pmatrix}=\begin{pmatrix}-2^{n+1}+3&2^n-1\\-3\cdot2^{n+1}+6&3\cdot2^n-2\end{pmatrix}\end{aligned}$$

① 可用数学归纳法进行严密证明。

埃瓦里斯特·伽罗瓦（1811—1832）

代数史上璀璨而年轻的巨星

高中数学里的向量通常以有向线段（即箭头）的形式来表示，但到了大学阶段，向量就并不一定必须用箭头来表示了。例如：我现在身高 175 厘米，体重 80 千克（我太胖了），年龄 43 岁。把这些数值以 (175, 80, 43) 的形式排列，其实也是把它看作一种向量。也就是说，**纯粹的数值组合也可以作为向量使用**。

矩阵是多个向量的组合，我们把研究向量和矩阵的数学称为**线性代数**（linear algebra）。对物理学、经济学、统计学等学科来说，线性代数是一件不可或缺的工具，在众多领域得到了广泛应用。

代数学（algebra）其实是一个**研究代数方程一般解法**的数学分支。在代数学的历史上，曾经出过一位震古烁今却命运凄惨的旷世奇才。他就是法国的天才数学家**埃瓦里斯特·伽罗瓦**。

16 世纪的意大利已经有人发现三次方程和四次方程的根式解，当时世界上的数学家正热衷于寻找五次方程的根式解。但是，五次方程实际上并不存在所谓的根式解。最早证明这一点的人是挪威的**尼尔斯·亨里克·阿贝尔**（Niels Henrik Abel），时间是在四次方程的根式解被发现后约 300 年。

方程存在根式解意味着该方程的解可以由系数经过反复的四则运算及开方表示出来。这样的解法称为“代数解法”。

伽罗瓦运用当时尚未确立的数学结构——**群**（group），成功地发现了用代数法解任意次数方程的充分必要条件。这项伟绩开启了现代数学的大门。

伽罗瓦是数学家中的稀世天才，不仅如此，他的一生也波澜壮阔。他曾因政治活动而被学校开除，并在参加几次活动后锒铛入狱，后又因决斗失败而死，享年 21 岁。

决斗前夜，伽罗瓦给友人寄了一封信，在这封信的最后记录了一个数学猜想，并附上一句话：我已经没有时间了。这个猜想在他死后 50 年才终于被证明。假如伽罗瓦能拥有正常人的寿命，我想数学历史应该会和现在大不相同吧。

【问题 7：线性变换】 基础

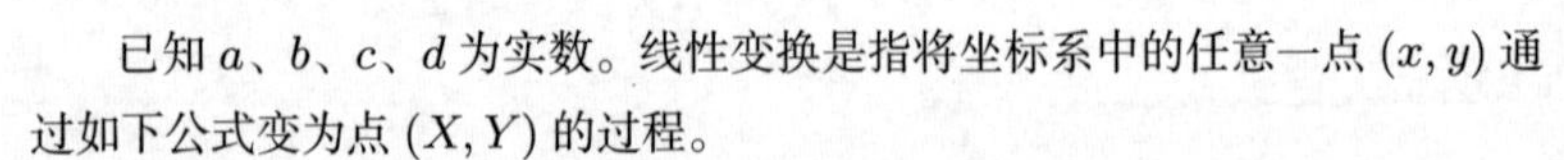

已知 a、b、c、d 为实数。线性变换是指将坐标系中的任意一点 (x,y) 通过如下公式变为点 (X,Y) 的过程。

$$\begin{pmatrix} X \\ Y \end{pmatrix} = \begin{pmatrix} a & b \\ c & d \end{pmatrix}\begin{pmatrix} x \\ y \end{pmatrix}$$

其中，$\begin{pmatrix} a & b \\ c & d \end{pmatrix}$ 是表示线性变换的矩阵。

请判断下列变换是否为线性变换。如果是，求表示该线性变换的矩阵；如果不是，请叙述理由。

1. 将坐标系中任意一点平移至它自身所在的位置。
2. 令坐标系中任意一点进行关于直线 $y=-x$ 的对称变换。
3. 将坐标系中任意一点往 x 轴方向平移 2 个单位，往 y 轴方向平移 4 个单位。

（2013 年　富山县立大学）

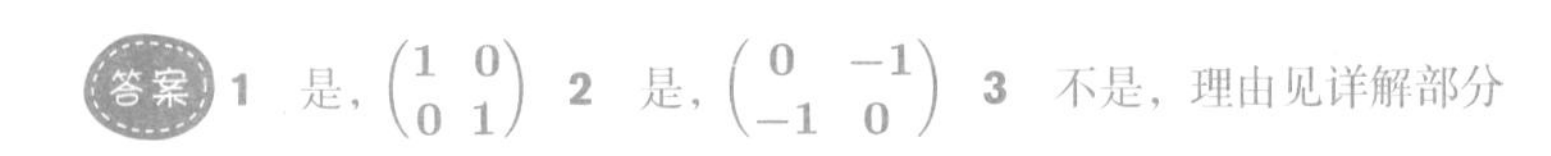

答案　1　是，$\begin{pmatrix} 1 & 0 \\ 0 & 1 \end{pmatrix}$　2　是，$\begin{pmatrix} 0 & -1 \\ -1 & 0 \end{pmatrix}$　3　不是，理由见详解部分

详解

设原本的点坐标为 (x,y)，变换后的点坐标为 (X,Y)。

1 将坐标系中任意一点平移至它自身所在位置，这个变换可用如下公式表示。

$$\begin{pmatrix} X \\ Y \end{pmatrix} = \begin{pmatrix} x \\ y \end{pmatrix} = \begin{pmatrix} 1\cdot x + 0\cdot y \\ 0\cdot x + 1\cdot y \end{pmatrix} = \begin{pmatrix} \mathbf{1} & \mathbf{0} \\ \mathbf{0} & \mathbf{1} \end{pmatrix}\begin{pmatrix} \boldsymbol{x} \\ \boldsymbol{y} \end{pmatrix}$$

所以这是线性变换，表示该线性变换的矩阵是 $\begin{pmatrix} 1 & 0 \\ 0 & 1 \end{pmatrix}$。

2 令坐标系中任意一点进行关于直线 $y=-x$ 的对称变换，这个变换可用如下公式表示[①]。

$$\begin{pmatrix} X \\ Y \end{pmatrix} = \begin{pmatrix} -x \\ -y \end{pmatrix} = \begin{pmatrix} 0\cdot x + (-1)\cdot y \\ (-1)\cdot x + 0\cdot y \end{pmatrix} = \begin{pmatrix} \mathbf{0} & \mathbf{-1} \\ \mathbf{-1} & \mathbf{0} \end{pmatrix}\begin{pmatrix} \boldsymbol{x} \\ \boldsymbol{y} \end{pmatrix}$$

① 参考下一页的图可以更直观地进行理解。严格来说可根据以下条件证明该点：(x,y) 和 (X,Y) 连成的线段斜率为且线段中点位于直线 $y=-x$ 上。

所以这是线性变换，表示该线性变换的矩阵是$\begin{pmatrix} 0 & -1 \\ -1 & 0 \end{pmatrix}$。

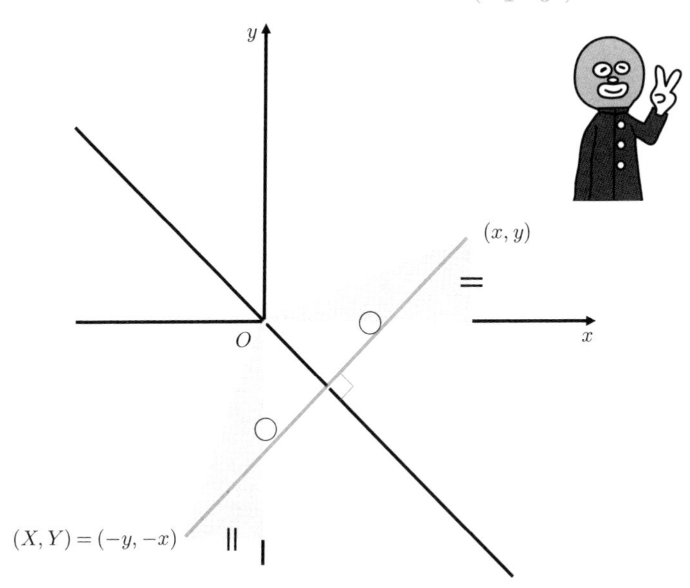

3 将坐标系中任意一点往 x 轴方向平移 2 个单位，往 y 轴方向平移 4 个单位，这个变换可用如下公式表示。

$$\begin{pmatrix} X \\ Y \end{pmatrix} = \begin{pmatrix} x+2 \\ y+4 \end{pmatrix} \quad \cdots ①$$

假设该变换为线性变换，则存在一个矩阵$\begin{pmatrix} a & b \\ c & d \end{pmatrix}$满足$\begin{pmatrix} X \\ Y \end{pmatrix} = \begin{pmatrix} a & b \\ c & d \end{pmatrix}\begin{pmatrix} x \\ y \end{pmatrix}$。由 ① 式可得

$$\begin{pmatrix} x+2 \\ y+4 \end{pmatrix} = \begin{pmatrix} a & b \\ c & d \end{pmatrix}\begin{pmatrix} x \\ y \end{pmatrix} \quad \cdots ②$$

由线性变换的定义可知，**② 式必须对任意 $\begin{pmatrix} \boldsymbol{x} \\ \boldsymbol{y} \end{pmatrix}$ 都成立**。将$\begin{pmatrix} x \\ y \end{pmatrix} = \begin{pmatrix} 0 \\ 0 \end{pmatrix}$代入 ② 式，可得$\begin{pmatrix} 2 \\ 4 \end{pmatrix} = \begin{pmatrix} a & b \\ c & d \end{pmatrix}\begin{pmatrix} 0 \\ 0 \end{pmatrix} = \begin{pmatrix} 0 \\ 0 \end{pmatrix}$，该式显然不成立。

综上所述，将坐标系中任意一点往 x 轴方向平移 2 个单位，往 y 轴方向平移 4 个单位，这个变换不是线性变换。

8.7 “复平面”的真题

【问题 1：复平面基础】 基础

已知 $\left(\alpha+\dfrac{1}{\bar{\alpha}}\right)\left(\bar{\alpha}+\dfrac{1}{\alpha}\right)=4$，求复数 α 的绝对值 $|\alpha|$。

（2014 年　东京电机大学）

答案 $|\alpha|=1$

详解

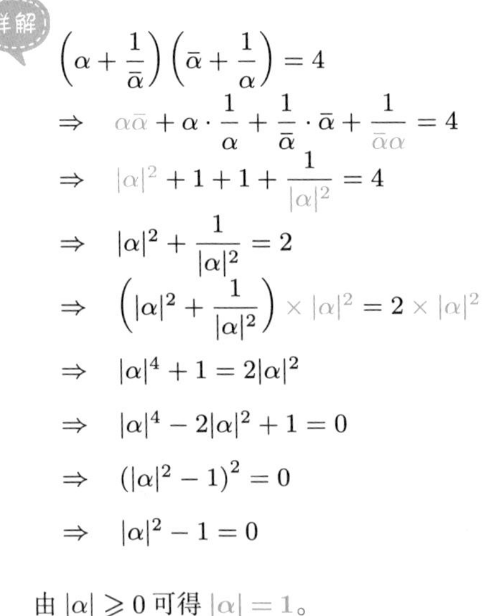

$$\left(\alpha+\frac{1}{\bar{\alpha}}\right)\left(\bar{\alpha}+\frac{1}{\alpha}\right)=4$$

$$\Rightarrow\quad \alpha\bar{\alpha}+\alpha\cdot\frac{1}{\alpha}+\frac{1}{\bar{\alpha}}\cdot\bar{\alpha}+\frac{1}{\bar{\alpha}\alpha}=4$$

$$\Rightarrow\quad |\alpha|^2+1+1+\frac{1}{|\alpha|^2}=4$$

$$\Rightarrow\quad |\alpha|^2+\frac{1}{|\alpha|^2}=2$$

$$\Rightarrow\quad \left(|\alpha|^2+\frac{1}{|\alpha|^2}\right)\times|\alpha|^2=2\times|\alpha|^2$$

$$\Rightarrow\quad |\alpha|^4+1=2|\alpha|^2$$

$$\Rightarrow\quad |\alpha|^4-2|\alpha|^2+1=0$$

$$\Rightarrow\quad (|\alpha|^2-1)^2=0$$

$$\Rightarrow\quad |\alpha|^2-1=0$$

由 $|\alpha|\geqslant 0$ 可得 $|\alpha|=1$。

$a^2-2ab+b^2$
$=(a-b)^2$

【问题 2：复数的极形式】 基础

已知 $0 < \theta < 90$，a 为正数。设复平面上的点 $z_0, z_1, z_2, \cdots$ 满足以下条件。

(1) $z_0 = 0$，$z_1 = a$。

(2) 当 $n \geqslant 1$ 时，令点 $z_n - z_{n-1}$ 绕原点逆时针旋转 $\theta°$ 后与点 $z_{n+1} - z_n$ 的位置相同。

试证明："θ 为有理数"是存在 n 能使点 z_n（$n \geqslant 1$）与点 z_0 相等的充分必要条件。

（2002 年　京都大学）

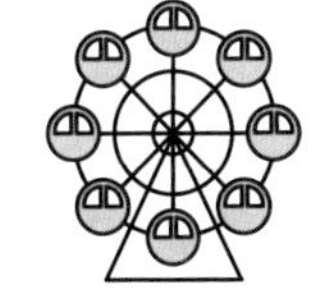

略（见详解部分）

根据所学的用复数表示旋转变换（参见第 165 页）可知，

$$w = \cos\theta° + \mathrm{i}\sin\theta° \quad \cdots①$$

复数乘以 w 表示该复数位于复平面上的点绕原点逆时针旋转了 $\theta°$。依题意可得

$$z_{n+1} - z_n = w(z_n - z_{n-1})$$

这里，设

$$\boldsymbol{z_{n+1} - z_n = b_n} \quad \cdots②$$

则

$$b_n = wb_{n-1} \quad \cdots③$$

由 ③ 式可知，数列 $\{b_n\}$ 是公比为 w 的等比数列，所以下述成立。

$$b_n = b_0 w^n = (z_1 - z_0)w^n = (a - 0)w^n = aw^n$$
$$\Rightarrow \quad b_n = aw^n \quad \cdots④$$

由②式可得 $\{b_n\}$ 是 $\{z_n\}$ 的差分数列（参见第113页），所以

$$z_n=z_0+\sum_{k=0}^{n-1}b_k$$

将④式代入，得下式成立。

$$z_n=0+\sum_{k=0}^{n-1}aw^k=a\sum_{k=0}^{n-1}w^k=a\left(w^0+w^1+w^2+\cdots+w^{n-1}\right)$$

现在，因为 w 是表示旋转的复数，旋转并非恒等变换，所以 $w\neq1$。注意 $w^0=1$，根据**等比数列求和公式**（参见第106页），得下式成立。

$$z_n=a\frac{1-w^n}{1-w}\quad\cdots⑤$$

等比数列之和的公式：

$$首项\frac{1-公比^{项数}}{1-公比}$$

【证明“存在 n 能使 $z_n=z_0\Rightarrow\theta$ 为有理数”】

这里，若存在 n 能使 $z_n=z_0$，即 $a\frac{1-w^n}{1-w}=0$，则

$$1-w^n=0\quad\Rightarrow\quad w^n=1$$

由①式可得

$$(\cos\theta^\circ+\mathrm{i}\sin\theta^\circ)^n=1$$

$$(\cos\theta+\mathrm{i}\sin\theta)^n=\cos n\theta+\mathrm{i}\sin n\theta$$

根据德·摩根定律（参见第168页），有

$$
\begin{aligned}
&\cos n\theta^\circ + \mathrm{i}\sin n\theta^\circ = 1 \\
\Rightarrow\quad & \cos n\theta^\circ + \mathrm{i}\sin n\theta^\circ = 1 + \mathrm{i}\cdot 0 \\
\Rightarrow\quad & \begin{cases} \cos n\theta^\circ = 1 \\ \sin n\theta^\circ = 0 \end{cases} \\
\Rightarrow\quad & n\theta^\circ = 360^\circ \times k \quad (k \text{ 为整数}) \\
\Rightarrow\quad & \theta = \frac{360k}{n} \quad (k \text{ 为整数})
\end{aligned}
$$

所以 θ 为有理数。

【证明“θ 为有理数 $\Rightarrow$ 存在 n 能使 $z_n = z_0$”】

相反，若 **θ 为有理数**，因为 $0 < \theta < 90$，所以我们可使用自然数 p 和 q 来表示 θ。

$$
\theta = \frac{p}{q} \quad \Rightarrow \quad q\theta = p \quad \Rightarrow \quad 360q\theta = 360p
$$

由此可得

$$
\begin{aligned}
w^{360q} &= (\cos\theta^\circ + \mathrm{i}\sin\theta^\circ)^{360q} \\
&= \cos(360q\theta)^\circ + \mathrm{i}\sin(360q\theta)^\circ \\
&= \cos(360p)^\circ + \mathrm{i}\sin(360p)^\circ = 1
\end{aligned}
$$

所以当 $\boldsymbol{n = 360q}$ 时，$w^n = 1$，由 ⑤ 式可得

$$
z_n = a\frac{1 - w^n}{1 - w} = a\frac{1 - 1}{1 - w} = 0 = z_0
$$

也就是说，存在 n 能使 $z_n = z_0$。

综上所述，**“θ 为有理数”是存在 n 能使点 z_n（$n \geqslant 1$）与点 z_0 相等的充分必要条件**。

（证毕）

索　引

G

H

J

K

L

M

N

O

P

Q

R

S

T

W

X

Y

Z

版权声明